U0364592

"九五"国家重点科技攻关计划
"黄河中下游水资源开发利用及河道减淤清淤关键技术研究"系列专著

三门峡以下非汛期水量调度系统关键问题研究

薛松贵　侯传河　王　煜　等编著

黄河水利出版社

内 容 提 要

“三门峡以下非汛期水量调度系统关键问题研究”系“九五”国家重点科技攻关项目“黄河中下游水资源开发利用及河道减淤清淤关键技术研究”第一课题第二专题的研究成果。主要内容包括黄河下游引黄灌区用水需求分析、径流预报模型研究、三门峡水库和小浪底水库调度模型研究、黄河下游河段配水模型研究、水环境保护研究、水资源调度风险分析、经济效益分析方法研究、水量调度决策支持系统开发等。该专题研究成果曾获得2004年水利部科技进步三等奖。

本书系上述专题研究成果经深化提炼后的著述,可供从事水资源开发、利用、管理和保护的科技工作者,以及从事或关心黄河治理、开发、研究的人士参考。

图书在版编目(CIP)数据

三门峡以下非汛期水量调度系统关键问题研究/薛松贵,侯传河,王煜等编著.—郑州:黄河水利出版社,2005.12
ISBN 7-80734-025-8

Ⅰ.三… Ⅱ.①薛…②侯…③王… Ⅲ.水库调度-研究-三门峡市 Ⅳ.TV697.1

中国版本图书馆CIP数据核字(2005)第154194号

出 版 社:黄河水利出版社
地址:河南省郑州市金水路11号 邮政编码:450003
发行单位:黄河水利出版社
发行部电话:0371-66026940 传真:0371-66022620
E-mail:yrcp@public.zz.ha.cn
承印单位:黄河水利委员会印刷厂
开本:787 mm×1 092 mm 1/16
印张:12.75
字数:295千字 印数:1—1 100
版次:2005年12月第1版 印次:2005年12月第1次印刷

书号:ISBN 7-80734-025-8/TV·445 定价:32.00元

“九五”国家重点科技攻关项目第 928 项

项 目 编 号： 98－928
项 目 名 称： 黄河中下游水资源开发利用及河道减淤清淤关键技术研究
组 织 部 门： 水利部

课 题 编 号： 98－928－01
课 题 名 称： 21 世纪初黄河水资源开发利用关键技术问题研究
主 持 单 位： 水利部国际合作与科技司

专 题 编 号： 98－928－01－02
专 题 名 称： 三门峡以下非汛期水量调度系统关键问题研究
承 担 单 位： 黄河水利委员会勘测规划设计研究院

专题负责人： 侯传河　薛松贵　王　煜

主要完成人： 侯传河　薛松贵　王　煜　王道席　何宏谋
霍世青　崔树彬　杨立彬　张会言　肖素君
安新代　张　永　饶素秋　宋世霞　王建中
张成林　王益能　陈红莉　薛建国　连　煜

参 加 人 员： 王　玲　印宝冲　李雪梅　李景宗　王军良
谢宝平　刘争胜　王海政　龚　华　王怀柏
高玉玲　王　彤　杨丽丰　王玉峰　刘晓岩
魏广修　朱庆平　郝伏勤　张建中　石国安
刘占松　刘晓丽　姜炳洲　王学金　毕黎明

报告执笔人： 侯传河　王　煜　王道席　杨立彬　肖素君

前言

一、研究背景

黄河是我国西北和华北地区的重要水源，随着流域社会经济的迅速发展，各部门对黄河水资源的需求量与日俱增，水资源的供求关系随之日趋紧张。一般来水年份的用水高峰期和枯水年份的供水量严重不足，水资源问题已成为黄河流域及下游沿黄地区社会经济可持续发展的制约因素。

黄河下游引黄灌区是一个缺水地区，目前灌溉规模达230多万公顷，是我国的重要粮棉生产基地，在我国经济建设中占有重要战略地位，黄河水量对其生存和发展影响极大。下游水资源供求关系紧张突出表现在下游河道断流日趋严重，1999年实行全河水量统一调度后，虽然利津站未再断流，但有时流量很小，还是靠行政手段干预实现的。黄河下游水资源供求关系紧张的原因是多方面的，既有黄河本身水资源量少的问题，也有依法用水制度不完善、中游缺乏大的调蓄工程和对水资源合理有效利用研究不够的问题。

在本专题立项时，黄河小浪底水库正在兴建，现已建成投入运用。小浪底水库是黄河干流最下端的骨干水库，正常蓄水位275 m，原始库容126.5亿m^3，长期调节库容51亿m^3，水库初期运用阶段的调节库容更大，可以充分调节三门峡水库的下泄水量，合理配置下游地区的水资源。有关小浪底水库建成后汛期调水调沙、防洪调度等问题另有其他课题研究，基于目前的黄河水行政管理体制，黄河水利委员会(以下简称黄委会)可以对三门峡以下的水利工程进行有效的调度和管理，故本专题仅研究三门峡以下非汛期水量调度系统关键问题。

本专题以三门峡、小浪底水库联合调度为基础，开展有关的研究，如下游用水需求分析、径流预报、河段配水、水环境保护、调度风险、经济效益分析、决策支持系统等，提出合理可行又具有可操作价值的三门峡以下非汛期水量调度决策支持系统和调度方案，以求在现状和近期时段内，通过本专题和其他相关专题研究成果的实施，合理和高效配置黄河有限的水资源，因此本专题研究即“三门峡以下非汛期水量调度系统关键问题研究”是非常必要的。

二、研究基础和方向

由于黄河水资源量少、供求关系紧张，因此在中国的大江大河中，黄河的水量调配研究工作起步是比较早的。根据黄委会的工作成果，1987年国务院批准了《黄河可供水量分配方案》，这在中国的大江大河中是第一个；1998年国家计委和水利部又批准了《黄河可供水量年度分配及干流水量调度方案》和《黄河水量调度管理办法》。1987年方案规定了沿黄各省(区)在黄河正常来水年份可以耗用的黄河水量，1998年方案在前者的框架内规定了各省(区)年内各月的耗用水量。1999年初黄委会设立水量调度机构，开始实施黄河干流的水量调度。由于黄河中游缺乏大的调蓄工程，与水量调度系统相关的软件研究在此之前难以深入开展，因此如果从高效、合理使用黄河水资源，尽可能充分发挥其经济效益和社会效益来说，黄河的水量调度管理水平还有待进一步提高。

小浪底水库的建成投入运用使高效、合理调配三门峡以下非汛期水量有了硬件基础，水量调度的发展方向就是在此基础上搞好软件的开发与应用，即用现状的先进技术开发径流预报模型、下游引黄灌区用水需求模型、三门峡和小浪底水库联合调度模型、河段配水模型以及水量调度决策支持系统。概括地说，就是开发研究用现代先进技术支撑的三门峡以下非汛期水量调度决策支持系统，它能在每一时段尽量准确地获取三门峡的来水预测信息和下游引黄灌溉、生态环境需水的时空分布信息，按一定的准则快速提出多个水量调度方案，供水量调度部门决策和实施；并能按已经发生的各种累计信息，不断修正未来时期的调度配水方案，使年度水量调度方案趋近效益最大、风险最小的目的。

三、研究目标和子专题设置

专题旨在通过对水量调度关键问题进行研究，攻克影响水量调度的技术“瓶颈”，建立相应的决策支持系统，为三门峡以下非汛期水量调度提供科学技术手段。具体目标包括：分析黄河下游引黄灌溉非汛期用水规律，提出不同情况下的引黄灌溉需水量，制定不同方案的引黄用水过程；分析黄河主要断面的来水规律，建立具有可操作性的非汛期径流预报模型，提出三门峡入库及其以下各河段月、旬预报成果并进行滚动修正；建立三门峡以下非汛期水量调度模型系统，提出三门峡和小浪底水库月、旬调度方案和各河段配水意见；建立三门峡以下河段水质预报模型，提出下游各河段水环境目标，满足水质目标的最小流量和河口地区生态环境需水量，对重点河段提出水环境保护对策；提出三门峡以下非汛期水量调度实施意见和建议。

根据上述研究目标，进行了专题分解如下：

子专题编号	子专题名称	承担单位	子专题负责人
98-928-01-02-01	三门峡以下非汛期用水需求分析研究	黄委会勘测规划设计研究院	张成林　何宏谋　肖素君
98-928-01-02-02	黄河非汛期径流预报研究	黄河水文水资源科学研究所	王　玲　霍世青　李雪梅　王玉峰
98-928-01-02-03	三门峡以下非汛期水量调度模型系统研究	黄委会勘测规划设计研究院	王益能　王道席　王建中
98-928-01-02-04	三门峡以下水环境保护研究	黄委会水资源保护局	邱宝冲　崔树彬
98-928-01-02-05	三门峡以下非汛期水量调度综合研究	黄委会勘测规划设计研究院	王　煜　安新代　张　永

四、研究的创新点

本次攻关研究紧紧抓住黄河目前存在的水资源短缺、迫切需要进行统一调度的生产难题，理论联系实际，注重研究成果的实用性和可操作性。除了完成专题合同要求的内容外，专题研究还在水量调度的风险分析、经济效益以及决策支持系统开发等方面取得了一些成果。总的来说，专题研究在理论、方法和手段上都有所创新。

（一）理论上创新

传统水量调度主要以水库调节为核心，在一定程度上忽视了具有同等水量调节作用的水资源区域配置，即空间调节。本次研究将水库调度和河段配水相分离，既突出水量调度空间配置的作用，又体现水量调度的时程上调节效能，同时也能够解决水量调度中总量难以控制这一难题。这种水库调度和河段配水相分离的水量调度结构体系，在水量调度理论中是一种创新，也为执行国务院批准的水量分配方案提供了科学的定量化手段。

根据黄河实际状况，建立了一套黄河水量调度管理理论。该理论科学严谨，包括径流预报、用水需求分析、水库调度、河段配水、水质分析、效益计算、风险分析、水量调度决策支持、配套管理措施等，在我国北方缺水地区水量调度中具有普遍的指导意义。

（二）方法上创新

利用模型群解决黄河水量调度问题也是本次研究的一个创新。模型群包括来水预报、用水计划编制、水库调度、河段配水、水质分析、风险分析、效益计算等，通过模型组合、嵌套等手段，发挥模型群的合力。

在水量调度中，通过增加最小生态环境流量约束，实现水量和水质的统一调度。

在考虑径流预报误差的基础上，利用典型解集和统计试验等方法生成来水、用水系列，基于风险分析理论进行水资源调度风险分析，为水资源调度管理提供风险信息支持。

此外，以前期大气环流特征量为因子建立兰州以上区域月径流预报模型，研究实用的花园口站年天然径流量预报方法，这在黄河水文史上都是第一次。

（三）手段上创新

基于数据库管理系统（DBMS）技术和地理信息系统（GIS）开发了水量调度决策支持系统，为决策者提供先进、智能和全面的技术支持，使决策不再是一个枯燥、呆板的过程，这在手段上是一个很大创新，体现了水量调度的发展方向。

基于面向对象（OOP）技术，提出决策方案的方法、属性和事件等概念，使水量调度决策方案的管理更为方便快捷，这是计算机新技术和思想在水资源调度管理中的最高层次的应用。

在水库调度中，采用了优化和模拟两种方法；在河段配水中采用了同比例、按权重和用户参与三种方法。这种综合运用多种方法进行的分析对比，对保证成果质量具有非常重要的意义。

五、研究成果及初步应用

专题研究成果得到了国内外专家的高度肯定，水利部、中国科学院、中国工程院、中国水科院、南京水科院、河海大学、西安理工大学等单位的专家认为，本专题研究的思路正确、方法先进，对复杂的黄河非汛期水资源合理调度问题进行了深入的分析研究，在决策方法和决策支持系统的实现方面，首次提出了水库调度模型与河段配水模型相分离的体系结构，为执行国务院批准的分水方案提供了科学的定量化的手段。

黄河非汛期径流预报系统填补了黄河流域非汛期中长期旬、月径流预报的空白，为长河段水量统一调度提供水情依据，这在全国大江、大河中也属首次。总体来说，在大江、大河枯水期的水资源管理和调度方面，研究成果整体上处于国内领先水平。

本次攻关研究作为应用基础研究，旨在对三门峡以下非汛期水量调度系统关键技术进行必要的研究，建立水量调度决策支持系统，给水量调度生产部门提供有效的辅助决策工具，因此从系统的整体规划、框架构建、研制开发、调试运行到初步应用的各个阶段，始终将实际应用作为重要追求目标。在研究过程中，决策支持系统和其他部分研究成果（如水库调度模型和河段配水模型）先后应用于《黄河河口治理规划》、《小浪底水库运用方式研究》等项目中，特别是2001年初项目组与黄委会水量调度管理局合作，共同对决策支持系统进一步修改和完善，使之更加符合黄河水量调度的实际，更加有利于该系统在黄河水量调度中的成功应用，并为将来逐步拓展为全河水量调度系统奠定了基础。

数字黄河系统工程的启动和实施，为专题成果提供了更加广阔的市场需求。黄河数字水调和水量调度系统的建设和实施，为专题成果奠定了实际应用的基础。同时，专题成果直接应用于黄河实际水量调度工作中，为黄河水量调度工作服务，并在实际工作中不断改进和完善。

六、致谢

《三门峡以下非汛期水量调度系统关键问题研究》从专题论证立项到组织实施期间，得到了多方面的支持和帮助。水利部国际合作和科技司、项目办公室、黄委会及所属攻关办公室对专题开展给予了大力支持和具体帮助。

黄委会原副主任、总工陈效国，黄委会勘测规划设计院原院长席家治等领导十分关心专题研究情况，多次听取汇报并进行指导，及时解决研究中出现的种种困难。专题研究组聘请了黄委会原总工、科技委员会副主任吴致尧，黄委会原副总工、科技委员会副主任邓盛明，中国水利科学研究院水资源研究所原所长陈志恺院士，中国科学院地理科学与资源所刘昌明院士，水利部水利水电规划设计总院副总工陈清濂，水利部水文司原司长王厥谋，西安理工大学黄强教授和沈冰教授，武汉水利电力大学夏军教授，中国水利科学研究院水资源研究所所长王浩和黄委会副总工常炳炎等作为常务咨询专家，多次对专题研究进行咨询，对研究思路和技术路线提出了许多极有价值的意见和建议，保证了研究的顺利进行。加拿大霍华德工程事务有限公司的查克·霍华德先生（Mr. Chuck Howard）和美国水资源管理公司的丹尼尔·希尔先生（Mr. Daniel Sheer）也对研究提出了不少有益的建议。

参加专题研究工作的黄委会勘测规划设计院、黄委会水文局、黄委会水资源保护局等单位的领导和专家都为专题研究付出了辛勤劳动，作出了重要贡献。通过专题全体研究人员的艰苦努力，实现了国家重点科技攻关的预期目标，取得了诸多创新和成果。

在此，谨向给专题研究以关怀、支持和帮助，付出辛劳并作出贡献的有关单位、领导、专家和学者，致以深深的谢意。

作　者

2005年6月

目　录

第一章 概 述

第一节 黄河水资源利用概况

一、黄河水资源

(一)水资源量

黄河流域的水资源包括河川径流和地下水两部分。在秋冬季节,受极地大陆冷气团(以蒙古高压为主)控制,多西北风,流域气候寒冷干燥,雨雪稀少;在春夏季节,蒙古高压逐渐北移,流域大部受西太平洋副高压的影响,雨量充沛,并从东南向西北递减。印度洋暖湿气流自孟加拉湾登陆后主要影响我国西藏、云南的西部地区,也波及到黄河流域青海、甘肃等省,为青海和甘肃省南部地区降水的主要来源。

黄河流域各地年平均气温在 -4~15 ℃之间,年蒸发量 1 000~3 000 mm,多年平均降水量为 452 mm,年降水总量达 3 600 亿 m^3。降水量的地区分布很不均匀,大体上分为三个地带:①兰州以上,年降水量 400~800 mm;②兰州至河口镇,年降水量 150~400 mm;③河口镇以下,年降水量 400~600 mm,部分地区 600~800 mm。黄河流域地跨干旱、半干旱、半湿润气候带,由于气候的影响,降水量年内分配不均,主要集中于 6~10 月,该时期降水量占年降水总量的 65%~80%,其中 7、8 月为降水的全盛时期。

据 1919~1975 年 56 年系列资料统计,黄河花园口站多年平均实测径流量为 470 亿 m^3,考虑人类活动的影响,将历史上逐年的灌溉耗水及大型水库调蓄量还原后,花园口站的多年平均天然径流量为 559 亿 m^3,加上花园口以下支流金堤河、天然文岩渠、大汶河的 21 亿 m^3 天然径流量,黄河流域多年平均天然径流量为 580 亿 m^3。

根据地矿部的研究成果,黄河流域(包括内流区)地下水资源总量为 404 亿 m^3(矿化度<1 g/L),地下水与地表水之间的不重复量为 139 亿 m^3。另据《黄河流域(片)水资源评价》(1986 年)成果,黄河流域地下水资源量为 406 亿 m^3,地下水与地表水之间的不重复量为 82 亿 m^3。

考虑到黄河流域地下水成果受到基础资料及工作深度的限制,其地下水和地表水不重复量有待进一步落实。综合上述地下水资源评价成果,目前采用的黄河流域地下水与地表水不重复计算量为 110 亿 m^3。

综上所述,黄河流域水资源总量为 690 亿 m^3,其中河川径流量为 580 亿 m^3,地下水与地表水之间的不重复量为 110 亿 m^3。

(二)水资源特性

黄河水资源不仅具有地区分布不均、年内分配集中、年际变化大等北方河流的共性,更兼有水少、沙多、含沙量高、水沙异源及连续枯水段等突出特征。

1.水资源贫乏

黄河流域多年平均天然径流量为580亿m^3,位居我国七大江河的第4位。黄河流域面积占全国国土面积的8%,而河川径流量仅占全国总量的2%。流域内人均占有水量为527m^3,为全国人均的22%;耕地平均每公顷占有水量为4 410 m^3,仅为全国耕地平均每公顷占有水量的16%。如果包括向邻近地区的供水,则黄河流域的水资源紧缺程度更高。

2.地区分布不均

由于受地形、气候、产汇流条件的影响,河川径流在地区上的分布极不均匀。兰州以上流域面积占全河的29.6%,但兰州站多年平均径流量却占全河的55.6%,龙门至三门峡区间流域面积占全河流域面积的25.4%,年径流量占全河的19.5%。可见大部分径流来自于兰州以上及龙门至三门峡区间。

河川径流地区分布不均还表现在径流深由流域的南部向北部递减。大致西起吉迈,过积石山,到大夏河、洮河,沿渭河干流至汾河与沁河分水岭一线东南侧,年降水量丰沛,植被较好,年平均降水量大于600 mm,年径流深在100～200 mm以上;流域北部经皋兰,过海源、同心、定边到包头一线的西北部,气候干燥,年平均降水量小于300 mm,年径流深在10 mm以下;流域中部黄土高原区,年降水量一般为400～500 mm,年径流深25～50 mm,这一地区由于生态环境长期受到破坏,水土流失严重,是黄河流域泥沙的主要来源区。

3.年际、年内变化大

黄河是降水补给型河流,黄河流域又属典型的季风气候区,降水的年际、年内变化决定了河川径流量时程分布不均。黄河干流各站年最大径流量一般为年最小径流量的3.1～3.5倍,支流一般达5～12倍;径流量的年内分布集中,干流及主要支流汛期7～10月的径流量占年的比例高达60%以上,且汛期径流量主要以洪水的形式出现,中下游汛期径流含沙量较大,利用困难;非汛期径流含沙量小,主要由地下水补给,大部分可以利用。自有实测资料记录以来,黄河出现了3个连续枯水段,分别为1922～1932年、1969～1974年和1990～2002年,其中1922～1932年枯水段长达11年,年平均天然径流量仅占多年平均的70%。

黄河河川径流年际变化大、年内分布集中、连续枯水段时间长。因此,开发利用黄河河川径流必须加强对径流的充分调节。

4.水沙异源、水土资源分布不一致

据统计,黄河兰州以上的径流量占全河来水量的55.6%,来沙量仅占全河来沙量的9%,是黄河清水的主要来源区;黄河沙量的91%来自中游,其中河口镇至龙门区间的输沙量占全河的56%,是黄河的主要产沙区。

黄河流域及下游引黄灌区具有丰富的土地资源,但是水土资源的分布很不协调。大部分耕地集中在干旱少雨的宁蒙沿黄地区,中游汾河、渭河河谷盆地,以及当地河川径流较少的下游平原引黄灌区。

黄河流域水沙异源、水土资源分布不一致的状况,要求黄河水资源的开发利用必须统筹兼顾上、中、下游用水的关系,统一调度全河的水量,上游水库的调蓄和工农业用水必须兼顾中下游的工农业用水和输沙用水的需要。

(三)天然水质

河流的天然水化学状况是指河流在未受到人为污染影响的自然状态的化学组成。目前,黄河水资源已高度开发利用,很难再找到绝对不受污染影响的水体,黄河天然水化学组成此时实际上是一个相对概念,可作为判别水体受污染影响程度的参考指标。黄河天然水化学状况,主要受流域气候、降雨径流、土壤植被、地质地貌等自然环境制约。

流域各产流区天然水化学状况差异很大。兰州以上是黄河的主要产流区之一,该区地势高、气温低、蒸发量小,且多草原湖泊或石质山区,河水矿化度 200～300 mg/L,总硬度 85 ～110 mg/L,按阿列金分类法,属 C_{I}^{Ca} 型水。兰州至河口镇区间,为干旱、半干旱盐碱区,且有宁蒙灌区,产水少,用水多,产流水质较差,如祖厉河、清水河、苦水河等,矿化度在 4 000 mg/L 以上,总硬度 600～2 400 mg/L,水质苦涩,人畜不能饮用。但该区间产水量不到花园口站径流量的 1%,对黄河水质影响不大,干流水型由 C_{II}^{Ca} 过渡到 Cl_{II}^{Na} 或 C_{II}^{Na}。河口镇至潼关区间,大多数支流天然水质良好,仅有些小支流或大支流的河源段,如泾河的西川、北洛河上游等,水体中含有大量的硫酸盐和氯化物,矿化度大于 1 000 mg/L,但由于入黄水量较小,未对黄河干流水质产生明显影响,干流水型仍为 C_{II}^{Na}。潼关至花园口区间,产水较丰,天然水质较好,干流仍属 C_{II}^{Na} 型水。花园口至河口区间基本无径流汇入,干流水型为 C_{II}^{Na} 或 C_{II}^{Ca}。

总的看来,20 世纪 90 年代黄河干流天然水化学状况尚好,pH 值略大于 8,呈微碱性,除个别河段属 Cl_{II}^{Na} 型水外,均为重碳酸类水。兰州以上河段为 C_{I}^{Ca} 型水,矿化度 200～300 mg/L,总硬度 85～110 mg/L;兰州以下大部分河段为 C_{II}^{Na} 或 C_{II}^{Ca} 型水,矿化度 300～750 mg/L,总硬度 100～180 mg/L。将 90 年代与 80 年代黄河干流天然水化学状况比较,两个年代水化学类型都是重碳酸类水,C_{II}^{Na} 或 C_{II}^{Ca} 居多;兰州以上河段,两个年代离子总量大体一致;兰州以下河段,特别是河口镇以下河段,河水中离子总量 90 年代较 80 年代明显升高,离子总量年均值约增加 150 mg/L。其主要原因是 90 年代黄河水量偏枯,流域气候变暖,蒸发量大,以及农灌退水量、碱性废污水排放量增加,水资源重复利用率提高等自然和人为因素的共同作用,导致离子总量升高。虽然黄河干流离子总量发生了变化,但由于水中阴阳离子间相互比对关系尚未有大的改变,因此黄河干流水化学类型基本没变。

二、水资源利用现状

黄河是我国西北、华北地区最大的供水水源,以其占全国河川径流 2% 的有限水资源量,承担着本流域和下游沿黄地区占全国 15% 耕地面积和 12% 人口的供水任务,同时还承担着向流域外部分地区远距离调水的任务。目前,流域内已建大、中、小型水库 3 100 余座,总库容 580 亿 m^3, 修建引水工程 4 500 余处、提水工程 2.9 万处; 在黄河下游,兴建了向黄淮海平原地区供水的引黄涵闸、虹吸 120 多处。全河段下游沿黄地区引黄灌溉面积由 1950 年的 80 万 hm^2 发展到目前的 753.3 万 hm^2。灌溉面积发展最快的地区是下游引黄灌区, 灌溉面积由 50 年代的 30 万 hm^2 增大到目前的 230 多万 hm^2, 而其耗水量已由50年代的19亿 m^3 增至90年代的122亿 m^3。此外，黄河还担负着沿黄50多座大中城市、420个县(旗)、晋陕宁蒙部分地区能源基地和中原油田、胜利油田的供水任务。黄河水资源的综合开发利用，改善了上中游部分地区的生态环境，解决了农村2 727万人的饮水困难。

据1988～1992年用水统计，黄河供水地区年均引用黄河河川径流量395亿 m^3，耗用水量307亿 m^3(其中流域外106亿 m^3)，流域内地下水开采量为110亿 m^3。黄河河川径流利用率已达53%，与国内外大江大河相比，水资源利用程度属较高水平。用水的主要部门是农业灌溉，平均每年引用黄河河川径流量362亿 m^3，耗用水量284亿 m^3，占总耗用河川径流量的92%。

黄河水资源利用存在的问题主要表现在水资源供需矛盾日趋尖锐、缺乏全河水资源统一管理的体制和有效监督机制、用水管理粗放、水污染严重和中游干流河段水库调节能力不足等。

持续增长的供水要求，超过了黄河水资源的承载能力，造成供需矛盾尖锐、下游频繁断流。黄河下游1972年出现首次断流，以后逐渐加重。年断流平均天数，70、80年代分别为14天和15天，90年代为107天；断流平均长度，70、80年代分别为242 km和256 km，90年代为438 km。河川径流的过量开发，也导致黄河部分支流经常发生断流。沁河的武陟站 、伊河的龙门站、汾河的河津站和延河的甘谷驿站多次出现断流；黄河的最大支流渭河的华县站1997年也首次出现断流。地下水的超采，造成部分地区出现严重的环境地质危害；上中下游之间、地区之间供水矛盾加剧；工农业用水与河道内输沙、防凌、环境、发电、渔业、航运用水之间矛盾日趋突出；上游发电与中下游输沙也存在用水矛盾。

针对黄河水资源供需矛盾突出、下游断流严重等问题，在对策措施上，除了要建立和健全全流域水资源统一管理体制、制定有关水资源管理法规、采取有力措施节约用水、实行黄河水资源有偿使用制度等之外，还必须结合骨干工程的建设，采用先进的技术和方法，开展水资源调度的系统研究，提高黄河水资源实时预报、调度和管理水平。

三、水资源利用展望

2010年黄河流域总人口将达到12 100万，城市化率40%左右，人均工业产值16 000元，有效灌溉面积548万 hm^2，人均拥有粮食达到380 kg。流域内在充分考虑节水的情况下，黄河下游流域外供水按国务院分水指标控制，2010年黄河流域及相关地区国民经济总需耗水量520亿 m^3。在考虑下游河道汛期输沙和非汛期生态基流低限需水量后，正常来水年份黄河流域可供国民经济最大耗水量为480亿 m^3(其中河川径流370亿 m^3、地下水110亿 m^3)，缺水40亿 m^3；在中等枯水年份，黄河流域可供国民经济最大耗水量420亿 m^3(其中河川径流310亿 m^3、地下水110亿 m^3)，缺水100亿 m^3，缺水主要位于上中游地区。

随着经济社会的发展，对黄河水资源的需求将不断增加，水资源供需矛盾将越来越突出，缺水将成为黄河流域和相关地区经济社会可持续发展的主要制约因素。

第二节　黄河水量调度管理现状及发展方向

一、水量调度管理现状

1987年,国务院批准的《黄河可供水量分配方案》起到了加强宏观调控、合理布局水源工程、促进节约用水的作用。由于分配指标是正常来水年份耗水量,对沿黄省(区)制定用水计划具有指导意义,但是对年际、年内水量调度的指导作用有限。同时,全流域水资源统一调度管理的体制尚未形成,造成枯水年份下游断流严重。为了减少断流的损失和影响,缓和河口地区的供水紧张局面,20世纪90年代以来,在国家防汛抗旱总指挥部办公室(简称国家防总)的直接干预下,先后3次从黄河上游调水。

1998年,黄委会根据1987年《黄河可供水量分配方案》,制定了《黄河可供水量年度分配及干流水量调度方案》和《黄河水量调度管理办法》,上报国家计划委员会(简称国家计委)和水利部,由国家计委和水利部以国家计委、水利部计地区[1998]2520号文颁布实施,针对一条大河制定调度方案和管理办法在我国还是第一次。为贯彻落实水量调度管理办法,做好水量调度工作,还专门成立了水量调度管理机构,并于1999年5月开始实施黄河干流水量调度。但是,如何实施管理和调度还有一些亟待解决的问题,如流域机构缺乏强有力的行政管理能力和经济手段、技术措施比较落后、取水许可制度的有效监督尚不到位等。

水资源调度分配的理论已相当完善,而且黄委会过去也开展了大量的黄河水资源规划、研究工作。但由于黄河水资源利用比较复杂,如针对流达时间、引退水关系、降雨和径流预报、信息采集等技术研究滞后,目前还没有可以投入实际运用的全河水量调度系统,尤其是缺乏基于来水和用水预报的全河水量调度决策支持系统。现状采用的是经验调度方法,以水量宏观控制为目标,分黄河上游和中下游分别进行调度。

二、水量调度的发展方向

黄河水资源供需矛盾日趋尖锐的客观事实,使人们更加认识到黄河水量统一调度势在必行,已建的三门峡水库和2000年投入运用的小浪底水库,为三门峡以下水量调度提供了必要的工程条件。三门峡以下干流河段的引黄工程由黄委会统一管理,为水量调度提供了必要的管理条件,因此目前的当务之急是尽快研究、开发三门峡以下非汛期水量调度决策支持系统,为水量调度提供技术和决策支持。黄河可供水量的合理分配只有在良好的技术和政策环境中,经过持续不断地有效调度和管理才能实现。

综观国内外水量调度的研究和应用情况,以预报技术和信息的自动监测、采集、传递和组织管理为基础,采用先进的计算机系统为操作平台,开发功能丰富、实用的程序模块,为调度管理人员和决策者提供快速、灵活、可视化的信息支持,是今后水量调度的发展方向。然而即使是最完善的水量调度系统,系统本身也不能代替决策者,决策的主体始终是人 。

第三节　水量调度技术研究现状及发展方向

水量调度是一个复杂的系统工程，其技术随着现代科技进步，特别是信息科学的进步而不断发展。总的来看，水量调度技术涵盖水库（群）调度、区域水资源配置、决策支持系统（DSS）、风险分析和地理信息系统（GIS）等，下面分别对其研究现状及发展方向予以介绍。

一、水库调度

水库调度学科的迅速发展始于20世纪初，当时由于大量的水库电站的兴建，促进了河川径流调节理论的发展，开始应用经验方法，利用水库对洪水和枯水进行调节。1926年莫洛佐夫提出水电站水库调节的概念，其后逐步发展形成以水库调度图为指南的水库调度方法，这种方法至今仍被广泛采用。

自20世纪40年代马斯提出水库优化调度问题以来，国内外许多专家学者就水库优化调度进行了大量研究。随着系统工程理论和计算机技术的发展，以最大经济效果为目标的水库优化调度的理论和方法有很大进展，线性规划、动态规划、图论和网络理论、排队理论、模糊理论和大系统递阶控制理论广泛应用于水库调度中。近年来，随着神经网络、基因遗传算法等理论的出现，这些新的理论方法也逐渐应用于水库调度中。

水库优化调度模型和模拟调度模型互有优缺点，优化调度模型通常都对实际问题进行简化，所求“最优解”是基于特定条件的，未必是系统真正的最优解，且缺乏灵活性；模拟调度模型虽然能够对系统进行充分描述，比较灵活，但不能得到最优解，往往需要经过多方案计算进行选优。未来模型算法研究的重点将是使优化调度模型和模拟调度模型有机结合。

水库实时调度和径流、用水及电力负荷预报水平紧密相关，将来除了研究提高来水、用水预报精度之外，还要研究电力负荷预测方法和水库调度的实时校正技术。

由于预报水平和传统观念的影响，水库优化调度在生产中还很少应用，将来要根据生产要求，研究实用的水库优化调度模型。

二、水量分配

目前，国内外水量分配的方法主要有优化配水和折扣配水两种。由于效益函数难以获得和在实际中应用困难等原因，优化配水方法很难应用于生产实践中。折扣配水方法简单，在生产实践中应用较为广泛。

水资源分配问题实质上是在缺水情况下如何减少供水的问题。在黄河上，黄委会水政局和河海大学等单位采用供水系数，西安理工大学采用折扣系数，进行黄河干流水量分配研究。这些方法简单灵活，可充分发挥决策者的经验知识，在实用性方面有一些进展。

水量分配不仅要考虑地区生存与发展，同时还要考虑发挥水资源供水效益和传统用水习惯等因素的影响，实用水量分配方法研究仍将是摆在水资源专家学者面前的一道难题。

三、决策支持系统(DSS)

决策支持系统(DSS)最早在1971年由斯格特·莫顿提出。随着计算机技术的飞速发展,DSS也得到广泛应用,已被证实为一种行之有效的辅助决策工具。

在国外,DSS应用成功实例较多。如美国普渡大学研制的原为支持河流净化规划的决策支持系统(DSS－Gplan)已广泛应用于能源与森林管理决策中。美国Execucom系统公司开发的DSS－IFPS,成功地应用于合作计划、财务计划、销售策略等决策过程中。

在国内,DSS的应用起步较晚,但发展迅速。DSS在水利方面的应用主要是在防洪和水资源领域。在防洪领域,“八五”期间,南京水文水资源研究所、河海大学、长江水利委员会共同开发了长江防洪决策支持系统,黄委会进行了黄河防洪防凌决策支持系统研究与开发,都取得了令人满意的效果。在水资源领域,“七五”期间,中国水利科学研究院和清华大学等单位联合进行华北水资源决策支持系统研究,“八五”期间,黄委会进行了黄河水资源规划决策支持系统研究。

近年来,不少专家学者研究将专家系统(ES)和神经网络系统应用于决策支持系统中,以建立智能决策支持系统,提高解决半结构化和非结构化问题的水平。南京水文水资源研究所刘国纬等在南水北调决策支持系统中应用了神经网络系统,西安理工大学黄强等在黄河干流水量调度决策支持系统中探讨了专家系统应用问题。

DSS和地理信息系统(GIS)有机结合,将提高传统决策支持系统的空间分析和信息可视化水平,这将是DSS的一个新的发展方向。

四、风险分析

近年来,可靠性理论和随机水文学得到较快发展,并逐渐应用于水科学研究中,形成了水利工程的风险分析理论。风险分析就是针对各种形态的工程事故,剖析其风险因素,估计各因素在工程运用期间的可能变化,通过概率计算求得工程出现事故的可能性,即风险率。由于水利工程风险涉及的因素众多,又受实测统计资料的限制,而且系统内部关系复杂,各因素之间多为非线性函数关系,建立完整的风险估算数学模型十分复杂,以至于对系统总风险研究的进展较为迟缓,大多属于探索性的理论研究。近年来,颜本奇提出的均值一次二阶距等风险近似计算方法可以计算系统总风险。目前,在水文分析计算中风险研究主要侧重于防洪风险,河海大学朱元生曾采用风险理论探讨长江南京段设计洪水位、长江防洪决策和南水北调中线输水工程的交叉建筑物等防洪风险。

水资源调度风险研究目前大多是资源短缺风险,如河海大学梁忠民曾采用随机模拟方法进行南水北调中线工程水资源调度风险研究。

风险分析的发展趋势是风险分析理论的系统化和风险管理理论方法的研究。

五、地理信息系统(GIS)

地理信息系统(GIS)是在计算机软件和硬件支持下,运用系统工程和信息科学的理论,科学管理和综合分析具有空间内涵的地理数据,以提供规划、管理、决策和研究所需信息的技术系统。

GIS始于20世纪60年代，由计算机辅助制图发展而来。GIS具有电子制图、信息查询和空间分析等基本功能，因其信息量大、表达直观、综合分析能力强，得到各国政府的广泛重视和大力推广。1998年初，美国率先提出建立“数字地球”的倡议，在全球引起积极的反响。1999年11月，在北京召开的“数字地球国际会议”上，“数字地球”已经提上了中国政府的议事日程。“数字地球”的实施必将促使空间数据的采集、处理和交换进一步规范及开放，从而推动GIS的发展和普及。

GIS的应用范围并不仅局限于传统的地学领域，而是嵌入到各种应用之中，这种嵌入式的结合，既扩大了GIS的应用范围，又提高了系统的应用水平。1963年，加拿大开发了第一个GIS系统——加拿大地理信息系统，在此之后，GIS广泛应用于国土资源开发规划管理、防灾减灾、环境保护、水利建设、灾情评估、水土保持、城市规划、公安、消防、电力等部门。国外比较著名的GIS有加拿大的不列颠哥伦比亚省地形资源管理系统、澳大利亚的昆士兰土地信息系统、日本的紧急事务管理系统等。

我国是在1978年的遥感(RS)会议上，由中国科学院地理所陈述彭首先提出GIS概念，1980年后GIS应用研究在我国正式开展起来。我国GIS在水利上应用起步较晚，目前主要应用于水文模拟、水质监测和灾情评估等方面，已取得初步成果。

不同程度的数据匮乏一直是影响GIS应用和发展的重要因素之一，今后应加强空间数据的采集和处理。

GIS应以生产应用为导向，成为一种普遍、实用的工具，以提高规划、管理和决策水平。另外，要继续研制大众化GIS平台，扩大GIS用户群。

GIS、遥感(RS)和全球定位技术(GPS)的结合，即通常所说的3S一体化，是未来地理信息系统理论研究的重要课题。

第四节　研究目标、主要内容和技术路线

一、研究目标

“三门峡以下非汛期水量调度系统关键问题研究”作为“九五”攻关专题，旨在通过对关键问题进行研究，攻克影响水量调度的技术“瓶颈”，建立相应的决策支持系统，为三门峡以下非汛期水量调度提供科学技术手段。

具体目标包括：分析黄河下游引黄灌溉非汛期用水规律，提出不同情况下的引黄灌溉需水量，制定不同方案的引黄用水过程；提出黄河主要断面的来水规律，提出具有可操作性的非汛期径流预报模型，提出三门峡入库及其以下各河段月、旬预报成果并进行滚动修正；建立三门峡以下非汛期水量调度模型系统，提出三门峡、小浪底水库月、旬调度方案和各河段配水意见；建立三门峡以下河段水质预报模型，提出下游各河段水环境目标，满足水质目标的最小流量和河口地区生态环境需水量，对重点河段(供水水源地)提出水环境保护对策；综合提出三门峡以下非汛期水量调度实施意见和建议。

二、主要内容

(一)黄河下游引黄灌区用水需求分析

用水需求分析的主要内容是摸清黄河下游引黄灌区的基本情况和水资源利用特点，分析用水的主要影响因素和变化规律，研究制定现状引黄灌溉规模和种植结构、不同水资源条件的合理引黄用水过程，分析国务院水量分配指标的利用程度，在此基础上提出对下游引黄、水库调度和河段配水的指导性意见并为水量调度提供信息支持。

(二)径流预报模型

在系统分析黄河中下游非汛期径流变化规律及影响因素的基础上，开发一些新预报模型，包括三门峡水库入库径流总量预报模型，龙门、潼关站、渭河华县、汾河河津、北洛河洑头、伊洛河黑石关、沁河武陟、大汶河戴村坝等站旬、月径流预报模型。此外，还要对原有黄河中游非汛期径流预报模型和系统进行改进和完善。

(三)三门峡和小浪底水库调度模型

三门峡和小浪底水库调度模型采用“长短结合、逐时段校正”的滚动决策方法，将水库调度分为两个层次，即长期调度(月调度)和短期调度(旬调度)。水库长期调度是根据月来水、用水预报，考虑水库长期(当前时段至非汛期末)运行效益，利用优化调度模型或模拟调度模型，得到两水库月调度过程。为保证水库调度的长期效益，实现对系统的宏观控制，把面临月水库的月末水位暂作为短期调度的控制条件。水库短期调度是根据面临月余留旬的来水、用水预报，利用优化模型，得到三门峡、小浪底水库旬调度过程。长期调度模型传递过来的当前月末水库水位是旬调度的控制条件，通过这个水位实现“长短结合”。每个月初或旬初，由于情况发生变化，要根据水库实际运行状态和新的来水、用水预报，重新进行水库长期调度或短期调度，实现逐时段校正，直到最后一个调度时段结束。原则上长期调度模型每个月运行一次，应用更新的预报信息和用水计划等，逐月滚动调度，直至7月上旬；旬模型每个旬运行一次，不断更新信息，同样实行滚动决策。

及时的信息反馈和调整对于提高调度质量是至关重要的。在当前月或旬的任意时刻(非整数时段)，发现来水、用水预测较前者有较大变化时，需根据新的来水、用水预报和水库实际状态重新进行水库调度，以修正水库调度策略。

(四)三门峡以下河段配水模型

三门峡以下河段配水是把小浪底水库泄水和伊洛河等支流来水，在考虑生态环境用水和河道蒸发、渗漏等水量损失之后，按一定的原则分配到下游各引黄地区。河段月配水用于制定或调整调度预案；河段旬配水用于制定分河段的旬配水计划。

下游引黄灌区范围广，地区差异明显，在河段配水时应考虑不同地区的客观差异，合理配置水资源。河段配水是一种非结构化的决策行为，受行政干预、地区平衡等人为因素影响。因此，三门峡以下河段配水模型应给用户提供灵活多样的配水方法，包括同比例缩减配水、按权重配水和用户干预配水等。

根据河道水量传播时间分析，中小流量从小浪底坝址流到利津断面一般需6～9天，所以河段配水和水库调度必须考虑水量传播时间，以提高方案的可操作性。水库调度模型采用充分考虑、简单考虑和不考虑三种处理水量传播时间的方法。为保持一致性，河段配水和水库调度宜采用相同的处理方法。

(五)三门峡以下水环境保护研究

调查三门峡以下河道水质现状,评价主要河段水质并预测其变化趋势;分析河段水质目标及满足水质目标的最小流量和河口地区最小生态需水量;提出解决下游水环境保护对策和意见。

(六)水量调度风险分析

对现状风险分析方法进行分析和评价,以确定本次水量调度风险分析所采用的方法。采用典型解集和统计试验等方法生成来水、用水系列,采用随机模拟技术建立水量调度风险分析模型,并通过实例对所建的水量调度风险分析模型进行验证。

(七)水资源调配方案经济效益计算方法研究

根据不同的供水目标,重点对区域水资源利用经济效益分析方法进行较为深入的研究。根据资料和水量调度模型的条件,建立合适的黄河下游水资源调配方案经济效益计算模型。

(八)水量调度决策支持系统

应用可视化编程语言 Visual Foxpro 和 Visual Basic 开发的黄河三门峡以下非汛期水量调度决策支持系统 WRDDSS(Water Resources Dispatch Decision Support System),应能够进行年度调度预案制作、月调度方案和旬调度方案滚动制作。

决策支持系统研究开发依据系统工程理论,在分析黄河三门峡以下非汛期水量调度的现状和发展方向的基础上,确定合适的调度模式,建立方案库和数据库以及开发相应的管理系统,并对径流预报、用水需求分析、水库调度、河段配水、风险分析和效益分析等模型进行集成,完成模型管理、方案图形和报表输出、系统管理等辅助子系统的研究开发,最后对决策支持系统进行全面的测试、验证和应用。决策支持系统要能反映黄河下游现状水量调度实际情况,体现科学合理分配水资源的发展趋势;能够直接应用于水量调度的实际工作,易于管理人员操作;系统应运行可靠,功能丰富先进。

三、技术路线

1987 年国务院批准的《黄河可供水量分配方案》(也称国务院 87 分水方案或国务院分水方案),是黄河水资源配置的基础,它决定了各省(区)耗用黄河水量的比例,因此黄河下游水资源调度管理必须实行总量控制。水资源调度管理包括水库调度和河段配水,而传统水资源调度管理的模型大多以水库调度为主,河段配水嵌套其中,总量控制能力较差。以解决实际问题为导向,建立水库调度和河段配水相分离的水资源调度模型体系结构,为执行国务院批准的《黄河可供水量分配方案》提供科学的定量化手段。

将水资源调度模型分为径流预报、用水需求分析、水库调度、河段配水、风险分析、效益分析和水质保护等 7 个功能子模型。径流预报和用水需求分析是推求来水、用水过程。水库调度是在来水、用水预估基础上,对水资源进行时间上的调节,保证作物重要生长季节的需水要求。河段配水是将小浪底水库泄水和下游支流来水,按一定的原则对水资源在空间上进行合理配置,尽可能地满足生活、环境、生态等用水,重点保证严重缺水灌区的抗旱用水。风险分析是考虑来水、用水的随机性,分析水资源调度决策的风险。效益分析是对水量调度方案进行效益方面的评价，为水量调度方案综合比选提供效益指标。水质保护是分析河段水质目标，推求满足水质目标的最小流量和河口地区最小生态需水量约束。水资源调度问题是一个半结构化问题，水资源调度模型结果未必为决策者所认同，解决这一问题的最好办法就是建立决策支持系统，给决策者提供有效、迅速和方便的信息支持。基于 GIS 建立水资源调度管理决策支持系统，不仅增强了解决半结构化问题的能力，而且提高了数据管理和信息可视化的水平。技术路线见图 1-1。

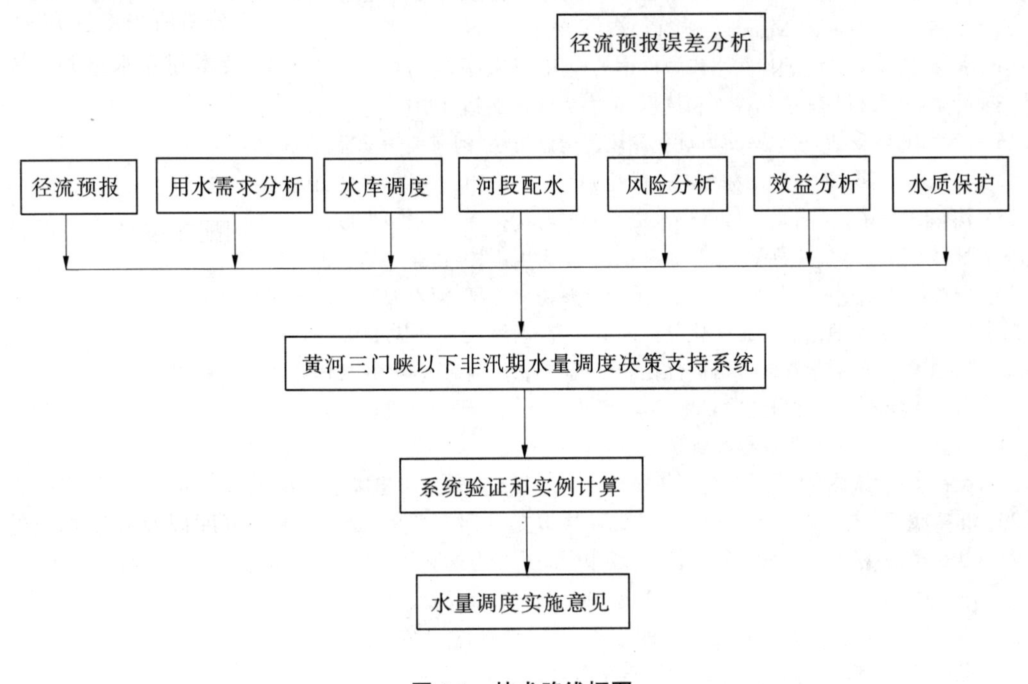

图 1-1　技术路线框图

参 考 文 献

[1] 蔡为武. 黄河水资源矛盾及其出路探讨，人民黄河，1996(6):54～57

[2] 侯传河，张会言，薛松贵. 黄河水资源利用现状. 人民黄河，1997(10):57～60

[3] 陈先德，乔西现. 黄河水资源的调度与管理. 人民黄河，1996(3):1～6

[4] 陈永奇，陈连军，乔西现，等. 实施黄河水资源统一管理调度的设想. 人民黄河，1997(10):53～56

[5] 方乐润. 水资源工程系统分析. 北京：水利电力出版社，1990

[6] Archibald T W, Mckinnon K I M, Thomas L C. *An aggregate stochastic dynamic programming model of multiple reservoir systems*. Water Resour. Res., 1997(2):333～340

[7] Saad M , Bigras P, Turgon A, Duquette R. *Fuzzy learning decomposition for the scheduling of hydroelectric power systems*. Water Resour. Res., 1996(1):179～186

[8] Dandy G C , Connarty M C, Loucks D P. *Comparison of methods for yield assessment of multiple reservoir systems*. J. Water Resour. Plng. and Mgmt., 1997(6):350～358

[9] Turgeon A, Charbonneau R. *An aggregation-isaggregation approach to long－term reservoir management*. Water Resour. Res., 1998(12):3585～3594

[10] Raman H, Chandramouli V. *Deriving a general operating policy for reservoirs using neural network*. J. Water Resour. Plng. and Mgmt., 1996(5): 342～347
[11] Shrestha B P, Duckstein L, Stakhiv E Z. *Fuzzy rule-based modeling of reservoir operation*. J. Water Resour. Plng. and Mgmt., 1996(4): 262～269
[12] Lund J R, Ferreira I. *Operating rule optimization for Missouri River reservoir system*. J. Water Resour. Plng. and Mgmt., 1996(4): 287～295
[13] Karamouz M, Houck M H, Delleur J W. *Optimization and simulation of multiple reservoir*. J. Water Resour. Plng. and Mgmt., 1992(1): 71～81
[14] 张勇传.优化调度理论在水库调度中的应用.湖南:湖南科技出版社,1985
[15] 叶秉如.水利系统优化规划和调度.河海大学水文系,1987
[16] 董增川,叶秉如.水电站库群优化调度的分解方法.河海大学学报,1990(6):70～77
[17] 马光文,王黎.遗传算法在水电站优化调度中的应用.水科学进展,1997(3):275～180
[18] 沈佩君,王博,王有贞,等.多种水资源的联合优化调度.水利学报,1994(5):1～8
[19] N.伯拉斯.水资源科学分配.北京:水利电力出版社,1984
[20] 曾赛星,李寿声.灌溉水量分配大系统分解协调模型.河海大学学报,1990(1):67～74
[21] 唐德善.缺水地区水资源优化分配模型研究.河海大学学报,1992(2):35～43
[22] 唐德善.大流域水资源多目标优化分配模型研究.河海大学学报,1992(6):40～47
[23] 黄河干流水量调度研究项目组.黄河干流水量调度研究总报告,1996
[24] 黄强.黄河干流水库联合实施调度及智能决策支持系统研究.西安:西安理工大学,1995
[25] 沈钧毅,刘跃虎.计算机信息系统概论.西安:西安交通大学出版社,1996
[26] 崔家骏,蔡琳,辛国荣,等.黄河防洪防凌决策支持系统.郑州:黄河水利出版社,1998
[27] 常炳炎,薛松贵,张会言,等.黄河流域水资源合理分配和优化调度.郑州:黄河水利出版社,1998
[28] 胡铁松.水库智能决策支持系统理论与应用研究.武汉:武汉水利电力大学,1993
[29] 解建仓.水电站水库群调度管理的决策支持系统研究.西安:西安理工大学,1994
[30] 刘国纬.跨流域调水运行管理.北京:中国水利水电出版社,1995
[31] 黄强,沈晋.黄河干流水库调度及智能决策支持系统.西安:陕西科学技术出版社,1996
[32] Yen B C. Tang W H.. *Risk - safety factor relation for sewer design*. *J. Environ. Eng.*, 1976(2): 509～516
[33] Fujiwara O. Li J. *Reliability analysis of water distribution networks in consideration of equity, redistribution, and pressure - dependent demand*. Water Resour. Res., 1998(7): 1843～1850
[34] 朱元生.长江南京段设计洪水位的风险分析.水文,1989(5):8～15
[35] 朱元生,沈福新,黄振平,等.长江防洪决策支持系统—防洪决策风险分析.水科学进展,1996(4):295～304
[36] 朱元生,韩国宏,王汝慈,等.南水北调中线工程交叉建筑物水毁风险分析.水文,1995(3):1～7
[37] 梁忠民,朱元生,许大明.南水北调中线工程水资源风险分析.见:水文计算进展、问题和展望论文集.河海大学水文水资源及环境学院,1997
[38] 黄杏元,汤勤.地理信息系统概论.南京:南京大学出版社,1992
[39] Walsh M R. *Toward spatial decision support system in water resources*. J. Water Resour. Plng. and Mgmt., 1993(2): 158～169
[40] Ross M A, Tara P D. *Integrated hydrologic modeling with geographic information systems*. J. Water Resour. Plng. and Mgmt., 1993(2): 129～140
[41] Shamsi U M . *Storm-water management implementation through modeling and GIS*. J. Water Re-

sour. Plng and Mgmt.,1996(2):114～127

[42] Olivera F, Maidment D. *Geographic information systems (GIS) - based spatially distributed model for runoff routing*. Water Resour. Res., 1999(4):1155～1164

[43] 梁天刚,张胜雷,戴若兰,等.基于GIS栅格系统的集水农业地表产流模拟分析.水利学报,1998(7):26～29,34

[44] 李纪人.遥感和地理信息系统在分布式流域水文模型研制中的应用.水文,1997(6):8～12

第二章　研究区基本情况

本项目研究范围是三门峡以下引黄供水地区，包括三门峡—桃花峪河段由黄河干流供水的地区和桃花峪以下干流引黄供水地区，其中桃花峪以下干流引黄供水地区（通常称下游引黄灌区）是本次研究的重点。

第一节　三门峡—桃花峪河段基本情况

一、自然概况

三门峡—桃花峪河段长234 km，流域面积4.16万km^2，扣除伊洛河、沁河流域后的干流区间面积为1.02万km^2。本区气候冬季寒冷，降水稀少；春季干旱多风；夏季水汽充沛，雨量集中且多暴雨，是下大洪水的来源区。年平均气温12～15 ℃，无霜期150～245天。年平均降水量600～900 mm，年平均蒸发量900～1 200 mm。降水时空分布不均，6～9月降水量达全年降水量的60%～70%，夏、秋季节常有洪水灾害，又有伏旱威胁。粮食作物以冬小麦和秋杂粮为主。

二、引黄供水概况

三门峡—桃花峪河段现有孟津县的王庄闸、荥阳市的李村电灌站和孟县引黄提灌站等3处666.7 hm^2以上灌区。666.7 hm^2以下灌区有新安县的庄头坡、石曲村，孟津县的柿林、宁嘴，巩义市的沙鱼沟，孟县的全义农场、县大林场和县小林场等提灌站共8处，总灌溉面积0.7万hm^2。以上11处灌区中属于黄河滩区引黄的有10处。黄河干流取水许可登记该河段现有有效灌溉面积0.7万hm^2，城镇生活供水人口0.06万，工业用水0.984亿m^3。

灌区供水范围涉及洛阳、焦作、郑州3个地（市）的孟津、新安、巩义、荥阳、孟县5个县级区划单位。白马泉、武嘉、人民胜利渠、堤南灌区和邙山提灌站的引水口在桃花峪以上，但灌溉、供水范围在桃花峪以下，本次计入黄河下游引黄灌区考虑。

该河段干流现有中、小型引提水工程13处。渠首总设计引水能力40.7 m^3/s，取水许可登记该河段年引水量1.64亿m^3。在总引水量中，农业灌溉用水约占40%，工业、生活用水约占58.5%，其他用水约占1.5%。

该河段现状引（提）黄工程的特点：一是大部分提灌站抽水流量不大，但扬程较高，如孟津县的宁嘴提灌站取水流量只有0.02 m^3/s，扬程达175 m，柿林电灌站设计引水流量仅0.05 m^3/s，但扬程达110～120 m，长城孤柏嘴提灌站扬程90 m左右；二是工业、生活用水所占比重大。

三、干流水库工程

三门峡水库和小浪底水库是黄河干流最下端的两个大型水利枢纽，两库联合运用，可以有效地为下游调节用水，提高水资源的综合利用效益，减缓断流及其不利影响。

三门峡水库是一座已建的大型水利枢纽。1960年投入运用后，库区淤积严重，随着水库的扩泄与改建，水库运用先后经历了3个时期，即蓄水运用期(1960年9月～1962年3月)、滞洪排沙期(1962年3月～1973年10月)和蓄清排浑期(1973年以后)。40多年来，三门峡水库的调度运用在下游防洪、防凌、减淤、供水、灌溉、发电等方面发挥了重要作用。一般年份，三门峡水库汛期水位为305 m，必要时降至300 m，非汛期一般315 m；凌汛期，因防凌需要水库可短时间蓄至326 m，凌汛后适当为春灌蓄水。经过多年运用，三门峡水库库容损失较大，目前315 m高程以下可调节库容仅2.5亿m^3，水库调节能力已经很小。

小浪底水库工程位于黄河中游最后一个峡谷出口，上距三门峡水库130 km，下距花园口128 km，回水至三门峡坝下，下游是黄淮海平原。坝址控制流域面积约69.42万km^2，占黄河流域总面积的92%，控制径流量占全河总量的87%，控制的泥沙占进入下游河道泥沙的98%，处在承上启下控制黄河水沙的关键部位，是黄河治理开发总体规划中的骨干工程。该工程的开发任务是“以防洪(包括防凌)、减淤为主，兼顾供水、灌溉和发电，蓄清排浑，综合利用，除害兴利”。工程建成后，可长期保持有效库容51亿m^3，与三门峡等水库联合运用后，可使花园口的设防流量由现状的60年一遇提高到千年一遇，其减淤作用相当于在20年内下游河床不淤积抬升；水库的防洪库容汛期防洪，非汛期调节径流，保证沿黄城市的生活和工业用水，提高下游引黄灌区的灌溉用水保证率，使灌区获得较高的灌溉效益；小浪底水电站装机1 800 MW，可有效地改善河南电网的电源结构，是系统中理想的调峰电站，并可担负调频、调相及紧急事故备用任务。

小浪底水库大坝于1997年10月截流，1999年10月25日下闸蓄水，水库投入运用后，采取逐步抬高主汛期(7～9月，下同)水位的运用方式，拦粗(沙)排细(沙)和调水调沙。水库起始运用水位为205 m，水库前10年正常蓄水位为265 m，以后正常蓄水位为275 m。水库防洪限制水位254 m，死水位230 m。

2000年底，小浪底水库蓄水位234.0 m，蓄水量47.09亿m^3，其中205 m以上蓄水量28.81亿m^3，并缓解了2001年3～5月份的工农业用水矛盾。

四、水资源条件

三门峡水文站1919～1975年系列天然径流均值为498.4亿m^3，7～10月份的径流量约占全年的60%。三门峡—桃花峪区间汇入的主要支流有伊洛河和沁河等，支流汇入的天然河川年径流量60.8亿m^3，且各支流来水含沙量较小，是黄河的清水来源区之一。干流区间的地下水资源量主要依靠大气降水补给，另外还有河道渗漏、灌溉渗漏等，根据地矿部门提供的地下水研究成果，干流区间地下淡水天然资源量为7.96亿m^3，可开采资源量为6.02亿m^3。

三门峡—桃花峪河段的黄河干流供水的地区，地高水低，加上地形复杂，水资源开发难度较大，目前年供水量比较小，但生活和工业生产供水占有重要地位。小浪底水库建成后，规划南岸发展灌溉面积3.56万hm^2，设计流量19.6 m^3/s，工农业用水量4.23亿m^3；北岸发展灌溉面积4.6万hm^2，设计流量30 m^3/s。

第二节　下游引黄灌区社会经济和自然地理特点

一、灌区供水范围

黄河下游引黄灌区横跨黄淮海平原，西起沁河入黄口，东至黄河入海口，包括南北两侧直接引用黄河水灌溉的有关地区，涉及豫、鲁两省16个地(市)的88个县级区划单位，总土地面积8.16万km^2。

河南省引黄灌区位于黄河下游的上段，涉及郑州、开封、商丘、焦作、新乡、安阳、濮阳等地(市)的35个县(区)，总土地面积2.77万km^2。河南省近几年在规划引黄灌区之外，又修建了一些引黄工程，使引黄补源灌溉面积不断扩大。

山东省引黄灌区位于黄河下游的下段，涉及济南、菏泽、淄博、济宁、滨州、聊城、德州、泰安、东营等9地(市)的53个县(市、区)，总土地面积5.39万km^2。

随着黄河下游邻近的胶东、华北等地区重要城市缺水日益严重，急需黄河补水，相继兴建了引黄济青、引黄入卫、引黄济淄等专项供水工程，供水范围不断扩大。引黄济青工程除供应青岛市用水外，还供应潍坊市部分用水及沿线高氟区、滨海平原区71万人和10万头大牲畜的饮水，还为沿线地区的农田提供灌溉用水。

二、社会经济概况

据对下游引黄灌区实际涉及范围进行的统计，1995年引黄灌区总人口5 235万，其中农业人口4 381万。平均人口密度638人/km^2。总耕地面积457万hm^2，农业人均耕地0.104 hm^2。

灌区农业生产发达，为我国重要的商品粮生产基地，主要农作物有小麦、玉米、棉花、水稻、油料、蔬菜等，复种指数1.67。受地理气候条件及种植习惯的影响，河南、山东引黄灌区农作物种植结构相差较大，河南引黄灌区的复种指数高，小麦、棉花、水稻的种植比例大(见表2-1)。1995年两省灌区粮食总产量2 811万t，棉花总产量66万t，油料总产量169万t，农业总产值达到375亿元(1990年不变价，下同)。

表2-1　引黄灌区主要农作物复种指数

灌区	复种指数	夏作	秋作	棉花	水稻	其他
河南	1.81	0.79	0.66	0.23	0.04	0.09
山东	1.60	0.63	0.66	0.16	0.01	0.14

黄河下游引黄灌区位于21世纪我国生产力布局的沿黄主轴线上。区内有豫、鲁两省的省会城市郑州和济南、七朝古都开封、新兴的石油化工城市濮阳和东营等，重要铁路、公路交通干线纵横交错。区域内的石油天然气资源丰富，已探明的石油地质储量为17.4

亿 t,其中胜利油田为目前我国第二大油田,中原油田天然气富集,是我国东部地区第一大型天然气基地。1995 年黄河下游引黄灌区社会经济情况见表 2-2。

表 2-2　　1995 年黄河下游引黄灌区社会经济情况

项目		单位	河南	山东	合计
土地面积	总面积	km^2	27 705	53 885	81 590
	耕地面积	万 hm^2	160.4	296.7	457.1
	有效灌溉面积	万 hm^2	130.3	223.8	354.1
人口	总人口	万人	2 058	3 177	5 235
	农业人口	万人	1 716	2 665	4 381
	城镇人口	万人	342	512	854
播种面积	总播种面积	万 hm^2	289.3	476.3	765.7
	其中:粮食	万 hm^2	201.7	361.9	563.6
	棉花	万 hm^2	37.0	48.7	85.7
	油料	万 hm^2	30.3	24.4	54.7
农产品产量	粮食	万 t	936	1 875	2 811
	棉花	万 t	31	35	66
	油料	万 t	88	81	169
	肉类	万 t	73	240	313
产值	农业产值	亿元(1990 年不变价)	137	238	375
	工业产值	亿元(1990 年不变价)	390	1 236	1 626

注:表中有效灌溉面积包括纯井灌面积。

三、地形地貌及土壤质地

黄河下游引黄灌区是华北大拗陷的一部分,由黄河冲积洪积而成。引黄灌区地势大致平坦,河南段地面坡降 1/3 000～1/6 000,海拔在 50～100 m 之间,黄河大堤内滩面一般高出堤外地面 3～5 m;山东段除大汶河等支流属鲁西南山区外,其余大部分属黄泛冲积平原,地势西南高、东北低,并以黄河为脊轴向两侧倾斜,地面平坦,比降一般在 1/10 000 左右,地面高程一般在海拔 50 m 以下。由于历史上黄河多次泛滥改道,泥沙沉积地貌与河间平原地貌相间分布,下游引黄灌区独特的自然地理特征,为发展引黄灌溉创造了有利条件。

黄河下游引黄地区的土壤是在黄泛冲积母质上发育而成的,多为沙土、沙壤土,直至黏土,土壤颗粒一般从上游到下游逐渐变细。

四、气　候

黄河下游引黄灌区属温湿带季风气候区。气候较温和且具有明显的过渡性特征,全年四季气候特点大致是春旱多风、夏季多雨、秋旱冬寒并缺雨少雪。各地区多年平均降水量在 560～680 mm 之间,有 70%左右集中在 6～9 月份,降雨的地区分布由东南向西北方向递减;多年平均蒸发量 1 100～1 300 mm;多年平均气温 12～14 ℃,光照时数 2 500～

3 100 h,大于 10 ℃的积温为 4 200～4 700 ℃;无霜期 180～210 天。

第三节　下游引黄灌区的水资源情况

一、当地水资源

灌区当地水资源主要有降水、地下水和当地地表水。

(一)灌区降水

全区多年平均年水量为 576 mm,降水的空间分布是南部大于北部,河南大于山东。降水是灌区地表水和地下水的重要补给来源,又是对农作物生长有直接影响的水资源,掌握灌区降水资源的变化规律,是研究灌区需水和制定灌溉用水计划的重要依据。本次选用 15 个有代表性的雨量站(1965～1995 年系列),采用算术平均法计算各区域的降水量。

降水的年内分配高度集中,多年平均汛期(6～9 月份)降水量 418 mm,占年均降水量的 72.6%;春灌高峰期(3～5 月份)降水量只有 88 mm,占年均降水量的 15.3%。多数站汛期 7、8 月两月降水量就占全年的一半以上,有些年份全年降水量往往集中在几场暴雨之中,冬、春季雨雪稀少,西北风盛行,蒸发量大,对本区主要作物冬小麦的生长十分不利。就降水的年内分配而言,春季降水河南大于山东、南岸大于北岸,夏季降水则相反。

降水量的年际变化较大,最大与最小年降水量相差悬殊,1964 年下游地区平均降水量为 978 mm,而枯水年的 1968 年平均降水量仅 367 mm,相差 611 mm。降水量丰水年组和枯水年组交替出现。各站最大与最小年降水量比值在 2.52～4.79 之间,最大与最小年降水量的差值为 562～905 mm,相差最大的禹城站,1964 年降水量为 1 144.4 mm,1968 年降水量为 239 mm,差值达 905.4 mm。

从降水量的变差系数来看,降水量的年际变化亦较大,C_v 值一般在 0.24～0.33 之间,并自南向北增加。

由于降水年内分配集中、年际变化大,致使在现状条件下难以充分利用当地降水资源,大量降水资源作为涝水排至境外,在大水年甚至形成洪涝灾害。

(二)灌区内地下水资源

1.地下水资源量及分布

黄河下游引黄灌区地下水资源量主要依靠大气降水补给,另外还有河道渗漏、灌溉入渗、湖泊及闸坝渗漏、山前侧渗及越流补给等。根据地矿部门提供的地下水资料,河南引黄灌区地下水(矿化度<2 g/L,下同)可开采资源量为 41.1 亿 m^3,平均可开采模数 18.5 万 $m^3/(a\cdot km^2)$;山东引黄灌区地下水可开采资源量为 68.1 亿 m^3,平均可开采模数 17.9 万 $m^3/(a\cdot km^2)$;黄河下游引黄灌区地下水可开采资源总量为 109.2 亿 m^3。地下水资源的地区分布不均衡,可开采资源总量及可开采模数南岸均高于北岸,与降水量的地区分布基本一致。另外,受补给条件的影响,山前平原可开采模数较大,引黄灌溉区大于井灌区。河南省商丘、濮阳、安阳的地下水可开采模数较小,均在 16 万 $m^3/(a\cdot km^2)$以下,开封、郑州、新乡、焦作的地下水可开采模数较大,均在 18 万 $m^3/(a\cdot km^2)$以上。山东省位于黄河南岸的淄博、济宁、菏泽三地市,地下水资源可开采模数均在 20 万 $m^3/(a\cdot km^2)$以上,而黄

河北岸的聊城、德州及河口地区的东营、滨州等地市，可开采模数均在17万$m^3/(a\cdot km^2)$以下，其中东营、滨州两市，由于地下水矿化度高，淡水资源量极少。

2.灌区地下水开发利用

1990年以来，由于黄河来水量减少，下游断流加重，为缓解水资源供需矛盾，各地均加快了机电井工程建设，机电井数量逐年增加。据统计，1990～1995年全区机电井总眼数由58万眼发展到67万眼，1990～1995年平均机电井灌溉面积占总灌溉面积的比例河南为80.4%、山东为38.9%，平均每眼井控制面积河南为3.3 hm^2、山东为2.7 hm^2。机电井主要分布于距黄河较远的井渠双灌和纯井灌区（补源灌区），且与各地市的灌溉面积、地下水开采量分布基本一致。

根据1990～1995年资料统计，年平均河南引黄灌区地下水总开采量32.5亿m^3，其中灌溉29.7亿m^3，工业和生活2.8亿m^3；山东引黄灌区地下水总开采量28.6亿m^3，其中灌溉24.8亿m^3，工业和生活3.8亿m^3。1990年以来，地下水开采量基本呈增加趋势，但各年间稍有波动。

地下水开采强度分布不均，已开采量占可开采量的比例（1990～1995年平均）河南为79.1%、山东为42%。河南引黄灌区从开采总量看并未突破可开采量，但地区分布不均，个别地区出现超采，山东省除河口地区外，开采程度较低，开采潜力较大。据分析，井灌面积平均每公顷开采地下水量河南为3 000 m^3、山东为2 865 m^3。山东省沿黄地区的地下水可开采量比河南省的多，而目前的总开采量比河南省的少，说明山东省开采程度低的原因不是单井开采量少，而是机电井控制面积少。

地下水开发利用程度低的县（区）大多分布在靠近黄河引黄方便的地区，而相对远离黄河的地区，开采程度较高。

（三）灌区内地表水资源

下游引黄灌区的地表径流量大部分为汛期暴雨产流，加上平原地区缺乏调蓄条件，因此地表径流的利用难度较大，据分析，50%、75%和90%保证率天然径流量分别为30亿m^3、19亿m^3和8亿m^3。目前，灌区利用地表水面临的突出问题是水污染，灌区内许多河流由于水质污染而无法用于灌溉，直接影响了地表水的利用。根据近10年资料分析，下游引黄实灌面积范围内年均利用当地地表水量约7.6亿m^3，约占地表径流量的23%。灌区所利用的黄河水、地下水及当地地表水三种水量占总用水量的比例分别为75%、20%和5%。

二、过境水资源

三门峡、黑石关、小董3个水文站的实测径流量，基本代表了黄河进入本研究区的总水量。为了反映近期用水水平情况下的来水情况，采用1980年7月～1998年6月系列，统计3个水文站多年平均实测径流量339.4亿m^3，其中7～9月142.3亿m^3，占42%，10月～翌年6月197.1亿m^3，占58%。

花园口水文站实测径流资料，代表了黄河进入下游的水资源量。据统计，1950～1997年花园口站多年平均实测径流量417亿m^3（1980年7月～1998年6月实测年径流量347亿m^3），由于20世纪70年代以来黄河上中游降水量偏少及用水量增加，黄河来水量连续多年偏枯(见图 2-1),特别是 90 年代平均实测来水量比多年均值少 1/3,比 50 年代少 47%。1997 年花园口站天然径流量约 313 亿 m^3,仅为多年平均天然径流量的 56%,实测径流量只有 142.5 亿 m^3,为有实测资料以来的最小值,下游供需矛盾十分突出,断流最为严重。

花园口以下只有一条较大支流大汶河加入,其入黄控制站东平湖陈山口多年(1952~1995 年)平均实测径流量 10.7 亿 m^3,其中 10 月~翌年 6 月径流量 2.6 亿 m^3,占年径流量的 25%。东平湖入黄水量呈递减趋势,1980~1990 年平均入黄水量只有 3.7 亿 m^3,其中 10 月~翌年 6 月仅 1.1 亿 m^3。在枯水年份基本没有入黄水量。因此,在非汛期水量调度中大汶河来水可忽略不计。

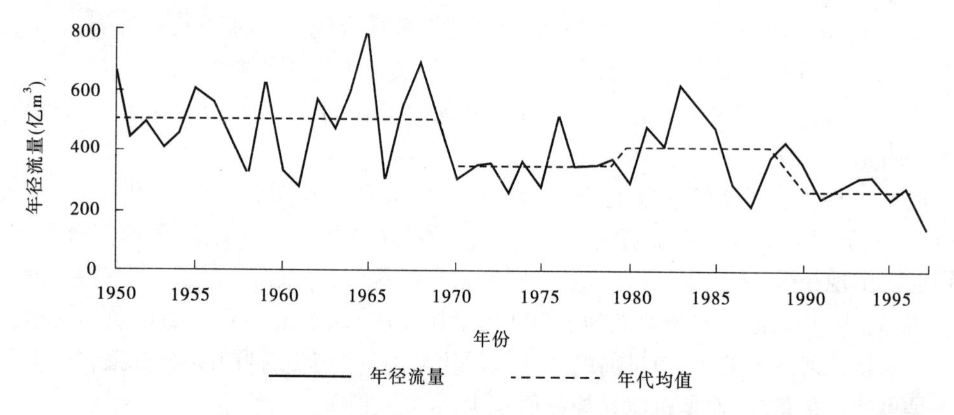

图 2-1 花园口水文站实测年径流量过程线

第四节 下游引黄灌区引黄供水概况

一、引黄工程及灌溉模式

黄河下游众多的引黄灌区已经连成一片,形成分布在黄河两岸的庞大引黄灌溉系统。据统计,黄河下游现有 666.7 hm^2 以上引黄灌区 96 处(河南 25 处,山东 71 处),其中大于 2 万 hm^2 灌区 33 处(河南 10 处,山东 23 处),6 667~20 000 hm^2 灌区 29 处(河南 12 处,山东 17 处),6 667 hm^2 以下灌区 34 处(河南 3 处,山东 31 处)。

下游引黄灌区渠首工程共有 122 处(河南 42 处,山东 80 处),其中自流引黄涵闸 81 处(河南 30 处,山东 51 处)、虹吸 31 处(河南 9 处,山东 22 处)、扬水站 10 处(河南 3 处,山东 7 处)。引黄灌区渠首总设计引水能力 3 994 m^3/s(河南 1 721 m^3/s,山东 2 273 m^3/s)。

引黄灌区的输水工程主要包括渠道输水和天然河道输水两种形式,在正常灌区以渠道输水为主,在补源灌区以河道输水为主,深沟远引,灌排合一。

根据不同河段自然地理和河道引水条件,经过长期的实践探索,形成了多种灌溉模式,如自流引黄,渠、井结合灌溉;自流引黄,渠、河结合灌溉;以井灌为主、引黄补源灌溉;蓄水灌溉和工业、生活用水相结合等模式。这些灌溉模式,在工程技术实践中各有其适应的条件和技术特点,在下游各河段及灌区内,各种模式的分布,既有明显的规律性,又相互结合和补充。

(一)自流引黄,渠、井结合灌溉模式

该模式比较适用于引黄水位较高,地形条件有利,坡降较大和排水条件较好的河南河段及山东河段的上游地带,由单一的自流引黄灌溉模式演变而来。一般分布在沿黄两岸的灌区上游、自流引水条件较好、水源有一定保证,且渠系工程配套较好的灌区。这类灌区的灌溉面积占下游总灌溉面积的20%~25%,其中河南引黄灌区有50%以上属于该模式,人民胜利渠灌区就属该类灌区。山东引黄灌区比例较小,只占该省灌溉面积的13%。

(二)自流引黄,渠、河结合灌溉模式

这种模式多分布在高村以下山东河段的菏泽、聊城、德州和滨州等地区,在各灌区内部多分布在灌区的中下游,河道水位与两岸地面高差较小,自流引黄沿途集中沉沙,利用渠道或沟河输水,并可利用已建拦河工程提前调蓄引黄水量,分散提水灌溉,减少黄河枯水期引水,增加灌溉面积。这类灌区投资少、见效快、分布广,灌溉面积占下游总灌溉面积的50%~60%,如山东省的潘庄、位山灌区及菏泽地区各灌区的下游多采用深沟远引、灌排合一、分散提灌的田间灌水方式。

(三)以井灌为主,引黄补源灌溉模式

这种灌溉模式是20世纪80年代发展起来的,由于灌区远离黄河,当地地表水较少,多年连续开采地下水,地下水水位不断下降,机井出水量逐年减小。为满足作物需水,恢复地下水水位,采取引黄补源、以灌代补增加地下水的补给量。这类灌区的灌溉面积占下游总灌溉面积的20%~25%,如河南省的濮清南地区、商丘、开封地区和山东省一些灌区的下游多采用以井灌为主,引黄补源的灌溉模式。

(四)蓄水灌溉和工业、生活用水相结合模式

这种模式主要分布在黄河下游的滨海地区,当地既无地下水可利用,也无当地地表水可利用,只有引用黄河水,但由于滨海地区地处黄河的最下游,常常受黄河断流的困扰,供水保证率低,因此采用将引黄水蓄存于平原水库、坑、塘、河道等处,以解决工业、生活用水,并兼顾灌溉用水。滨海地区的滨州、东营多采用这种模式。

二、灌溉面积及类型

20世纪50年代开始引黄以来,豫、鲁两省的引黄灌溉在不断地探索中得到了快速发展,引黄灌区的灌溉方式较多。根据两省水利统计资料的分类,一般将引黄灌区的灌溉面积分为正常灌溉面积和补源灌溉面积(又称抗旱面积)。正常灌溉面积是指以黄河水源为主的灌区,其中包括了部分井渠双灌区;补源灌区以井灌为主、引黄补源灌溉为辅。据统计,1995年下游引黄灌溉总面积达到235.5万hm^2,其中正常灌溉面积191.5万hm^2、补源灌溉面积44万hm^2。1991~1995年灌溉面积统计见表2-3。

表2-3　下游引黄灌区1991~1995年灌溉面积统计　(单位:万hm^2)

年份	省份	总面积	正常面积	补源面积
1991	山东	162.1	146.8	15.3
	河南	49.1	31.9	17.2
	合计	211.2	178.7	32.5

续表 2-3

年份	省份	总面积	正常面积	补源面积
1992	山东	165.0	150.1	14.9
	河南	51.0	33.7	17.3
	合计	216.0	183.8	32.2
1993	山东	193.3	163.9	29.4
	河南	35.8	28.2	7.6
	合计	229.1	192.1	37.0
1994	山东	165.7	152.9	12.9
	河南	52.3	33.9	18.4
	合计	218.0	186.8	31.3
1995	山东	168.0	154.0	14.0
	河南	67.5	37.5	30.1
	合计	235.5	191.5	44.1
5年平均	山东	170.8	153.5	17.3
	河南	51.1	33.0	18.1
	合计	221.9	186.5	35.4

注:表中灌溉面积不包括下游纯井灌面积。

三、渠系水利用系数

黄河下游引黄灌区自20世纪70年代开始大规模发展引黄灌溉,并取得了较好的效果,但大多数灌区工程不配套,土渠输水,渠道衬砌率低,灌水技术落后,部分工程年久失修,渠系水利用系数较低,到1985年渠系水利用系数仅为0.4左右。80年代末,国家加大了对水利建设的投资规模,对原有灌区进行了改建和扩建,使灌区工程配套状况有了很大改善,1995年渠系水利用系数已达到0.5左右。河南、山东引黄灌区现状灌溉水利用系数情况见表2-4。

表 2-4　　河南、山东引黄灌区现状灌溉水利用系数统计

省别	灌水层次	井灌区	引黄灌区	水库灌区	引河湖灌区
河南	田间部分	0.80～0.95	0.80		
	渠系部分	0.75～0.85	0.40～0.55		
	灌溉系统	0.65～0.80	0.32～0.50		
山东	田间部分	0.80～0.95	0.70～0.75	0.70～0.75	0.75～0.80
	渠系部分	0.75～0.85	0.45～0.65	0.30～0.50	0.50～0.60
	灌溉系统	0.65～0.80	0.32～0.50	0.30～0.50	0.45～0.59

四、平原蓄水工程

为缓解枯水期供水危机,山东省沿黄地区因地制宜地相继建成了一批调蓄水库,并充分利用现有河道或坑、塘修建拦蓄工程调节黄河水量。据统计,1997年全省共建有100

万 m^3 以上的平原水库达 232 座，设计蓄水能力 9.4 亿 m^3，主要分布在滨州、东营两地（市），其供水主要满足工业和生活用水。若把灌区内河道、坑、塘的蓄水能力考虑在内，山东引黄灌区平原水库总蓄水能力约 17 亿 m^3，各地（市）蓄水能力情况见表 2-5。这些平原水库为缓解当地水资源严重短缺起到了重要作用，但是代价较高，一般每立方米库容投资 3～7 元，供水成本约 1 元，水量损失 39%～50%。

表 2-5　　山东省各地（市）现状平原水库蓄水能力情况

地区	蓄水能力（亿 m^3）	占全省比例（%）
菏泽	1.195	7.1
聊城	1.019	6.1
济宁	0.200	1.2
德州	3.911	23.4
济南	0.413	2.5
淄博	0.402	2.4
滨州	2.050	12.2
东营	6.480	36.7
引黄济青	1.410	8.4
总计	17.08	100

深受黄河断流困扰的山东省，计划在沿黄地区大量修建平原水库。“九五”期间，山东省政府计划每年拨出 4 500 万元专款用于补助沿黄地区的平原水库工程建设。根据《山东省沿黄平原调蓄水库修订规划》，2000 年规划修建和恢复利用平原水库 67 座，总设计库容 10.71 亿 m^3，年调蓄水量 16.06 亿 m^3，其中新建 61 座，设计库容 9.11 亿 m^3，恢复利用和改建 6 座，设计库容 1.60 亿 m^3。共需投资 41.28 亿元，平均单位库容的投资为 3.85 元/m^3，其中平原围坝式水库平均单位库容的投资高达 6～8 元/m^3。目前，小浪底水库已建成投入运用，水库调节能力大，由小浪底水库的调节作用代替平原水库的作用，这在理论上是没有问题的，但能否实现有待各方面统一认识。

第五节　下游引黄灌区引黄水利用现状

一、引黄水量及用水组成

据黄委会河务局的资料统计，1981～1995 年下游河段年平均引黄水量 104.2 亿 m^3，其中河南引黄 27.2 亿 m^3 占 26%、山东引黄 77.0 亿 m^3 占 74%。引水量最多的是 1989 年，年引水 153.6 亿 m^3；引水量最少的是 1985 年，年引水 77.3 亿 m^3。河南 1988 年引水量最多，达 36.9 亿 m^3；山东 1989 年引水量最多，达 123.5 亿 m^3。

从分河段引水量看，泺口—利津河段引水量最大，多年平均引水量 28.3 亿 m^3，占下游总引水量的27%，其次是艾山—泺口河段，平均引水量20.6亿m^3，占下游总引水量的20%。艾山以上和以下河段引水量各占下游总引水量的约50%。分河段引黄水量见表2-6。

表2-6 **分河段引黄水量统计**(1981～1995**年平均**)

河段	花园口—夹河滩	夹河滩—高村	高村—孙口	孙口—艾山	艾山—泺口	泺口—利津	利津以下	全下游
引水量(亿m^3)	18.04	9.81	10.46	14.88	20.56	28.33	2.10	104.18
所占比例(%)	17.32	9.42	10.04	14.28	19.74	27.18	2.02	100
河段长度(km)	105.4	83.2	130.5	63.1	107.8	174.1	103.6	767.7

自1965年恢复引黄灌溉以后，引黄水量不断增加，1981～1985年年平均引黄水量96.2亿m^3，1986～1990年年平均引黄水量118.8亿m^3，到90年代(1991～1995年)，在来水偏枯、年年断流的情况下，年平均引黄水量仍有97.4亿m^3。

引黄水量按其用途不同分为灌溉用水、淤改用水、工业用水和人畜用水等，其中灌溉用水(包括灌区内用水和灌区外调剂内河用水)所占比重最大。据对1990～1995年平均引水量分析，灌溉用水占88.9%，淤改用水占2.4%，工业用水占6.8%，人畜用水占1.9%，见表2-7。

表2-7 **黄河下游**1990 ～1995**年平均引黄用水情况** (单位:亿m^3)

省别	合计引水	正常灌溉	补源灌溉	淤灌用水	工业用水	人畜用水
河南	31.48	22.78	5.13	0.72	2.85	
山东	82.72	64.52	9.09	2.05	4.87	2.19
合计	114.20	87.30	14.22	2.77	7.72	2.19
所占比例(%)	100	76.4	12.5	2.4	6.8	1.9

注:此表数据来自河南、山东两省水利厅。

二、引黄水量的年内分配

引黄水量年内分配不均，沿黄灌溉用水的季节性特别明显，从1981～1995年月平均引水情况(见图2-2)看，年内各月的引水量变化较大。3～6月份是冬小麦、棉花等作物春灌高峰期，降水量少，引水量较大，占全年的一半以上。4月份引水量最大，平均18.60亿m^3，占全年的17.3%。3月份平均引水15.81亿m^3，占全年的15.2%。冬季11月～翌年2月份引水量较小，占全年的13.8%。1月份引水量最小，平均1.69亿m^3，占全年的1.6%。

由于灌溉用水占总引黄水量的绝大部分，因此灌溉用水过程决定了引黄水量的年内分配过程。受气候和作物种植结构的双重影响，河南、山东引黄灌区的用水过程有显著不同(见图2-3)。河南引黄灌区春季降水量较大，夏季降水量相对较少，夏季作物中需水量较大的水稻种植面积较大，因此春季、夏季的引黄水量相对均匀，5～8月份的引水量较

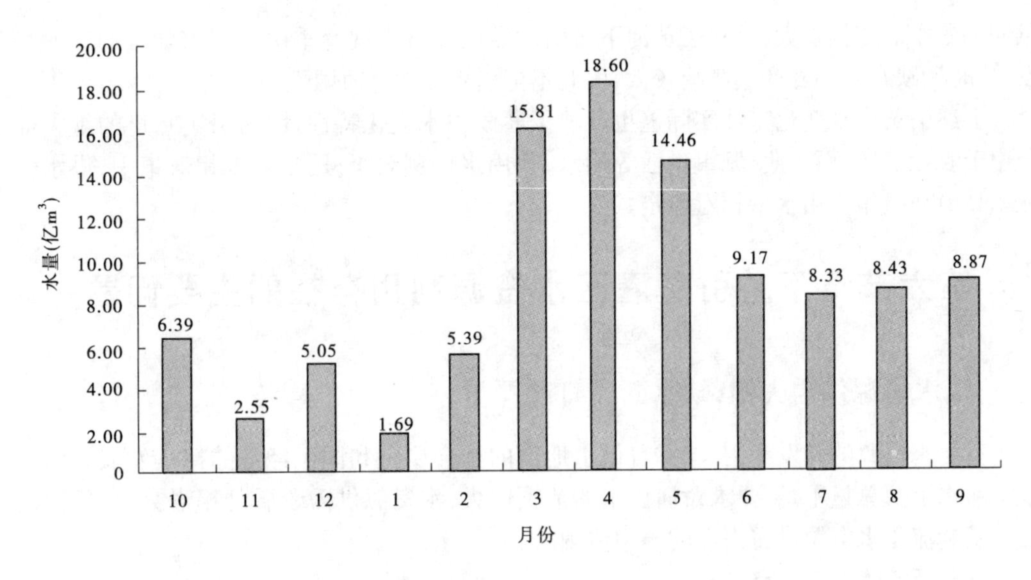

图 2-2 黄河下游 1981～1995 年月平均引黄水量

大,6 月份引水量最大;山东引黄灌区则相反,春季降水量较少,夏季降水量相对较大,同时水稻种植面积少,因此用水高峰集中在 3～5 月份,其中 4 月份引水量最大。

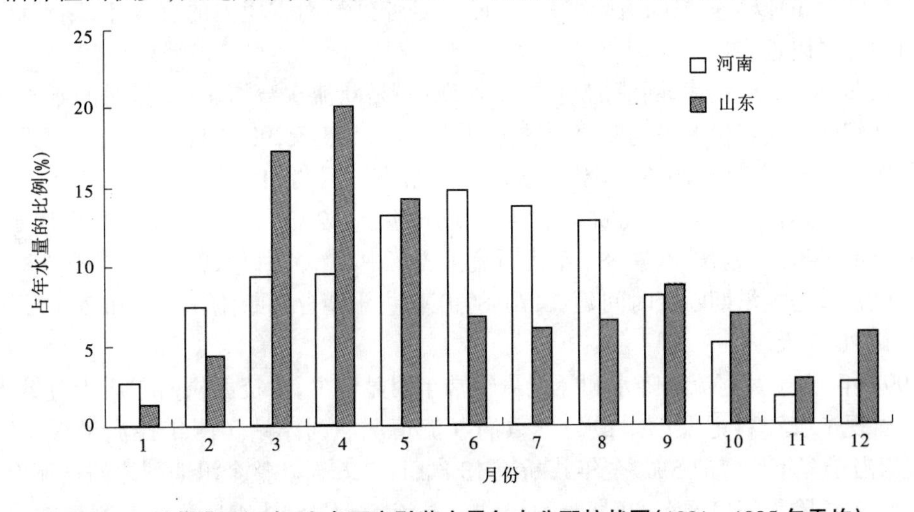

图 2-3 引黄灌区河南、山东两省引黄水量年内分配柱状图(1981～1995 年平均)

河南、山东引黄灌区在用水过程上的差异,有利于调节两省的引黄用水矛盾。例如,山东春季引水尽可能提前,河南的春季引水适当推后,采取"错峰"引水。

从 1981～1995 年不同时期引水的年内分配看,冬天 4 个月引水量呈增加趋势,汛期引水量呈减少趋势。灌溉引水向冬天 4 个月延伸,以提前引蓄黄河水弥补春季来水量的不足,同时为减轻渠道淤积,也尽量避免在汛期引水。

年内各月引水量的变幅较大,各月的最大引水量与最小引水量之比在 1.5～14.3 之间,其中春灌高峰期 3～5 月的变幅较小(最大引水量与最小引水量之比仅为 1.5～2.0)。

汛期和冬季的变幅较大，反映了黄河下游引黄灌区经常出现春季引黄用水紧张的一般特点，该时期缺水对小麦产量影响较大，因此不但引水量大且时限性强。

上述引黄用水变化特性实际上也反映了灌溉用水变化特性，因为引黄水量的绝大部分用于农业灌溉，而工业、城市生活等用水，其用水比例较小，用水地点相对集中，供水保证率高，年际、年内用水量相对稳定。

第六节　下游引黄灌区水资源利用存在的主要问题

一、水资源供需失衡，缺水断流日趋严重

黄河水资源的开发利用，支撑着供水地区的社会稳定和国民经济的持续发展。但由于黄河水资源总量不足，要求黄河供水的范围广大，水资源供需矛盾已相当突出，下游河段频繁断流是水资源供需失衡的集中体现。

（一）断流情况和特点

黄河下游经常性断流始于1972年，从1972～1998年的27年中，黄河下游利津站有21年发生断流，断流年份年均断流50天，平均断流长度为321 km。山东省境内的泺口（距河口278 km）以下河段断流频率最高，断流延伸到河南省境内的有5年，断流河段上延至河南开封附近。

进入20世纪90年代，断流加剧，主要表现：一是断流次数增多，断流时间延长，利津站70、80年代断流年份的平均断流天数分别为14天、15天，90年代增加到107天；二是年内首次断流时间提前，70、80年代首次断流出现在4月份，1998年则出现跨年度断流；三是断流距离延长，70、80年代断流平均长度分别为242 km和256 km，90年代延长到438 km；四是断流月份增加，70、80年代断流主要集中在5、6月份，90年代扩展到3～7月和10月份；五是主汛期断流时间延长，70、80年代主汛期分别断流3.3天和2.3天，90年代延长到20.3天。

1997年，由于黄河流域降水和径流量较常年明显偏少，水资源供需矛盾十分突出，黄河下游出现了有资料记录以来最为严重的断流情况。利津站实测年径流量仅18.5亿m^3，只相当于多年均值的5%，全年共断流13次，计226天。整个汛期利津站过流时间仅有16天，若扣除为河口调水的时间，利津站仅过流5天。8月4日黄河花园口站出现第一号洪峰4 020 m^3/s，5日洪量8.7亿m^3，由于沿黄大量引水，特别是高村以下过量引水，使入海水量仅有4 000万m^3左右。

（二）断流的影响

黄河下游频繁断流在造成局部地区生活、生产供水困难的同时，也对黄河治理和生态环境造成严重的影响，断流加剧了下游河道泥沙淤积。90年代以后，尽管黄河下游来沙量减少，但由于下游来水也大幅度衰减，并长时间发生断流，水少沙多的矛盾更加突出，加上主汛期断流时间延长，致使冲沙用水得不到保证，泥沙绝大部分淤积在主槽，河道排洪能力下降，加剧了小流量、高水位的严峻局面，漫滩流量由80年代的6 000 m^3/s左右减少到现在的3 000 m^3/s左右。此外，断流破坏了生态平衡，恶化了河口地区生态环境；在断

流的同时，水质污染严重，更加剧了用水紧张局面。

（三）断流的原因

导致黄河流域缺水和下游断流的原因是多方面的。总体来看，黄河流域主要属于资源性缺水，黄河水资源贫乏是造成缺水断流的根本原因；国民经济用水量的急剧增加是造成缺水断流的决定因素；流域水资源缺乏有效的统一管理，部分地区用水浪费及中游河段径流调节能力不足则是缺水演变为断流的重要原因。

随着沿黄地区工农业生产的不断发展，耗用黄河水量大量增加。50年代全河年均耗水量为122亿m^3，到了90年代，年均耗水量增加到300亿m^3左右。黄河下游又是全河用水量增加最为迅速的地区，年平均引黄耗水量从50年代的19亿m^3增加到90年代的108亿m^3，增长了4.7倍。70、80年代在花园口站月平均流量小于750 m^3/s时，下游才可能发生断流，进入90年代以后，在花园口站月平均流量为1 100 m^3/s时，也可能发生断流。目前，黄河下游地区引黄能力达4 000 m^3/s，远远超过黄河的供水能力。而水资源时空分布与用水需求不一致，加剧了水资源的供需矛盾。

1987年，国务院批准了《黄河可供水量分配方案》，但缺乏相应的监督实施办法。黄河干流已建的大型水库及引水工程分属不同部门管理，条块分割、多头管水的局面尚未根本扭转，流域机构缺乏监督监测手段，不能有效控制引用水量。在用水高峰期各地争水、抢水现象普遍，很难做到河道内外统筹，上、中、下游兼顾，合理分配水量。

工农业及城乡生活用水的迅速增加已影响到冲沙、防凌、生态环境、发电等河道内用水需求。黄河供水地区每年引用大量黄河水，这是在挤占生态环境用水和河道输沙用水条件下实现的。如果按社会经济可持续发展要求，优先保证生态环境和输沙用水，则黄河水资源的供需矛盾会更加尖锐。

二、水资源利用效率低

黄河下游引黄灌区水资源利用效率低主要表现在两个方面：一是引黄灌区节水技术落后，大部分灌区采用土渠输水，田间大水漫灌，灌溉水利用系数只有0.4左右，水量浪费现象严重。如河南省的人民胜利渠及大功、三刘寨灌区，山东省的邢家渡、胡家岸、簸萁李、韩墩、小开河、曹店、王庄等灌区，毛灌溉定额达7 500～10 500 m^3/hm^2，远高于节水灌溉情况下的5 100～6 600 m^3/hm^2；还有部分灌区，用水管理落后，灌水期间昼灌夜不灌，渠道引水量大，退水量多，加剧了下游河段水资源的供需矛盾。二是当地水资源没有得到合理利用，如前所述，下游引黄灌区大部分地区的地下水资源较为丰富，但由于引黄便利且水费低廉，长期以来形成了依靠黄河水发展灌溉的观念。黄河下游引黄渠首水价是十分敏感的问题，一向由中央有关部门决定，水价一直较低，从来都不是制约引黄水量的因素，虽然2000年12月起比过去有成倍的提高，但农业用水也只有1.0～1.2分/m^3，工业用水也只有3.9～4.6分/m^3。由于引黄水价低，因而灌区内地下水开采利用率较低，现状地下水开采量仅占可开采量的56%，尤其临近黄河地区，地面大水漫灌，很少利用地下水，地下水位高，潜水蒸发损失量大，有发生次生盐碱化的危险，而离黄河较远地区，地下水又超采。

由于降水年内分配集中、年际变化大，平原地区缺乏调蓄条件，以及灌区内许多河流水质污染严重，直接影响了当地地表水的利用。以充分利用当地水为主，引黄补源，引黄水和当地水联合运用，不仅可以提高供水保证率，还可以节约引黄水量，提高水资源利用的综合效益和缓解供需矛盾。

三、引黄泥沙处理难度大

由于黄河下游来水的含沙量高，颗粒很细，在河道居高临下和河槽逐年淤积条件下，入渠泥沙的含量和粒径粗细几乎与河道来水的泥沙相当。除影响渠道淤积，不能适时引水灌溉和需要投劳清淤，增加生产负担外，大量入渠的泥沙处理不当，更会对引黄地区内外的生态环境和社会经济等造成严重的不利影响。据统计，1980～1989 年，黄河下游年平均引沙量 1.06 亿 t。由于可供沉沙的低洼地越来越少，大量引黄泥沙淤积在各级渠道及退水河道中，以致不得不每年耗费大量人力、物力进行清淤，仅山东省 1983～1989 年干渠以上渠道年均清淤 2 485 万 m^3，占引沙总量的 45%，年均清淤费用达 1 亿元以上。而清淤出的泥沙多堆放于渠道两岸，从而形成众多的大沙垄，不仅占压大量耕地，也造成土地沙化和灌区生态环境的严重恶化，制约着黄河下游引黄事业的发展。如山东省位山灌区渠道弃土形成的沙化面积达 1 000 hm^2，并以每年 20～26.7 hm^2 的速度发展，堆沙量达 2 500 多万 m^3，平均堆高 5～6 m，输沙渠两测平均占地宽 130～140 m，土地沙化严重。

随着下游引黄灌溉面积的扩大，引黄水量越来越多，引沙量也在逐年增加，因此妥善处理引黄泥沙已成为下游引黄事业发展的重要制约因素。

四　水污染日趋严重

20 世纪 90 年代初，进入黄河的废污水排放量达 42 亿 t，与 80 年代相比增加了一倍。据 1998 年水质监测结果，在黄河干流及主要支流重点河段 7 241 km 的评价河长中，失去多种功能用途的Ⅳ类、Ⅴ类及劣Ⅴ类水质河长占 70% 以上。黄河三门峡以下干支流水质已受到氨氮、挥发酚等有机类污染物污染；干流汛期、非汛期和全年分别有 96.7%、0 和 7.6% 河长能满足集中式生活饮用水水源地水质（Ⅲ类水）要求，三门峡和花园口（郑州市、新乡市）等城市河段，水质基本上均劣于Ⅲ类标准。水源的严重污染和水质的急剧恶化，直接影响人体健康，同时也加大了水资源的紧缺程度。

造成水污染的原因：一是用水量和排污量大的企业多，并长期沿袭低投入、高消耗、重污染的经济发展模式；二是水资源保护治理无序，对污染源缺乏有效监督，水污染治理严重滞后；三是黄河水量少，环境容量小，加之河道外取水量的增加，稀释和自净能力降低，更加剧了水质恶化。

第七节　小　结

项目研究区是我国的重要商品粮基地，但是该地区的水资源少而且开发利用难度大，黄河过境水资源是当地的重要水源。随着地区社会经济的发展，对黄河水量的需求日益增加，超过了黄河在该地区的可供水量，因而这个地区的水资源供需矛盾十分尖锐，使得引黄灌区用水需求分析研究成为一个非常迫切的课题。

参考文献

［1］河南省统计局.河南统计年鉴.北京:中国统计出版社,1985～1995
［2］山东省统计局.山东省农业统计年鉴.北京:中国统计出版社,1985～1995

第三章　引黄灌区用水需求分析

第一节　引黄灌溉用水的影响因素分析

从成因分析的角度看，影响灌溉用水的主要因素有灌溉面积、降水、黄河过境水、作物种植结构、自然条件、工程管理等。本次研究收集分析了1981年以来的大量资料，采用数理统计法逐河段研究了灌溉用水的影响因素及变化规律。

实测资料分析表明，引黄水量与以上单个因素有一定的相关性，但相关关系和可信度较差，与多个因素的相关关系较好。黄河下游引黄灌区用水的影响因素是多方面的，但灌溉面积、降水量、作物种植结构、灌区当地水资源（地下水、地表水）利用量、节水水平等是影响引黄水量的几个主要因素。

(1)灌区降水量是最关键的因素，它既影响灌溉定额和灌水次数，又是引水量年际、年内变化大的主要原因，因此水库调度和河段配水必须考虑前期降水量和降水预报，实时调整配水计划。

(2)作物种植结构特别是小麦、水稻等生育期长或需水量大的作物播种比例对灌溉用水有较大影响，在其他条件基本相同时，复种指数越高，小麦、水稻等种植面积越大，灌溉水量也越多。

(3)灌溉面积对引黄用水有一定影响，且有较大的伸缩性，主要是因为影响引黄灌溉定额的因素较多。因此，在河段配水时，灌溉面积可作为配水的依据之一，但不是决定性因素。

(4)引黄灌区的地下水仍有较大的开采潜力，与引黄水联合运用可以提高供水保证率，减轻对黄河水的依赖，节省引黄水量，扩大灌溉面积。因此，制定河段配水原则时应考虑各河段的地下水利用情况，通过配水促进地下水的合理利用。

(5)尽管从整个下游引黄灌区来看，年总引水量与黄河来水量的关系散乱，但在部分河段灌溉季节引水量与同期黄河来水量有密切关系，黄河来水将直接影响河段配水，而且随着黄河来水量的减少，这种趋势将更加明显。因此，以供定需、总量控制是今后黄河水量分配的总原则。

(6)20世纪80年代以来，河南、山东两省引黄灌区的引黄灌溉定额呈降低趋势。由于灌溉定额降低，在引黄水量增加不多的情况下，引黄灌溉面积却大幅度增长。这说明只有把黄河水作为农业灌溉的补充水源来看待，补当地水源之不足，才能取得较大的灌溉效益。

(7)引黄用水受以上多种因素的共同影响，在这些因素中，有的年际间稍有变化但年内相对稳定，如灌溉面积、种植结构、当地水资源条件、工程条件等；有的年内变化较大，如降水量、黄河来水量、土壤墒情等。因此，在制定配水权重时，应综合考虑，以相对稳定的指标作为配水的宏观控制，以随时变化的指标作为配水实时修正。

第二节　引黄灌区用水需求分析计算

一、用水需求分析的基本思路

在摸清灌区基本情况和水资源利用特点的基础上，合理划分计算单元(节点图)，根据气候条件和试验资料分析计算作物需水量，以现状灌溉面积为基础并区分正常灌溉面积和补源灌溉面积，考虑不同降水量及地下水开采水平，根据土壤水分平衡和区域水资源平衡计算引黄灌溉需水量及过程，计算流程如图 3-1 所示。

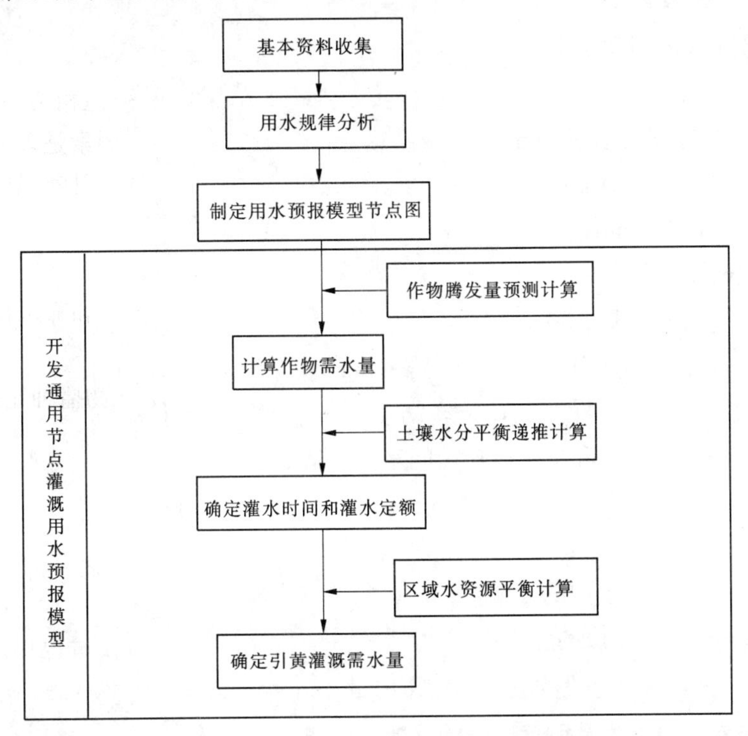

图 3-1　灌溉用水需求分析研究的计算流程

二、计算原理

(一)农作物需水量

作物需水量计算公式：

$$ET = ET_0 \times K_s \times K_c \tag{3-1}$$

式中　ET——作物实际需水量，mm；

ET_0——参考作物需水量，mm；

K_s——土壤水分胁迫系数；

K_c——作物系数。

(二)作物根系层土壤水分平衡

(1)旱田作物根系层土壤水分平衡方程：

$$W_t = W_{t-1} + P_{t-1} + I_{t-1} - E_{t-1} - S_{t-1} + G_{t-1} \quad (3\text{-}2)$$

式中 W_{t-1}、W_t——$t-1$ 和 t 时段初的土壤水分含量,mm;

P_{t-1}——$t-1$ 时段内有效降水量,mm;

I_{t-1}——$t-1$ 时段内灌溉水量,mm;

E_{t-1}——$t-1$ 时段内作物腾发量,mm;

S_{t-1}——$t-1$ 时段内根系层水分渗漏量(旱作 $S=0$),mm;

G_{t-1}——$t-1$ 时段内地下水对根系层水分补充量(地下水埋深大于 4 m 时,$G=0$),mm。

(2)水田水量平衡方程。

①泡田期需水量计算方程:

$$Q_t = A_t + S_t + E_{0\,t} - P_t \quad (3\text{-}3)$$

式中 Q_t——泡田期需水量,mm;

A_t——固定水深,mm;

S_t——渗漏量,mm;

$E_{0\,t}$——水面蒸发量,mm;

P_t——有效降雨量,mm。

②生长期水层递推方程:

$$H_t = H_{t-1} + P_{t-1} + Q_{t-1} - S_{t-1} - K_{c_{t-1}} \cdot ET_{0_{t-1}} \quad (3\text{-}4)$$

式中 H_{t-1}、H_t——$t-1$ 和 t 时段初田间水深,mm;

P_{t-1}——$t-1$ 时段内的降雨量,mm;

Q_{t-1}——$t-1$ 时段灌溉水量,mm;

S_{t-1}——$t-1$ 时段内的渗漏量,mm;

$K_{c_{t-1}}$——$t-1$ 时段的作物系数;

$ET_{0_{t-1}}$——$t-1$ 时段的参考作物需水量,mm。

(三)区域水资源平衡及引黄灌溉需水量

区域水资源平衡计算的目的是确定当地水资源的利用量及需引黄水量,其关键是确定各种水资源的开发利用次序和原则。本次计算的原则是:对于地下水资源相对丰富、机电井建设较好的灌区,应以地下水供水为主、引黄补源为辅;对于地下水资源相对丰富,但井灌条件较差、渠灌条件较好的灌区,应逐步加强机电井工程建设,以渠控井,加大地下水开采量,实行井渠双灌;对于地下水资源相对贫乏的灌区,应以引黄或当地地表水为主、井灌为辅。

三、灌溉需水分析

(一)计算方案拟定

考虑各节点 $P=25\%$、50%、75%、90%四个频率降水年型过程(以非汛期降水为主选年型,为叙述方便,简称为降水频率)和各节点地下水高、中、低方案的利用量,共组合 12

个计算方案，其中地下水开采中方案代表当前的开采水平，高方案代表接近（个别地区超过）地下水可开采量，低方案代表比现状开采量稍低的水平。

（二）计算条件

1.河段划分及节点图制定

考虑灌区规模、作物种植、灌溉方式、资源条件、气象、地质、行政区等因素，结合河段配水要求，以花园口、夹河滩、高村、艾山、泺口及利津断面为控制，分河段和南北岸，制定用水需求和河段配水节点图（见图3-2），节点说明见表3-1。

2.主要参数

各节点灌溉需水分析主要涉及以下13类参数：①灌溉面积，分正常灌溉面积和补源灌溉面积；②降水量、有效降水量及气象资料；③作物种植结构；④地下水开采利用量及井渠灌水比例分析；⑤作物根系利用的地下水量；⑥灌溉水利用系数；⑦土壤初始含水量；⑧土壤容重与田间持水率；⑨作物适宜土壤水分下限；⑩根系活动层厚度；⑪次灌水定额；⑫稻田渗漏量；⑬当地地表水资源。各种参数主要是根据实测资料和已有的科研成果分析确定的。

（三）下游引黄灌区用水需求计算结果分析

各方案引黄灌区灌溉需水分析结果见表3-2，12个组合方案中，最小引黄需水量为49亿m^3，最大引黄需水量为152亿m^3。

1.引黄灌溉需水量

地下水开采中方案时，降水频率为25%、50%、75%和90%的需引黄水量分别为72亿m^3、90亿m^3、119亿m^3和150亿m^3，即地下水开采水平一定时，引黄灌区越干旱，引黄灌溉需水量越大。

降水频率为75%的高、中、低地下水开采方案的引黄需水量分别为95亿m^3、119亿m^3和121亿m^3，即降水量一定时，地下水开采量越大，引黄灌溉需水量越小。

地下水开采中方案，降水频率为25%、50%、75%和90%，河南引黄灌区引黄灌溉需水量分别为15亿m^3、20亿m^3、27亿m^3和35亿m^3，占下游引黄灌溉需水量的21%～23%；山东引黄灌区引黄灌溉需水量分别为57亿m^3、70亿m^3、91亿m^3和115亿m^3，占下游引黄灌溉需水量的77%～79%。

2.灌溉定额与降水和地下水开采的关系

由表3-1可见，不管地下水开采水平是否相同，同一降水频率的净灌溉定额相同，但由于渠灌和井灌的灌溉水利用系数不同，毛灌溉定额则随地下水开采程度的提高而变小。降水频率为25%、50%、75%和90%的综合净灌溉定额，河南省分别为2 760 m^3/hm^2、3 285 m^3/hm^2、4 095 m^3/hm^2和4 890 m^3/hm^2，山东省分别为2 760 m^3/hm^2、2 985 m^3/hm^2、3 583 m^3/hm^2和4 245 m^3/hm^2。随降水量的减少，净灌溉定额增大。由于河南引黄灌区的复种指数高于山东引黄灌区的复种指数，因此净灌溉定额河南比山东高300～645 m^3/hm^2（丰水年除外）。

根据计算，降水频率为75%时补源灌区引黄灌溉需水量11.4亿m^3，其中河南7.6亿m^3，山东3.8亿m^3。折合补水毛定额河南为2 475 m^3/hm^2，山东为2 295 m^3/hm^2，与河南省规划毛补水定额2 250 m^3/hm^2基本接近。

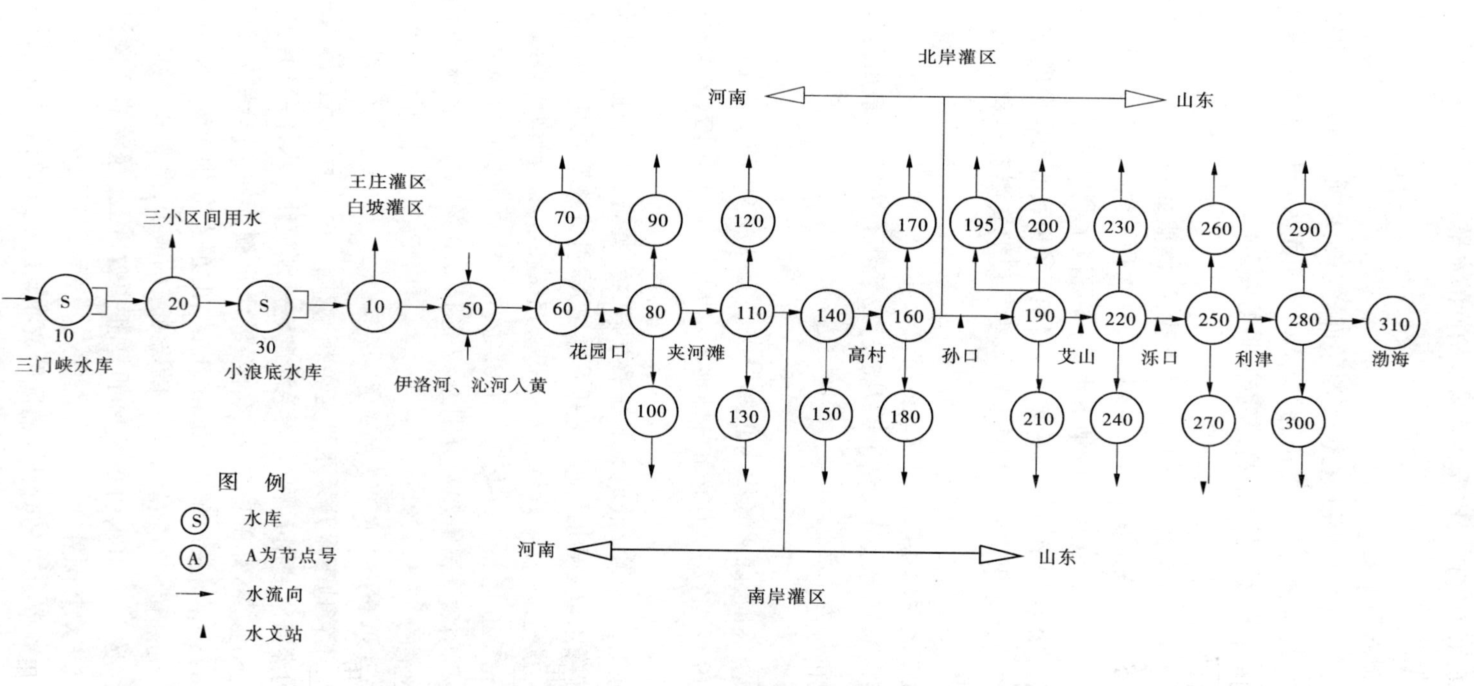

图 3-2 黄河三门峡以下非汛期水量调度系统节点

3.灌水次数及灌水过程分析

灌水次数与降水有关,水稻基本上采用连续灌水方式,因此灌水次数较多;旱田总的趋势是随降水量增加灌水次数稍有减少。经分析,旱作物小麦、玉米、棉花不同降水频率的年灌水次数计算结果与下游引黄灌区丰产灌水经验确定的灌水次数基本一致。

表 3-1 黄河三门峡以下非汛期水量调度系统各节点情况

节点号	节点类型	所属河段	岸别	包含灌区名称	省别
10	三门峡水库				河南
20	三小区间用水	三门峡—小浪底			河南
30	小浪底水库				河南
40	用水	小浪底—沁河口	南岸	王庄、白坡	河南
50	伊洛河、沁河入黄				河南
60	分水口	沁河—花园口			河南
70 (75)	用水	沁河—花园口	北岸	白马泉、武嘉、 人民胜利渠	河南
80	分水口	花园口—夹河滩			河南
90 (95)	用水	花园口—夹河滩	北岸	韩董庄、堤南、 祥符朱、大功、 辛庄	河南
100 (105)	用水	花园口—夹河滩	南岸	花园口、杨桥、 三刘寨、赵口、 黑岗口、柳园口	河南
110	分水口	夹河滩—高村			河南
120 (125)	用水	夹河滩—高村	北岸	左寨、石头庄、 杨小寨、渠村	河南
130 (135)	用水	夹河滩—高村	南岸	三义寨	河南
140	分水口	夹河滩—高村			山东
150 (155)	用水	夹河滩—高村	南岸	阎谭、谢寨 高村	山东
160	分水口	高村—孙口			山东
170 (175)	用水	高村—孙口	北岸	南小堤、王称固、 彭楼、邢庙、 于庄、满庄、 王集、孙口	河南
180 (185)	用水	高村—孙口	南岸	刘庄、苏泗庄 旧城、苏阁 扬集、陈垓 国那里	山东

续表 3-1

节点号	节点类型	所属河段	岸别	包含灌区名称	省别
190	分水口	孙口—艾山			山东
195	引黄入卫	孙口—艾山	北岸		河南
200	用水	孙口—艾山	北岸	彭楼、陶城铺	山东
(205)				位山(含郭口)	
210 (215)	用水	孙口—艾山	南岸	东平湖、戚海、丁庄 黄庄、旧县、桃园、	山东
				外山、东阿姜沟	
220	分水口	艾山—泺口			山东
230 (235)	用水	艾山—泺口	北岸	潘庄、韩刘、 豆腐窝、李家岸	山东
240 (245)	用水	艾山—泺口	南岸	龙桥、田山、 望口山、柳山头、 东风、红旗、 吴家堡、老徐庄	山东
250	分水口	泺口—利津			山东
260 (265)	用水	泺口—利津	北岸	邢家渡、大柳树店、 沟阳、葛店、 张辛、簸萁李、归仁、 白龙湾、大崔、王集、 小开河、张肖堂、 韩家墩、宫家	山东
270 (275)	用水	泺口—利津	南岸	华山、霍家溜、 遥墙、胡家岸、 土城子、胡楼、 大道王、道旭、 打渔张、马扎子、 刘春家、麻湾、 曹店、胜利	山东
280	分水口	利津以下			山东
290	用水	利津以下	北岸	王庄、罗家屋子、 刘家河、西河口	山东
300	用水	利津以下	南岸	双河、五七、 垦东、路庄、 垦利镇、西宋	山东
310	渤海			山东	

注:括号内为补源灌区节点号(下同)。

表 3-2　　　　各种情况下引黄灌区需水分析结果汇总

地下水开采	降水频率(%)	省别	地表水(亿 m^3)		地下水(亿 m^3)	总量(亿 m^3)	净定额(m^3/hm^2)	毛定额(m^3/hm^2)
			总数	其中引黄				
高方案	25	河南	13.96	12.00	13.12	27.08	2 760	4 050
		山东	44.11	37.34	30.26	74.38	2 760	4 230
		合计	58.07	49.33	43.39	101.46	2 760	4 185
	50	河南	18.78	16.57	14.41	33.19	3 285	4 965
		山东	52.90	50.60	30.20	83.10	2 985	4 725
		合计	71.67	67.17	44.61	116.29	3 075	4 785
	75	河南	26.02	24.36	16.55	42.57	4 095	6 360
		山东	72.54	71.06	31.45	104.00	3 585	5 925
		合计	98.56	95.42	48.00	146.57	3 735	6 045
	90	河南	33.48	31.95	18.47	51.95	4 890	7 755
		山东	95.72	94.88	31.95	127.67	4 245	7 260
		合计	129.20	126.83	50.42	179.63	4 425	7 395
中方案	25	河南	17.13	14.74	11.43	28.56	2 760	4 260
		山东	64.02	56.77	19.65	83.67	2 760	4 755
		合计	81.15	71.51	31.08	112.23	2 760	4 620
	50	河南	21.88	19.59	12.76	34.63	3 285	5 175
		山东	72.73	70.25	19.62	92.35	2 985	5 250
		合计	94.60	89.84	32.38	126.99	3 075	5 235
	75	河南	29.17	27.46	14.87	44.04	4 095	6 585
		山东	92.62	91.09	20.74	113.37	3 585	6 450
		合计	121.80	118.55	35.61	157.41	3 735	6 480
	90	河南	36.55	35.01	16.84	53.39	4 890	7 980
		山东	115.70	114.85	21.29	136.99	4 245	7 800
		合计	152.25	149.87	38.13	190.38	4 425	7 845
低方案	25	河南	17.79	15.34	11.08	28.87	2 760	4 320
		山东	65.56	58.30	18.83	84.38	2 760	4 800
		合计	83.35	73.63	29.91	113.25	2 760	4 665
	50	河南	22.49	20.19	12.43	34.92	3 285	5 220
		山东	74.19	71.68	18.84	93.04	2 985	5 295
		合计	96.69	91.86	31.27	127.96	3 075	5 280
	75	河南	29.81	28.09	14.53	44.34	4 095	6 630
		山东	94.22	92.67	19.89	114.11	3 585	6 495
		合计	124.03	120.76	34.42	158.45	3 735	6 525
	90	河南	37.18	35.64	16.50	53.68	4 890	8 025
		山东	117.63	116.78	20.27	137.89	4 245	7 845
		合计	154.81	152.43	36.76	191.57	4 425	7 890

注：1. 河南引黄灌溉面积为 66.9 万 hm^2(其中正常 36.1 万 hm^2，补源 30.8 万 hm^2)，山东引黄灌溉面积 175.7 万 hm^2(其中正常 159.2 万 hm^2，补源 16.5 万 hm^2)。

2. 渠灌灌溉水利用系数为 0.48，井灌灌溉水利用系数为 0.90。

3. 引黄需水量中包括补源需水量。

第三节　农作物供关键水分析

前面分析的是本区域按作物高产要求充分供水的灌溉情况。由于黄河水少沙多，水资源并不富裕。随着上中游引黄水量增加，进入黄河下游的过境水量逐渐减少，使得黄河下游引黄地区水资源供需矛盾日趋尖锐，一般年份用水高峰季节和枯水年份供水量严重不足，因此需要研究向农作物供关键水的问题。

一、充分灌溉与经济灌溉

（一）作物水分生产函数

研究灌溉水的最优分配问题，必须首先了解作物生育期内对灌水的响应，即建立作物水分生产函数，又称为单产～水反映函数。一般来说，资源投入与产品产量间的数量关系称做生产函数。在其他投入量不变的前提下，水作为变动的资源，投入量不同，农作物的产量也不同，同样，不同生育阶段水的不同投入量对产量的影响也不同，它们之间可以用定量的函数关系表示，这一关系即为农作物的单产～水反映函数。

单产～水反映函数有两种形式，一是全生育期作物产量与耗水量的关系，国内外多数研究表明其函数形式为凸的二次抛物线：

$$Y = b_0 + b_1 W + b_2 W^2 \tag{3-5}$$

式中　Y——作物产量，kg/hm^2；

W——作物耗水量，m^3/hm^2；

b_0、b_1、b_2——系数。

单产～水反映函数的另一种形式为 Jensen 模型（又称相乘模型），其基本形式为

$$Y/Y_p = \prod_{i=1}^{n} (ET_i / ET_{pi})^{\lambda_i} \tag{3-6}$$

式中　Y——作物产量，kg/hm^2；

Y_p——作物在充分供水条件下的产量，kg/hm^2；

ET_i、ET_{pi}——作物生育期第 i 生长阶段的实际蒸发蒸腾量和潜在蒸发蒸腾量；

n——作物全生育期划分的阶段数；

λ_i——第 i 生长阶段的缺水敏感指数。

（二）充分灌溉

充分灌溉是指在满足作物生育期需水要求并获得最高单产情况下的灌溉供水。对式(3-5)求导可得

$$Y' = dY/dW = b_1 + 2b_2 W \tag{3-7}$$

令 $Y'=0$，则可求出

$$W_m = -b_1/(2b_2) \tag{3-8}$$

$$Y_m = b_0 + b_1 W_m + b_2 W_m^2 \tag{3-9}$$

充分灌溉以产量最大为目标，适用于水资源丰富、供水成本低的灌区。

(三)作物经济用水

随着供水量由小到大($W < W_m$),作物产量不断增加,但边际产量逐渐减少,当 $W = W_m$ 时,边际产量为零。因此,从经济意义上来说,存在作物的经济用水问题,应尽可能使作物产出的边际效益最大。

以灌溉作物的净效益最大为目标,可推导出某种作物的经济用水定额计算公式:

$$W' = [(c_1 + c_2)/\eta)/p - b_1]/(2b_2) \tag{3-10}$$

式中 W' ——作物田间需水量,m^3/hm^2;

c_1——增加单位灌溉水量的农业生产费用,元/m^3;

c_2——灌区单位引水量变动运行费用,元/m^3;

η——灌区灌溉水利用系数;

p——作物农产品价格;

b_1、b_2——作物单产～水反映函数的一次项、二次项系数。

经济用水定额小于丰产灌溉定额,作物的经济用水量与灌区工程、管理水平、农业投入、运行费用(特别是水费支出)、农产品价格等因素有关。

二、非充分灌溉情况下的灌水次序研究

在优先满足工业生活用水的前提下,下游引黄灌区限额供水灌溉的关键技术是解决有限水资源的合理分配,包括不同作物之间及同一作物不同生育阶段之间的灌溉水量的合理分配等内容。

(一)主要作物适宜灌水定额

根据灌水定额对水、肥以及最终对产量影响的试验结果,确定冬小麦、玉米、棉花的适宜灌水定额。河南省水利科学研究所研究了引黄灌区不同作物的适宜净灌水定额,见表 3-3。

表 3-3　**主要作物适宜净灌水定额**　(单位:m^3/hm^2·次)

作物	冬小麦	玉米	棉花
适宜次净灌水定额	600～675	450～525	375～450

注:资料来源于《河南省节水灌溉综合技术研究》。

(二)作物阶段敏感指数及关键水

敏感指数 λ_i 是反映不同生育阶段水分亏缺对产量影响程度的指标。由于气候条件、土壤类型、肥力水平、栽培条件、作物品种、地下水位因素的影响,不同地区之间的敏感指数 λ_i 差别很大。根据引黄灌区部分试验站的试验资料选取主要作物的缺水敏感指数,见表 3-4、表 3-5、表 3-6。

根据表 3-4 中冬小麦各生育阶段敏感指数的大小,并综合分析得出冬小麦产量对水分亏缺的敏感程度为拔节—抽穗灌浆期＞抽穗灌浆—成熟期＞返青—拔节期＞播种—封冻期＞封冻—返青期。

由表 3-5 可知,玉米产量对不同生育阶段水分亏缺敏感程度的排列次序一般为抽雄—灌浆期＞拔节—抽雄期＞灌浆—成熟期＞出苗—拔节期＞播种—出苗期。

表 3-4　　冬小麦阶段敏感指数 λ_i

省份	代表区域	播种—封冻	封冻—返青	返青—拔节	拔节—抽穗灌浆	抽穗灌浆—成熟	代表地点
河南	黄河南岸	0.071	0.036		0.644	0.470	新乡灌溉所
	黄河北岸	0.114	0.081		0.147	0.128	开封惠北
山东	黄河两岸	0.045	0.120	0.128	0.307	0.152	山东治源

表 3-5　　夏玉米阶段敏感指数 λ_i

省份	代表区域	播种出苗—拔节	拔节—抽雄	抽雄—灌浆	灌浆—成熟	代表地点
河南	黄河南岸	0.106	0.197	0.299	0.138	新乡灌溉所
	黄河南岸	0.184 9	0.248 3	0.587 9	0.287 1	郑州郊区
	黄河北岸	0.020	0.013	0.170	0.083	开封惠北
山东	黄河两岸	0.257	0.202	0.324	0.219	山东石马

表 3-6　　棉花阶段敏感指数 λ_i

省份	代表区域	播种出苗—现蕾	现蕾—开花	开花—吐絮	吐絮—成熟	代表地点
河南	黄河南岸	0.143	0.079	0.675	0.190	新乡灌溉所
	黄河北岸	0.112	0.281	0.314	0.144	开封惠北
山东	黄河两岸	0.039	0.124	0.243	0.085	山东刘庄

根据表 3-6 中敏感指数的大小，可得出棉花产量对水分亏缺的敏感程度一般为开花—吐絮期＞现蕾—开花期＞出苗—现蕾期＞吐絮—成熟期。

水稻各生育阶段对水分亏缺的敏感性依次为拔节孕穗期＞抽穗开花期＞分蘖末期＞乳熟期。

三、作物生长各阶段的灌水重要性次序

根据作物阶段敏感指标及对下游引黄灌区的实际情况等因素的分析研究制定出各作物各阶段配水的先后次序：冬小麦为抽穗期、返青期、拔节期、灌浆期；夏玉米为抽雄期、苗期、拔节期；棉花为花铃期、苗期、蕾期；水稻为拔节孕穗期、抽穗开花期、分蘖末期。

各关键水的灌水日期见表 3-7。

表 3-7　　主要作物不同阶段配水重要性次序

灌水重要性次序		1	2	3	4
小麦	生育阶段	抽穗期	返青期	拔节期	灌浆期
	起止月日	4.20～5.9	2.10～3.19	3.20～4.19	5.10～6.9
玉米	生育阶段	抽雄期	拔节期	灌浆期	
	起止月日	8.10～8.29	7.20～8.9	9.1～9.19	
棉花	生育阶段	花铃期	苗期	蕾期	
	起止月日	7.8～8.15	4.20～5.9	6.20～7.7	
水稻	生育阶段	拔节孕穗期	抽穗开花期	分蘖末期	
	起止月日	7.20～8.19	8.20～8.29	7.7～7.19	

第四节　国务院水量分配指标的利用程度分析

现状条件下下游引黄灌溉年需水量在 49 亿～152 亿 m^3 之间，在地下水开采中方案条件下，降水频率为 50％时灌溉需水量约 90 亿 m^3，降水频率为 75％时灌溉需水量约 119 亿 m^3。下面分析该需水量与 1987 年国务院分水指标之间的关系。

黄河多年平均天然径流量 580 亿 m^3，经国务院批准在南水北调工程生效之前，沿黄各省区在黄河正常来水年份工农业耗用河川径流量为 370 亿 m^3，其余 210 亿 m^3 为输沙及环境用水。

在 370 亿 m^3 分配水量中，三门峡以下为 147.6 亿 m^3。三门峡—花园口河段为 40.1 亿 m^3，其中河南 24.1 亿 m^3，山西和陕西 2.2 亿 m^3（分别在伊洛河和沁丹河上游地区），向河北、天津供水 13.8 亿 m^3。河南 24.1 亿 m^3 中，干流 5.56 亿 m^3，支流 18.54 亿 m^3。花园口以下（含人民胜利渠引水）为 107.5 亿 m^3，其中河南 31.3 亿 m^3，山东 70 亿 m^3，位山闸引黄济卫 6.2 亿 m^3（已建）。部分河段水量分配指标见表 3-8。

表 3-8　　部分河段国务院水量分配指标

河段	项目	类别	分配水量(亿 m^3)
三门峡以上	总计	工农业	222.4
三门峡—花园口	总计	工业	5.1
		农业	21.2
		小计	26.3
		其中：干流	5.56
		支流	20.74（含山西、陕西 2.2）
		河北、天津	13.8
		合计	40.1

续表 3-8

<table>
<tr><th>河段</th><th colspan="2">项目</th><th>类别</th><th>分配水量(亿 m^3)</th></tr>
<tr><td rowspan="11">花园口以下</td><td colspan="2" rowspan="5">总计</td><td>工业</td><td>20.7</td></tr>
<tr><td>农业</td><td>80.6</td></tr>
<tr><td>小计</td><td>101.3</td></tr>
<tr><td>河北、天津</td><td>6.2</td></tr>
<tr><td>合计</td><td>107.5</td></tr>
<tr><td rowspan="6">其中</td><td rowspan="3">河南</td><td>工业</td><td>3.9</td></tr>
<tr><td>农业</td><td>27.4</td></tr>
<tr><td>小计</td><td>31.3</td></tr>
<tr><td rowspan="3">山东</td><td>工业</td><td>16.8</td></tr>
<tr><td>农业</td><td>53.2</td></tr>
<tr><td>小计</td><td>70.0</td></tr>
<tr><td>三门峡以下</td><td colspan="2">总计</td><td>工农业</td><td>147.6</td></tr>
<tr><td>全河</td><td colspan="2">总计</td><td>工农业</td><td>370.0</td></tr>
</table>

注:工业耗水量中包括城市生活耗水量。

一、引黄灌区现状工农业可以分配的水量分析

国务院分水方案分配的水量是指在黄河正常来水年份各省区允许耗用的黄河干支流河川径流的总水量。在分配给河南省的 55.4 亿 m^3 中,花园口以下 31.3 亿 m^3,花园口以上 24.1 亿 m^3(其中干流 5.56 亿 m^3,伊洛河和沁河等支流 18.54 亿 m^3)。在分配给山东省的 70 亿 m^3 中,包括黄河干流耗水和支流大汶河耗水两部分。因此,现状水平引黄灌区(由黄河干流引水)可利用的工农业分配水量应和支流耗水情况结合起来考虑。

黄河下游各引黄口门均有历年的实测引水量资料,干流耗水量即为实际引水量。三门峡以下的较大支流有伊洛河、沁河、大汶河等,多年平均天然径流量约 70 亿 m^3,20 世纪 90 年代由于气候干旱,来水较枯等自然因素和水资源开发利用等人类活动的影响,其实际耗水量需进行专题研究,本次分析暂采用《黄河用水公报》的统计资料。

据 1989～1995 年《黄河用水公报》统计(见表 3-9),河南省平均引黄耗水量 34.2 亿 m^3,其中花园口以上 15 亿 m^3(干流 5 亿 m^3,支流 10 亿 m^3),花园口以下 19.2 亿 m^3;山东省平均引黄耗水量 88.39 亿 m^3,其中黄河干流 84.08 亿 m^3、支流 4.31 亿 m^3。与国务院分水方案相比,河南省无论是均值还是历年最大值均未超过分配指标,多年均值还有“余水”21.2 亿 m^3,其中花园口以上还有“余水”9.1 亿 m^3,花园口以下还有“余水”12.1 亿 m^3;山东省多年均值超指标 18.39 亿 m^3。

根据上述分析,河南省干支流实耗水量均未超标,因此三门峡—花园口干流可利用的分配水量仍为 5.56 亿 m^3,黄河下游河南引黄灌区可利用的分配水量仍为 31.3 亿 m^3;山东省按照先支流后干流的原则,扣除支流已耗水量(均值 4.3 亿 m^3)后,干流可利用的分配水量为 $70-4.3=65.7$(亿 m^3)。

表 3-9　　河南、山东引黄耗水情况　　(单位:亿 m^3)

年份	下游耗水合计	河南引黄耗水			山东引黄耗水			向河北调水量
		小计	花园口以下	花园口以上	小计	干流	支流	
1989	161.81	37.23	27.02	10.21	134.79	132.03	2.76	
1990	103.86	32.95	22.94	10.01	80.92	78.77	2.15	
1991	104.18	39.99	20.95	19.04	83.23	78.23	5.00	
1992	106.47	33.80	17.17	16.63	89.30	85.56	3.74	
1993	101.71	35.48	15.62	19.86	86.09	81.38	4.71	
1994	90.44	28.78	15.18	13.60	71.12	65.02	6.10	4.14
1995	92.19	31.17	15.48	15.69	73.27	67.59	5.68	3.44
平均	108.64	34.20	19.20	15.00	88.39	84.08	4.31	
最大	161.81	39.99	27.02	19.86	134.79	132.03	6.10	

二、引黄灌区现状可利用的灌溉水量及可满足的灌溉面积分析

(一)引黄灌区可利用的灌溉水量

上述分析的引黄灌区可利用的分配水量包括城市生活和工业用水、灌溉用水两部分。按照先生活和工业用水、后农业灌溉用水的原则,从可利用的分配水量中扣除现状城市生活和工业已耗水量,即为可以发展灌溉的分配水量。

根据用水统计和取水许可资料,下游引黄灌区现状生活和工业引水量 10.2 亿 m^3,其中河南 3.6 亿 m^3、山东 6.6 亿 m^3。因此,河南引黄灌区可利用的灌溉水量为 $31.3-3.6=27.7$(亿 m^3),山东引黄灌区可利用的灌溉水量为 $65.7-6.6=59.1$(亿 m^3)。

(二)可发展的灌溉面积

将上述分析结果与灌溉需水量分析结果表 3-2 对比可知,在降水保证率为 75%和地下水开采中方案的条件下,河南引黄灌区可利用的灌溉水量 27.7 亿 m^3,可以满足现状灌溉面积的灌溉需水要求,山东引黄灌区可利用的灌溉水量 59.1 亿 m^3 不能满足现状灌溉面积的灌溉需水要求,灌溉保证率只有 30%左右。山东省若要达到 75%的灌溉保证率,则可灌面积只能保证 120 万 hm^2,比现状灌溉面积少 53.3 万 hm^2。

以上分析表明,河南引黄灌区现状灌溉面积约 67 万 hm^2,75%保证率正常灌溉需水量约 27 亿 m^3,再考虑城市生活和工业需水量后,已达到了国务院水量分配指标,在丰水年份可相机扩大引黄补源面积,在一般年份和枯水年份,必须通过增加地下水开采量或降低灌溉保证率(减少灌水次数或进行补源灌溉)才能维持目前的灌溉规模。

山东分配指标中可利用的灌溉水量(59.1 亿 m^3),仅能保证灌溉面积 120 万 hm^2。而现状引黄灌溉面积已近 173 万 hm^2,降水保证率 50%、75%需引黄水量分别为 70 亿 m^3 和 91 亿 m^3,目前灌溉引水量 78 亿 m^3(1989～1995 年平均),超过分配指标中可利用的灌

溉水量,供需矛盾十分突出。因此,今后应加大地下水开发力度,大搞节水工程建设,量水而行,以供定需,实行低标准供水和有限灌溉。

三、各节点水量分配指标分析

根据前述的分析,花园口以下河南引黄灌区工农业分配水量共计31.3亿m^3;山东分配水量70亿m^3,扣除支流耗水后黄河干流工农业可分配水量65.7亿m^3。把该水量分配指标分配到各节点的方法如下。

(一)河南引黄灌区部分

河南引黄灌区各节点分配指标的确定有两种办法:一是采用1990～1995年平均实际引黄水量资料分析确定;二是采用各节点需水量的分析计算结果。前者反映引黄灌区的实际情况,但包含了一些不合理因素,不宜直接采用,因此本次计算以第二种方法为主,并参考实际引水量进行修正。

(二)山东引黄灌区部分

山东省有关部门,在国务院分水指标70亿m^3的基础上,考虑用水需求、引黄发展、当地水资源的分布状况及1980～1996年各地市实际引水量等因素,制定了山东省沿黄各地市的水量分配方案(对鲁水字[1994]18号文关于各地市引黄水量分配方案进行调整),见表3-10,该表中的引黄水量分配是按黄河正常年份进入山东省的水量制定的,用以指导各地市规划城市生活和工农业生产用水。在实施调度时,还要结合黄河各月不同来水以及各地灌区干旱程度作适当调整。

表3-10 山东省引黄水量分配 (单位:亿m^3)

地市	全年引水量	占全省(%)	3～6月引水量	占全省(%)
全省	70.0	100	40.6	100
菏泽	11.2	16	6.4	15.71
济宁	2.1	3	1.5	3.57
聊城	11.9	17	7.7	18.97
德州	15.4	22	9.3	22.96
济南	4.2	6	2.7	6.65
淄博	2.1	3	1.5	3.57
滨州	14.0	20	7.6	18.72
东营	9.1	13	4.0	9.85

注:1.本表摘自《山东黄河水资源量分析及开发利用对策》。
2.滨州引水量包括引黄济青水量。

需要说明的是,表3-10山东省制定的黄河干流70亿m^3的分配指标是偏大的,因为《黄河可供水量分配方案》中分配给山东的70亿m^3水量包含支流汶河的耗水量。按照前面中的分析,黄河干流可分配的水量为65.7亿m^3。

首先根据近几年各灌区的平均引水量,将各地市的水量分配指标分到各灌区,再根据地市～灌区～节点的关系,汇总出各节点的水量分配指标。

采用上述方法分析的各节点水量分配指标见表3-11。

表 3-11　　下游引黄灌区各节点水量分配指标　　(单位:亿 m^3)

节点号	分配水量			
	小计	工业生活	农业灌溉	向外调水
70	6.63	0.70	5.93	
90	5.44		5.44	
100	8.68	2.70	5.98	
120	2.96	0.20	2.76	
130	2.76		2.76	
170	4.83		4.83	
河南小计	31.30	3.60	27.70	
150	5.15		5.15	
180	6.39	0.06	6.33	
200	11.17		11.17	
210	0.93		0.93	
230	14.45	14.45		
240	0.46		0.46	
260	11.72	0.75	10.97	
270	12.19	4.59	7.60	
290	2.56	1.20	1.36	
300	0.67		0.67	
山东小计	65.70	6.60	59.10	
引黄入卫	6.20			6.20
下游合计	103.20	10.20	86.80	

第五节　豫、鲁两省不同条件用水方案引黄过程线拟定

无论是水库调度或者是河段配水,都离不开引黄过程线。国务院可供水量分配方案仅是对来水正常年份的年水量进行宏观控制,未对不同来水年份及年内水量分配作出具体安排,因此需要分析制定不同方案的引黄水量过程,以适应黄河不同来水和不同降水年型情况下制定水量调度预案的需要,同时为调度管理人员制定年度用水计划提供参考依据。

一、用水方案制定

国务院可供水量分配方案是正常年份情况下的水量分配指标,针对不同来水情况,分配指标宜作相应调整。同时,黄河下游与中上游处于不同的气候分区,黄河上中游进入下游的年水量多少与下游地区的年降水量大小没有必然的联系。因此,在下游引黄灌区进行多水源的联合调度更切合实际,具有重要意义。

本次研究依据多水源联合运用、先生活和工业用水后农业灌溉的原则,结合第三、第四章的用水需求分析,共拟定了 12 个用水方案,不同方案代表了不同的用水总量和用水过程:

(1)国务院可供水量分配方案;

(2)降水频率25%高地下水开采需水方案；
(3)降水频率25%中地下水开采需水方案；
(4)降水频率25%低地下水开采需水方案；
(5)降水频率50%高地下水开采需水方案；
(6)降水频率50%中地下水开采需水方案；
(7)降水频率50%低地下水开采需水方案；
(8)降水频率75%高地下水开采需水方案；
(9)降水频率75%中地下水开采需水方案；
(10)降水频率75%低地下水开采需水方案；
(11)降水频率90%高地下水开采需水方案；
(12)降水频率90%中地下水开采需水方案。

以上方案中，对三门峡—桃花峪干流河段，国务院分配水量方案按本次研究采用的5.56亿m^3考虑(其中工业生活用水4.2亿m^3，农业灌溉用水1.36亿m^3)，其他方案用水量按取水许可审批水量1.64亿m^3考虑(其中工业生活用水1.23亿m^3，农业灌溉用水0.41亿m^3)。对于桃花峪以下干流河段，各方案的生活和工业需水量均相同(工业生活用水量10.2亿m^3，其中河南3.6亿m^3、山东6.6亿m^3)。方案(1)农业用水量以两省可利用的分配水量为控制，扣除生活和工业用水量后作为其分配水量；方案(2)～方案(12)的农业用水量，采用表3-2的分析计算结果。各方案的用水总量见表3-12。

表3-12　黄河下游引黄灌区各方案用水总量汇总　(单位：亿m^3)

方案序号	省份	三门峡—桃花峪		桃花峪以下			总用水量	方案类型
		工业、生活	灌溉用水	工业、生活	灌溉用水	引黄入卫		
方案(1)	河南	4.20	1.36	3.6	27.70		36.86	国务院分水
	山东			6.6	59.10		65.70	
	合计	4.20	1.36	10.2	86.80	6.2	108.76	
方案(2)	河南	1.23	0.42	3.6	12.00		17.25	25%，高
	山东			6.6	37.34		43.94	
	合计	1.23	0.42	10.2	49.34	6.2	67.39	
方案(3)	河南	1.23	0.42	3.6	14.74		19.99	25%，中
	山东			6.6	56.77		63.37	
	合计	1.23	0.42	10.2	71.51	6.2	89.56	
方案(4)	河南	1.23	0.42	3.6	15.34		20.59	25%，低
	山东			6.6	58.30		64.90	
	合计	1.23	0.42	10.2	73.64	6.2	91.69	
方案(5)	河南	1.23	0.42	3.6	16.57		21.82	50%，高
	山东			6.6	50.60		57.20	
	合计	1.23	0.42	10.2	67.17	6.2	85.22	
方案(6)	河南	1.23	0.42	3.6	19.59		24.84	50%，中
	山东			6.6	70.25		76.85	
	合计	1.23	0.42	10.2	89.84	6.2	107.89	

续表 3-12

方案序号	省份	三门峡—桃花峪		桃花峪以下			总用水量	方案类型
		工业、生活	灌溉用水	工业、生活	灌溉用水	引黄入卫		
方案(7)	河南	1.23	0.42	3.6	20.19		25.44	50%,低
	山东			6.6	71.68		78.28	
	合计	1.23	0.42	10.2	91.87	6.2	109.92	
方案(8)	河南	1.23	0.42	3.6	24.36		29.61	75%,高
	山东			6.6	71.06		77.66	
	合计	1.23	0.42	10.2	95.42	6.2	113.47	
方案(9)	河南	1.23	0.42	3.6	27.46		32.71	75%,中
	山东			6.6	91.09		97.69	
	合计	1.23	0.42	10.2	118.55	6.2	136.60	
方案(10)	河南	1.23	0.42	3.6	28.09		33.34	75%,低
	山东			6.6	92.67		99.27	
	合计	1.23	0.42	10.2	120.76	6.2	138.81	
方案(11)	河南	1.23	0.42	3.6	31.95		37.20	90%,高
	山东			6.6	94.88		101.48	
	合计	1.23	0.42	10.2	126.83	6.2	144.88	
方案(12)	河南	1.23	0.42	3.6	35.01		40.26	90%,中
	山东			6.6	114.85		121.45	
	合计	1.23	0.42	10.2	149.86	6.2	167.91	

注:引黄济青水量包含在山东用水量中,总用水量为山东、河南引黄入卫用水量之和;备注中的“高”、“中”、“低”表示地下水开采水平。

二、用水过程制定

用水过程分工业和生活用水过程、正常灌溉用水过程、补源灌溉用水过程和河道内滩区用水及水量损失过程。平原水库蓄水包括在工业和生活用水及补源灌溉用水中。

本次用水过程线拟定的方法是:以用水分析计算及取水许可审批水量为基础,结合小浪底水库的防凌运用、发电泄水,并参考实际引水系列平均年内分配过程、两省用水特点等制定不同方案用水过程。

三、不同方案引黄用水过程线

方案(1)是根据国务院水量分配指标,按照取水许可分配过程计算出年内各月引水量。对于方案(2)～方案(12),三门峡—桃花峪河段按照取水许可审批各月引水量,下游引黄灌区根据各方案工业和生活、正常灌溉、补源灌溉、专项调水工程等用水过程的分析成果汇总计算出各方案的年内各月总引水量,结果见表 3-13、表 3-14。

由表 3-13 和表 3-14 可见,对于方案(1),三门峡以下干流引黄供水地区国务院水量分配指标共计 108.8 亿 m^3。在 108.8 亿 m^3 的分配水量中,年内分配相对集中,10 月～翌年 6 月份 89.7 亿 m^3,占全年的 82.4%,7～9 月份 19.1 亿 m^3,占全年的 17.6%,3～6 月份引水量 54.9 亿 m^3,占全年的 50.5%,占 10 月～翌年 6 月份的 61.2%,4 月份引水量

表 3-13　　各方案总用水过程汇总　　（单位：亿 m³）

方案	项目	10月	11月	12月	1月	2月	3月	4月	5月	6月	7月	8月	9月	10月～翌年6月	7～9月	年水量
方案(1)	河南	2.64	1.57	1.51	1.86	3.49	3.38	3.79	4.53	4.21	3.89	3.02	2.96	26.99	9.87	36.86
	山东	6.05	2.81	2.37	1.52	4.66	12.03	12.77	8.95	5.32	2.39	1.82	5.00	56.48	9.21	65.69
	引黄入卫		1.55	1.55	1.55	1.55								6.20	0	6.20
	合计	8.69	5.93	5.44	4.93	9.71	15.41	16.56	13.47	9.53	6.28	4.84	7.96	89.66	19.09	108.75
方案(2)	河南	0.94	1.47	2.07	2.07	1.62	1.37	1.50	1.62	1.48	1.10	0.98	1.01	14.16	3.08	17.24
	山东	3.66	3.04	1.54	1.54	3.04	6.42	7.80	5.73	2.97	2.62	2.28	3.31	35.73	8.21	43.94
	引黄入卫		1.55	1.55	1.55	1.55								6.20	0	6.20
	合计	4.60	6.06	5.16	5.16	6.22	7.79	9.30	7.35	4.44	3.72	3.25	4.32	56.08	11.29	67.38
方案(3)	河南	1.13	1.58	2.07	2.07	1.82	1.73	1.92	2.06	1.86	1.34	1.17	1.23	16.24	3.74	19.98
	山东	5.41	4.21	1.54	1.54	4.21	9.72	11.88	8.64	4.33	3.79	3.25	4.87	51.47	11.90	63.37
	引黄入卫		1.55	1.55	1.55	1.55								6.20	0	6.20
	合计	6.54	7.33	5.16	5.16	7.58	11.45	13.80	10.71	6.19	5.13	4.42	6.10	73.91	15.64	89.56
方案(4)	河南	1.18	1.60	2.07	2.07	1.86	1.80	2.01	2.16	1.95	1.40	1.21	1.28	16.69	3.88	20.58
	山东	5.54	4.30	1.54	1.54	4.30	9.98	12.20	8.87	4.43	3.88	3.32	4.99	52.70	12.19	64.90
	引黄入卫		1.55	1.55	1.55	1.55								6.20	0	6.20
	合计	6.72	7.45	5.16	5.16	7.71	11.79	14.21	11.03	6.38	5.28	4.53	6.27	75.60	16.08	91.67
方案(5)	河南	1.08	1.66	2.46	2.46	2.03	1.77	2.03	2.18	1.96	1.46	1.43	1.29	17.63	4.18	21.81
	山东	4.32	3.84	1.55	1.55	2.89	8.32	10.49	7.71	4.37	3.41	3.41	5.32	45.05	12.15	57.20
	引黄入卫		1.55	1.55	1.55	1.55								6.20	0	6.20
	合计	5.40	7.06	5.56	5.56	6.47	10.09	12.51	9.89	6.33	4.88	4.85	6.61	68.88	16.34	85.22
方案(6)	河南	1.26	1.75	2.46	2.46	2.24	2.15	2.48	2.66	2.39	1.75	1.70	1.53	19.85	4.99	24.83
	山东	5.87	5.02	1.55	1.55	3.68	11.52	14.58	10.66	5.94	4.59	4.59	7.29	60.38	16.47	76.85
	引黄入卫		1.55	1.55	1.55	1.55								6.20	0	6.20
	合计	7.13	8.33	5.56	5.56	7.47	13.67	17.06	13.32	8.33	6.34	6.30	8.82	86.42	21.46	107.88

续表 3-13

方案	项目	10月	11月	12月	1月	2月	3月	4月	5月	6月	7月	8月	9月	10月～翌年6月	7～9月	年水量
方案(7)	河南	1.30	1.77	2.46	2.46	2.29	2.22	2.57	2.76	2.47	1.81	1.76	1.58	20.29	5.14	25.43
	山东	5.99	5.11	1.55	1.55	3.73	11.75	14.88	10.87	6.05	4.68	4.68	7.43	61.49	16.79	78.28
	引黄入卫		1.55	1.55	1.55	1.55								6.20	0	6.20
	合计	7.28	8.43	5.56	5.56	7.57	13.97	17.44	13.63	8.53	6.48	6.44	9.01	87.98	21.93	109.91
方案(8)	河南	1.44	2.10	3.05	3.05	2.71	2.36	2.77	2.99	2.82	2.29	1.98	2.03	23.30	6.31	29.60
	山东	5.12	5.16	1.89	1.89	3.81	11.51	13.26	10.64	6.60	5.26	5.26	7.27	59.87	17.79	77.66
	引黄入卫		1.55	1.55	1.55	1.55								6.20	0	6.20
	合计	6.57	8.81	6.48	6.48	8.08	13.87	16.03	13.62	9.42	7.55	7.24	9.30	89.37	24.09	113.46
方案(9)	河南	1.63	2.19	3.05	3.05	2.93	2.72	3.21	3.45	3.25	2.64	2.26	2.32	25.48	7.22	32.70
	山东	6.48	6.36	1.89	1.89	4.61	14.77	17.04	13.64	8.40	6.66	6.66	9.28	75.09	22.59	97.69
	引黄入卫		1.55	1.55	1.55	1.55								6.20	0	6.20
	合计	8.11	10.10	6.48	6.48	9.09	17.49	20.25	17.09	11.66	9.29	8.92	11.60	106.77	29.81	136.59
方案(10)	河南	1.67	2.21	3.05	3.05	2.97	2.79	3.30	3.55	3.34	2.71	2.32	2.38	25.93	7.41	33.33
	山东	6.59	6.45	1.89	1.89	4.68	15.03	17.34	13.88	8.55	6.77	6.77	9.43	76.29	22.97	99.27
	引黄入卫		1.55	1.55	1.55	1.55								6.20	0	6.20
	合计	8.26	10.21	6.48	6.48	9.20	17.82	20.64	17.43	11.89	9.47	9.09	11.82	108.42	30.38	138.80
方案(11)	河南	1.73	2.52	3.61	3.61	3.14	2.94	3.38	3.84	3.77	3.07	2.63	2.94	28.55	8.64	37.19
	山东	6.70	5.74	2.12	2.12	5.65	15.28	16.82	14.11	7.78	6.88	7.78	10.49	76.33	25.15	101.48
	引黄入卫		1.55	1.55	1.55	1.55								6.20	0	6.20
	合计	8.43	9.81	7.28	7.28	10.35	18.22	20.20	17.95	11.55	9.94	10.42	13.43	111.08	33.79	144.87
方案(12)	河南	1.91	2.61	3.61	3.61	3.33	3.27	3.78	4.29	4.21	3.42	2.93	3.28	30.64	9.62	40.26
	山东	8.06	6.74	2.12	2.12	6.63	18.54	20.42	17.11	9.38	8.28	9.38	12.69	91.11	30.35	121.45
	引黄入卫		1.55	1.55	1.55	1.55								6.20	0	6.20
	合计	9.96	10.90	7.28	7.28	11.51	21.81	24.20	21.40	13.59	11.69	12.30	15.97	127.95	39.97	167.91

最大 16.56 亿 m^3。

河南河段分配水量 36.9 亿 m^3，其中 10 月～翌年 6 月份 27 亿 m^3，占全年的 73.2%；7～9 月份 9.9 亿 m^3，占全年的 26.8%；3～6 月份引水量 15.9 亿 m^3，占全年的 43.2%，占 10 月～翌年 6 月份的 58.9%。山东河段分配水量 65.7 亿 m^3，其中 10 月～翌年 6 月份 56.5 亿 m^3，占全年的 86%；7～9 月份 9.2 亿 m^3，占全年的 14%；3～6 月份引水量 39.1 亿 m^3，占全年的 59.5%，占 10 月～翌年 6 月份的 69.2%。山东河段春灌期用水量较多，汛期用水量较少，河南河段年内分配相对比较均匀。

方案(2)～方案(12)的两省年内不同时期耗水量变化情况与两省方案(1)的过程基本相似。从方案(2)～方案(12)，降水量由大到小，需水量由小到大，为缓解非汛期用水矛盾，其汛期用水比重呈增大趋势，非汛期的用水比重呈减小趋势。

小浪底水库非汛期蓄水运用，供水发电，泄水的含沙量小，供水保证率提高；汛期滞洪排沙，泄水的含沙量大，水量利用困难。因此，与现状条件 1981～1995 年平均用水过程相比，前述 12 个方案的用水过程，其非汛期用水比重有所增大，汛期的用水比重有所减小。

表 3-14　　各方案不同时期用水量情况分析

方案	省区	年内不同时期耗水量占年总量的比例(%)			年耗水量(亿 m^3)
		3～6 月	10 月～翌年 6 月	7～9 月	
方案(1)	河南	43.2	73.2	26.8	36.86
	山东	59.5	86.0	14.0	65.69
	下游引黄灌区	50.5	82.4	17.6	108.75
方案(2)	河南	34.7	82.1	17.9	17.24
	山东	52.2	81.3	18.7	43.94
	下游引黄灌区	42.9	83.2	16.8	67.38
方案(3)	河南	37.9	81.3	18.7	19.98
	山东	54.6	81.2	18.8	63.37
	下游引黄灌区	47.1	82.5	17.5	89.55
方案(4)	河南	38.5	81.1	18.9	20.58
	山东	54.7	81.2	18.8	64.90
	下游引黄灌区	47.3	82.5	17.5	91.68
方案(5)	河南	36.4	80.8	19.2	21.81
	山东	54.0	78.8	21.2	57.20
	下游引黄灌区	45.6	80.8	19.2	85.21
方案(6)	河南	39.0	79.9	20.1	24.83
	山东	55.6	78.6	21.4	76.85
	下游引黄灌区	48.5	80.1	19.9	107.88
方案(7)	河南	39.4	79.8	20.2	25.43
	山东	55.6	78.6	21.4	78.28
	下游引黄灌区	48.7	80.0	20.0	109.91
方案(8)	河南	37.0	78.7	21.3	29.60
	山东	54.1	77.1	22.9	77.66
	下游引黄灌区	46.7	78.8	21.2	113.46

续表 3-14

方案	省区	年内不同时期耗水量占年总量的比例(%)			年耗水量(亿 m^3)
		3～6月	10月～翌年6月	7～9月	
方案(9)	河南	38.6	77.9	22.1	32.70
	山东	55.1	76.9	23.1	97.69
	下游引黄灌区	48.7	78.2	21.8	136.59
方案(10)	河南	38.9	77.8	22.2	33.33
	山东	55.2	76.9	23.1	99.27
	下游引黄灌区	48.8	78.1	21.9	138.80
方案(11)	河南	37.4	76.8	23.2	37.19
	山东	53.2	75.2	24.8	101.48
	下游引黄灌区	46.9	76.7	23.3	144.87
方案(12)	河南	38.7	76.1	23.9	40.26
	山东	53.9	75.0	25.0	121.45
	下游引黄灌区	48.2	76.2	23.8	167.91

第六节　小　结

本章分析了引黄用水规律和主要影响因素，根据土壤水分平衡和区域水资源平衡开发了下游引黄灌区用水需求分析模型，根据现状灌溉面积和气候条件，分节点计算了作物需水量，考虑不同降水和地下水开采水平的组合，分析计算了多种情况的引黄灌溉需水量，根据国务院可供水量分配方案和取水许可，分析拟定了12种方案的总用水过程，可根据具体情况在制定用水计划时选择。

参考文献

[1] 中国主要农作物需水量等值线图协作组.中国主要农作物需水量等值线图研究.北京:中国农业科学技术出版社,1993

[2] 沈振荣,等.水资源科学实验与研究.北京:中国科学技术出版社,1992

[3] 郭元裕.农田水利学.北京:水利电力出版社,1986

[4] 沈荣开,等.作物水分生产函数与农田非充分灌溉研究述评.水科学进展,1995.6

[5] 北京气象中心资料室.中国地面气候资料(1951～1980).北京:气象出版社,1983

[6] 中华人民共和国水利电力部.灌溉排水渠系设计规范(SDJ217－84).北京:水利电力出版社,1984

[7] 张蔚榛.农业灌溉节水问题.灌溉排水,1999(增刊)

[8] 庞宏宾,齐学斌.20年农田灌溉科技发展回顾.灌溉排水,1999(1)

[9] 邱林,等.区域灌溉水资源优化分配模型及其应用.人民黄河,1998(9)

[10] 刘文兆,等.确定农田灌溉定额的三种优化目标的比较.水利学报,1997(7)

第四章　黄河中下游非汛期径流预报

径流预报是黄河水量年度分配和水量调度的重要依据，做好黄河中下游非汛期径流预报，对黄河水量年度分配和三门峡、小浪底水库调度具有重要意义。

第一节　黄河中下游非汛期径流特点及影响因素

一、黄河中游径流特点

黄河自头道拐至桃花峪为中游河段，河道长1 235 km，流域面积36.2万km^2，占全流域面积的48.1%。黄河中游汇入支流众多，是暴雨的多发区，又是黄河洪水、泥沙的主要来源区，水沙时空分布不均，年际变化大，水力资源较为丰富。

黄河中游河段可分为头道拐至龙门区间、龙门至三门峡(简称龙三)区间和三门峡至花园口(简称三花)区间三个部分。非汛期，中游的水量主要来自河龙区间的窟野河、孤山川、无定河、延河等9条主要支流和龙三区间的渭河、北洛河、汾河以及三花区间的伊洛河、沁河等。

黄河中游是黄河非汛期径流的主要来源区之一，11月～翌年6月的径流量占花园口站同期实测径流的40%以上。11月～翌年3月，该河段内降水量稀少，5个月的降水总量仅占年降水量的7%～9%，河川径流主要靠流域地下蓄水补给。4～6月，随着降水量的逐渐增加，径流的主要组成为流域降水和地下蓄水量补给等。

二、黄河下游非汛期径流特点

黄河下游有天然文岩渠、金堤河、大汶河三条支流加入。天然文岩渠大车集站多年实测平均径流量为2.63亿m^3，非汛期11月～翌年6月径流量为0.3亿m^3。金堤河张庄站多年实测平均径流量为2.61亿m^3，非汛期11月～翌年6月径流量不足0.2亿m^3，20世纪80年代以后非汛期径流总量不足0.02亿m^3。大汶河戴村坝站多年(1952～1995年)实测平均径流量为11.1亿m^3，非汛期11月～翌年6月径流量为1.7亿m^3，占年径流量的15%，其中，1971～1995年实测平均径流量为7.3亿m^3，非汛期11月～翌年6月径流量只有0.97亿m^3，仅占年径流量的13%。黄河下游非汛期主要以耗水为主，随着沿黄工农业生产的发展，黄河下游耗水量逐年增加。尤其是20世纪80年代以后，耗水量急剧增加，据统计，1986～1995年的10年中，非汛期(11月～翌年6月)花园口至利津河段平均耗水量近83亿m^3，占同期花园口站来水量156亿m^3的53%。

三、黄河非汛期径流影响因素

(一)前期径流

如前所述，11月～翌年3月，黄河中游地区降水量稀少，5个月的降水总量仅占年降水量的7%～9%，河川径流主要由流域蓄水补给。因此，前期径流能较好地反映当时地下水蓄量的多少。表4-1给出了华县、河津、洑头、黑石关、武陟等站11月～翌年6月各月平均流量与前月下旬平均流量的相关系数。从表4-1中可以看出，华县、河津、洑头、黑石关、武陟、戴村坝站11月～翌年3月平均流量与前月下旬平均流量的相关系数平均分别为0.87、0.84、0.84、0.90、0.86、0.86，而4～6月前后期径流的相关系数较11月～翌年3月明显降低。这说明前期径流是11月～翌年3月径流的主要影响因素。

表4-1　　支流主要站月平均流量与前月下旬平均流量相关系数统计

站名	11月	12月	1月	2月	3月	11月～翌年3月平均	4月	5月	6月	4～6月平均
华　县	0.91	0.92	0.90	0.86	0.77	0.87	0.75	0.54	0.51	0.60
河　津	0.77	0.92	0.81	0.82	0.87	0.84	0.55	0.47	0.38	0.47
洑　头	0.91	0.87	0.75	0.78	0.87	0.84	0.63	0.67	0.84	0.71
黑石关	0.82	0.95	0.93	0.92	0.88	0.90	0.31	0.18	0.53	0.34
武　陟	0.75	0.82	0.97	0.90	0.84	0.86	0.77	0.20	0.45	0.47
戴村坝	0.84	0.87	0.94	0.93	0.73	0.86	0.10	0.20	0.10	0.13

（二）降水

进入4月份后，黄河中游地区降水量明显增加。据统计，黄河中游地区，4～6月份降水量占年降水量的比例晋陕区间为20%，渭河、伊洛河达25%～30%。这期间，主要站各旬、月前后期径流相关系数较11月～翌年3月明显减小，地下蓄水量对径流的影响相对减小，降水量成为影响径流量的主要因素之一。

对于受人类活动影响较大的中下游地区，降水量对径流量的影响主要表现在两方面：首先，降水量的多少直接影响产流量的多少；其次，降水量的多少影响灌溉引水量的多少，从而影响径流量的多少。

（三）灌溉耗水

随着沿黄农业生产的不断发展，黄河流域灌溉面积和引耗水量呈逐年增加的趋势，农业灌溉耗水量占流域耗水量的90%以上，灌区引水量已成为影响非汛期径流的主要因素之一。

宁蒙灌区是我国古老的大型灌区之一。新中国成立后，灌区面积不断发展，20世纪80年代灌溉面积达100多万hm^2。灌区引水量对非汛期5～6月径流的影响较大，从50年代至80年代，兰州至头道拐区间耗水量逐年增加，80年代5、6月两月耗水量分别为22.8亿、21.6亿m^3，占同期兰州站实测径流量的75%和65%。特别是5月份耗水量80年代较50、60、70年代分别增加了101%、57%、27%。近几年，5月引水高峰时期，灌区耗水量占兰州站径流量的90%以上，可见宁蒙灌区引水量是影响5～6月黄河上、中游径流的主要因素之一。

渭河流域灌区对黄河中游地区非汛期径流的影响也比较大。据统计，渭河华县站

1951～1969年和1970～1985年两个序列10月平均流量仅相差1.5%，即前期径流基本相等，而11月～翌年3月，1970年以后较1970年以前流量平均减少37%，经分析，主要是1970年以后灌溉用水量增加所致。

（四）水库调度

随着黄河流域的治理与开发，黄河上、中游地区修建了不少大中型水利枢纽工程。由于水库的运用，改变了黄河径流的天然属性，对黄河上、中游地区非汛期径流的影响比较明显，特别是黄河上游龙羊峡、刘家峡水库建成运用后，对兰州站的径流影响非常显著。表4-2是龙羊峡、刘家峡水库建库前后，兰州站非汛期月平均流量对照表。从表4-2中可以看出，12月～翌年4月，刘家峡水库建库后兰州站月平均流量较建库前增加了110～200 m^3/s，整个非汛期，兰州站径流量较建库前增加约18%。龙羊峡水库1986年投入运用以后，12月～翌年4月兰州站月平均流量又有所增加。龙羊峡、刘家峡水库的调度运用，对黄河干流兰州以下各河段非汛期的径流也有相应的影响。

表4-2　龙羊峡、刘家峡水库建库前后兰州站非汛期月平均流量对照

时段	11月	12月	1月	2月	3月	4月	5月	6月	平均
1951～1969	818	460	352	330	396	556	988	1 190	636
1970～1985	865	589	557	526	511	735	1 040	1 200	753
1986～1995	837	645	590	549	522	728	1 170	1 110	769

大夏河、洮河、湟水、大通河及泾河、渭河、北洛河、汾河、伊洛河、沁河流域中小型水库的运用，对非汛期径流同样有不同程度的影响。

（五）气温

黄河宁蒙河段全长800多公里，冬季严寒而漫长，气温在0 ℃以下的时间和结冰期可长达4～5个月。河流一般于11月中旬开始流凌，12月上旬封冻。在封冻初期，由于冰盖底部存在大量的冰花，致使水流阻力加大，流速急剧减小，河道流量也迅速减小，封河初的流量可比封河前流量减小一半以上，形成一个小流量过程。稳定封冻以后，随着冰层的逐渐增厚，冰下水内冰花减少，过流能力逐渐恢复。翌年的春季，随着气温的逐渐回升和冰的消融，加上槽蓄水量的释放，河道流量将逐渐增大。因此，在凌汛期，宁蒙河段气温是影响黄河径流的不可忽视的因素之一。

第二节　径流预报模型建立的方法及资料选取

目前，水文长期预报多采用统计方法，其中应用较广的有两大类：一是多元分析，如多元回归分析、逐步回归分析、门限回归分析、模糊数学模型等；二是时间序列分析，如周期分析、自回归模型、谱分析和灰色系统分析等。我们经多年实际应用发现，利用时间序列分析作天然径流量长期预报的效果比较好，而对于黄河中下游地区受水库调度、灌溉耗水、水土保持等人类活动影响区域的径流量预报效果比较差。这是因为，时间序列分析假定水文要素序列是随机平稳序列，天然径流量序列基本符合这一假定，而对于受人类活动影响区域的径流量序列不符合这一基本假定。因此，黄河上、中游非汛期径流预报主要采用多元回归分析和门限回归分析方法来建立预报模型。

一、多元回归法

回归分析就是在已知因子 X 与预报量 Y 之间存在着某种非确定性关系，即预报量 Y 的数值在某种程度上随着因子 X 的数值变化而变化时，就可根据 Y 与 X 过去的观测数据找出能描述预报对象与预报因子之间关系的定量表示式的一种方法。

若预报对象仅随一个预报因子而变化，则为一元线性回归。对有多个预报因子(X_1, X_2,…, X_m)的预报问题，建立的回归方程为多元线性回归方程，其表示式为

$$Y = b_0 + b_1X_1 + b_2X_2 + \cdots + b_mX_m \tag{4-1}$$

式中 b_0、b_1、b_2、…、b_m 为回归系数，由实测资料采用最小二乘法确定。

二、门限回归法

由历史资料的相关统计可以看到，黄河中游主要站(区)4～6月的月径流量随降水量的变化常常呈现这样一种规律，即在降水量的某一值之前后，径流量存在突变现象，这主要是由于降水径流关系的非线性和降水量对引水量的影响。另外，灌溉引水量在不同的年代有一定的差异，如宁蒙河段5～6月引水量20世纪80年代较70年代平均增加约27%。若用一个统一的线性模型来拟合就不能真实地反映客观规律。由此我们采用分段拟合的方法来反映这一现象，这正是门限回归的基本思想。其模型为

$$y_t = \begin{cases} b_1^{(1)}x_{1t} + \cdots + b_i^{(1)}x_{it} + \cdots + b_p^{(1)}x_{pt} + \xi_t & (x_{it-d} \leqslant x_1) \\ b_1^{(2)}x_{1t} + \cdots + b_i^{(2)}x_{it} + \cdots + b_p^{(2)}x_{pt} + \xi_t & (x_1 < x_{it-d} \leqslant x_2) \\ \vdots & \\ b_1^{(r)}x_{1t} + \cdots + b_i^{(r)}x_{it} + \cdots + b_p^{(r)}x_{pt} + \xi_t & (x_{r-1} < x_{it-d} \leqslant \infty) \end{cases} \tag{4-2}$$

式中　x_i——门限自变元；

x_1、x_2、…、x_{r-1}——门限值；

d——延迟量。

该模型是根据门限自变元 x_i 的数值，把 x_i 分为 r 段，其分界处的数值即为门限值。然后再分段估计它们的参数，从而达到逐段线性化的目的。由于模型对参数 $b_i^{(j)}$ 没有任何约束，所以可直接对不同 j 的各个参数 $b_i^{(j)}$ 分别作出它们的最小二乘估计，即分别独立地建立 r 个线性回归方程。

三、径流预报模型资料系列选取

为分析并建立黄河非汛期径流预报模型，我们系统整理了黄河干、支流兰州、巴彦高勒、三湖河口、头道拐、龙门、潼关、华县、河津、洑头、黑石关、武陟等主要站1951～1998年旬、月径流资料。

在对历史旬、月径流资料分析的基础上，考虑黄河中游非汛期径流由于受刘家峡等水库运用，宁蒙灌区、渭河流域灌区引水以及水利水保工程等(刘家峡水库在20世纪70年

代初正式投入运用，宁蒙灌区、渭河流域灌区引水量70年代以后迅速增加，同时中游水利水保工程也在70年代以后大规模建设）影响较大，采用1970～1995年资料建立预报模型，1996～1998年资料留做径流预报模型的试预报检验。

第三节　非汛期径流总量预报模型

较为准确的11月～翌年6月径流总量预报，是制定黄河流域年度水量分配和三门峡和小浪底水库非汛期水库调度的重要依据。

一、径流总量预报模型的建立

根据1970～1995年资料的统计分析，龙门站11月～翌年6月径流总量与10月～翌年5月兰州径流总量和11月～翌年6月兰托区间耗水总量关系密切；华县、河津、洑头、武陟站11月～翌年6月径流总量主要与前期径流和4～6月降水量有关；黑石关站11月～翌年6月径流总量主要与7～10月径流总量有关。各站11月～翌年6月径流总量预报方程见表4-3。

表4-3　黄河上中游主要站非汛期(11月～翌年6月)径流总量预报方程

站名	预报方程	说明
龙门	$Y=37+0.707X_1-0.433\,2X_2$	X_1为10月～翌年5月兰州站径流总量，X_2为11月～翌年6月兰托区间耗水量（实际预报中可取近2～3年平均值）
华县	11月～翌年3月径流总量：$Y_1=4.8+0.017X_1+0.004X_2$	X_1为华县站10月下旬平均流量，X_2为10月上、中旬平均流量
	4～6月径流总量：$Y_2=-5.95+0.007\,1X_1+0.105\,1X_2$	X_1为华县站10月下旬平均流量，X_2为4～6月降水量
	11月～翌年6月径流总量：$Y=Y_1+Y_2$	
河津	$Y=1.57+0.035X$	X为河津站10月下旬平均流量
洑头	$Y=1.58+0.033X$	X为洑头站10月下旬平均流量
潼关	$Y=-2.5+1.011X$	X为龙门+华县+河津+洑头11月～翌年6月径流总量预报值
黑石关	$Y=5.3+0.319\,4X$	X为7～10月径流总量
武陟	$Y=0.7+0.016\,2X$	X为10月下旬平均流量
戴村坝	$Y=0.47+0.035X$	X为10月平均流量

二、径流总量预报模型精度的评定

根据《水文情报预报规范》中有关规定，枯季径流预报的允许误差取实测值的30%。

考虑到黄河中游水量调度的实际情况，龙门、潼关站径流预报的允许误差取实测值的20%；华县、黑石关站径流预报的允许误差取实测值的30%。河津、洑头、武陟、戴村坝等站由于径流量较小，尽管预报值的相对误差较大，但绝对误差并不大，且预报趋势基本正确，这里暂不作精度评定。龙门、潼关站径流预报方案的合格率为100%，平均误差只有5%，均为甲等预报方案；华县、黑石关站径流预报方案的合格率为75%，属乙等方案。龙门、潼关站计算值与实测值历史拟合曲线见图4-1、图4-2。

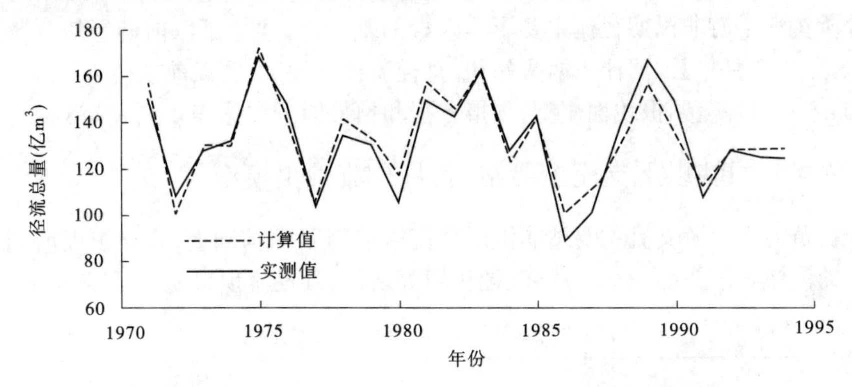

图4-1　龙门站11月～翌年6月径流总量计算值与实测值比较

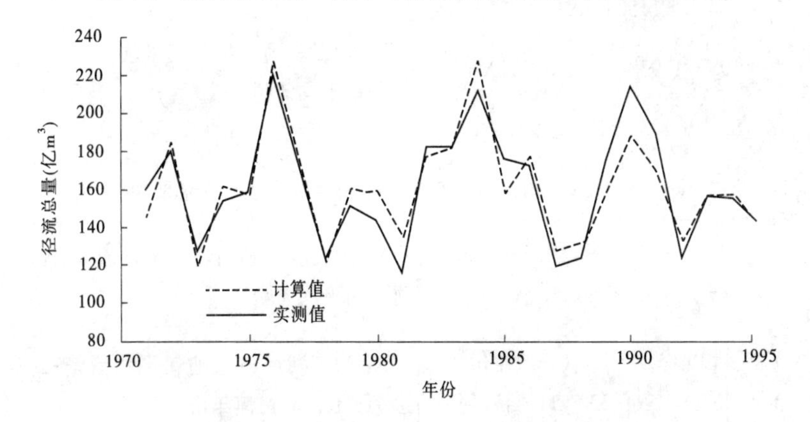

图4-2　潼关站11月～翌年6月径流总量计算值与实测值比较

第四节　非汛期旬、月径流预报模型

一、黄河三门峡入库旬、月径流预报模型

黄河三门峡以上地区是黄河径流的主要来源区，三门峡水库入库（用潼关站代表）年径流总量占花园口站年径流总量的90%以上。潼关站多年平均（1950～1995年）非汛期径流量为169亿m^3，约占年径流量（387亿m^3）的44%，其中60%以上来自头道拐以上。三门峡水库入库径流由龙门、华县、河津、洑头站来水共同组成。

（一）龙门站旬、月径流预报模型

龙门站非汛期径流量约占三门峡入库（潼关站）非汛期径流总量的80%。因此，做好龙门站径流预报对三门峡入库非汛期径流预报尤为重要。根据分析，刘家峡水库出库径流量(以兰州站为代表)，内蒙古河段封、开河日期(凌汛期)和宁蒙灌区耗水量是龙门站径流的主要影响因素。考虑非汛期兰州到龙门流量传播时间为25～30天，建立了以兰州站前月平均流量，内蒙古河段封、开河日期(凌汛期)及宁蒙灌区耗水量等为预报因子的龙门站旬、月径流预报模型，各旬、月预报方程和预报因子详见表4-4。

(二)华县、河津、洑头站旬、月径流预报模型

在分析黄河中游非汛期径流主要影响因素的基础上，建立了以前期径流为预报因子的11月～翌年3月华县、河津＋洑头站旬、月径流预报模型，及以前期径流和降水量为预报因子的4～6月径流预报线性模型，预报方程和预报因子详见表4-5、表4-6。

二、黄河三门峡以下支流主要站旬、月径流预报模型

在分析黄河中下游支流主要站非汛期径流影响因素的基础上，建立了以前期径流为预报因子的河津＋洑头、黑石关、武陟、戴村坝等站旬、月径流预报模型(见表4-6、表4-7)。

表4-4　　**黄河龙门站非汛期旬、月径流预报方程**

月	旬	预报方程	说明
10月	上旬	$Y=234.6+1.504\,2X_1-0.53X_2$	X_1为巴彦高勒站前旬平均流量；X_2为头道拐站前一旬平均流量
	中旬	$Y=198+1.938\,3X_1-0.992X_2$	
	下旬	$Y=81.9+1.367X_1-0.39X_2$	
	月	$Y=292.1+0.602\,1X_1-0.286\,2X_2$	X_1为兰州9月平均流量；X_2为10月兰托区耗水量
11月	上旬	$Y=200+1.175\,2X_1-0.389\,4X_2$	X_1为巴彦高勒站前旬平均流量；X_2为头道拐站前一旬平均流量
	中旬	$Y=157+1.269\,9X_1-0.413\,2X_2$	
	下旬	$Y_1=449+0.542\,7X_1$(一般年份) $Y_2=234+0.768\,3X_1$(封河特早年)	X_1为三湖河口站前旬平均流量；封河特早年指11月21日前封河年份
	月	$Y=476+0.313\,5X_1-0.637\,5X_2$	X_1为兰州前月平均流量；X_2为兰托区间11月耗水量
12月	上旬	$Y_1=11.7+0.419\,8X_1+0.495X_2$ $Y_2=-354+1.047\,9X_1-0.079\,32X_2$	X_1、X_2分别为巴彦高勒，三湖河口前旬平均流量；Y_2为11月28日～12月2日封河年预报值
	中旬	$Y=110-0.256\,2X_1+1.04X_2$	X_1、X_2分别为巴彦高勒、三湖河口前旬平均流量
	下旬	$Y=64.4+0.821\,6X_1$	X_1为三湖河口站前旬平均流量
	月	$Y_1=-236+0.448\,3X_1+10.452\,1X_2$ $Y_2=-148+0.906\,3X_1$(封河特早年)	X_1为兰州站前月平均流量；X_2为封河日期；封河特早年指11月21日前封河年份

续表 4-4

月	旬	预报方程	说明
1月	上旬	$Y=182+0.621X_1$	X_1 为三湖河口站前旬平均流量
	中旬	$Y=190+0.6517X_1$	X_1 为三湖河口站前旬平均流量
	下旬	$Y=50.8+0.3623X_1+0.6606X_2$	X_1、X_2 分别为巴彦高勒、头道拐前旬平均流量
	月	$Y_1=157+0.6655X_1$(一般年份) $Y_2=153+0.4006X_1$(封河晚年)	X_1 为兰州站前月平均流量;封河晚年指 12 月 10 日以后封河年份
2月	上旬	$Y=67.1+0.4934X_1+0.5474X_2$	X_1、X_2 分别为巴彦高勒、三湖河口前旬平均流量
	中旬	$Y=208+0.5573X_1+0.2924X_2$	X_1、X_2 分别为巴彦高勒、头道拐前旬平均流量
	下旬	$Y=210+0.5038X_1+0.3224X_2$	X_1、X_2 分别为巴彦高勒、头道拐前旬平均流量
	月	$Y=95+0.9802X_1$	X_1 为兰州站前月平均流量
3月	上旬	$Y=292+0.7157X_1$	X_1 为三湖河口站前旬平均流量
	中旬	$Y=224+0.9525X_1$	X_1 为三湖河口站前旬平均流量
	下旬	$Y=327+1.0447X_1$	X_1 为三湖河口站前旬平均流量
	月	$Y=559+1.1177X_1-10.3913X_2$	X_1 为兰州站前月平均流量;X_2 为开河日期(以 3 月 1 日为基数)
4月	上旬	$Y=239+1.833X_1-0.6756X_2$	X_1、X_2 分别为三湖河口、头道拐前旬平均流量
	中旬	$Y=85.6+0.7966X_1+0.2298X_2$	X_1、X_2 分别为巴彦高勒、头道拐前旬平均流量
	下旬	$Y=64+1.0224X_1$	X_1 为巴彦高勒前旬平均流量
	月	$Y=-530+1.6767X_1+19.8431X_2$	X_1 为兰州站前月流量;X_2 为开河日期(以 3 月 1 日为基数)
5月	上旬	$Y=96.7+0.8813X_1$	X_1 为巴彦高勒前旬平均流量
	中旬	$Y=70.8+0.4887X_1+0.3636X_2$	X_1、X_2 分别为巴彦高勒、头道拐前旬平均流量
	下旬	$Y=89+0.7533X_1$	X_1 为头道拐前旬平均流量
	月	$Y_1=282+0.6509X_1-0.3767X_2$ $Y_2=417+0.108X_1-0.253X_2$	X_1 为兰州 4 月中旬、下旬和 5 月上旬平均流量; X_2 为兰托区间 5 月耗水量
6月	上旬	$Y=-10.7+1.3393X_1-0.0052X_2$	X_1、X_2 分别为巴彦高勒、头道拐前旬平均流量
	中旬	$Y=30.9+1.1425X_1$	X_1 为巴彦高勒前旬平均流量
	下旬	$Y=164.6+0.9123X_1$	X_1 为巴彦高勒前旬平均流量
	月	$Y_1=-478+0.8841X_1-0.0313X_2$ $Y_2=707+0.55X_1-1.4163X_2$	X_1 为兰州 5 月中旬、下旬和 6 月上旬平均流量; X_2 为兰托区间 6 月耗水量

表 4-5 渭河华县站旬、月径流预报方程

月	旬	预报方程	说明
11月	上旬	$Y=45.5+0.5935X$	X 为前旬平均流量
	中旬	$Y=31.9+0.7208X$	
	下旬	$Y=-12.6+0.7946X$	
	月	$Y=54+0.4309X$	
12月	上旬	$Y=-24.6+0.8589X$	
	中旬	$Y=-7.02+0.7273X$	
	下旬	$Y=3.58+0.7027X$	
	月	$Y=-17.8+0.6105X$	
1月	上旬	$Y=8.89+0.8291X$	
	中旬	$Y=11.3+0.8296X$	
	下旬	$Y=13+0.8486X$	
	月	$Y=20+0.6748X$	
2月	上旬	$Y=15.4+0.7962X$	
	中旬	$Y=3.3+1.0835X$	
	下旬	$Y=-3.3+1.0972X$	
	月	$Y=7.86+0.9676X$	
3月	上旬	$Y=-1.48+0.9017X$	
	中旬	$Y=18.9+0.9227X$	
	下旬	$Y=17.7+0.8737X_1+2.012X_2$	X_1 为前旬平均流量；X_2 为前旬降雨量
	月	$Y=-23+0.8611X_1+2.277X_2$	X_1 为前旬平均流量；X_2 为当月平均降雨量
4月	上旬	$Y=2.72+1.0865X_1$	X_1 为前旬平均流量；X_2 为前旬平均降雨量
	中旬	$Y=19.3+0.5165X_1+6.7846X_2$	
	下旬	$Y=14.2+0.5539X_1+7.2376X_2$	
	月	$Y=17.2+0.9421X_1+1.4235X_2$	X_1 为前月平均流量；X_2 为当月平均降雨量
5月	上旬	$Y=-20.2+0.7534X_1+7.6355X_2$	X_1 为前旬平均流量；X_2 为前旬平均降雨量；X_3 为当旬平均降雨量
	中旬	$Y=9.96+0.2714X_1+1.4354X_2+5.5918X_3$	
	下旬	$Y=-55-0.03552X_1+9.213X_2+3.6612X_3$	
	月	$Y=-39.2+0.6908X_1+2.7157X_2$	X_1 为前月平均流量；X_2 为当月平均降雨量
6月	上旬	$Y=-35+0.3489X_1+6.9984X_2$	X_1 为前旬平均流量；X_2 为前旬平均降雨量
	中旬	$Y=-85.5+0.7608X_1+5.0643X_2$	
	下旬	$Y=-32+0.5012X_1+6.8938X_2$	
	月	$Y=-170+0.6372X_1+3.467X_2$	X_1 为前月平均流量；X_2 为当月平均降雨量

表 4-6　　河津+湫头、黑石关站旬、月径流预报方程

月	旬	河津+湫头	黑石关
11月	上旬	$Y=14.6+0.652\,4X$	$Y=29.2+0.48X$
	中旬	$Y=3.6+0.703\,1X$	$Y=4.53+0.923\,6X$
	下旬	$Y=1.0+0.631\,4X$	$Y=19.2+0.539\,1X$
	月	$Y=14.7+0.429\,5X$	$Y=31.3+0.404\,7X$
12月	上旬	$Y=1.0+0.690X$	$Y=-0.58+0.807\,8X$
	中旬	$Y=5.1+0.572\,8X$	$Y=-1.68+0.855\,7X$
	下旬	$Y=6.3+0.796\,1X$	$Y=6.63+0.751X$
	月	$Y=5.2+0.493\,5X$	$Y=0.28+0.681\,8X$
1月	上旬	$Y=7.6+0.742\,6X$	$Y=7.59+0.817\,5X$
	中旬	$Y=6.9+0.769\,4X$	$Y=3.2+0.973\,9X$
	下旬	$Y=10.4+0.661\,7X$	$Y=1.91+0.931\,1X$
	月	$Y=13.2+0.567\,3X$	$Y=10.5+0.768\,5X$
2月	上旬	$Y=1.0+0.985\,7X$	$Y=-0.26+0.952\,1X$
	中旬	$Y=5.2+0.763\,1X$	$Y=-1.45+0.98\,6X$
	下旬	$Y=-1.9+1.066\,3X$	$Y=-4.43+1.157\,6X$
	月	$Y=1.0+0.959\,1X$	$Y=-1.53+0.965\,3X$
3月	上旬	$Y=-3.2+0.960\,2X$	$Y=2.33+0.952\,7X$
	中旬	$Y=0.3+1.05X$	$Y=2.9+1.039\,8X$
	下旬	$Y=12.6+0.443\,6X$	$Y=13.2+0.783\,8X$
	月	$Y=3.0+0.755\,4X$	$Y=9.39+0.889\,4X$
4月	上旬	$Y=1.2\times(14.5+0.230X_1+0.05X_2)$	$Y=1.0\times(11+0.309\,1X_1+0.488\,1X_2)$
	中旬	$Y=0.9\times(14.5+0.230X_1+0.05X_2)$	$Y=0.9\times(11+0.309\,1X_1+0.488\,1X_2)$
	下旬	$Y=0.9\times(14.5+0.230X_1+0.05X_2)$	$Y=1.1\times(11+0.309\,1X_1+0.488\,1X_2)$
	月	$Y=14.5+0.230X_1+0.05X_2$	$Y=11+0.309\,1X_1+0.488\,1X_2$
5月	上旬	$Y=0.8\times(6.0+0.9X_1+0.02X_2)$	$Y=1.1\times(-44.5+1.137\,1X_1+0.784\,9X_2)$
	中旬	$Y=6.0+0.9X_1+0.02X_2$	$Y=0.9\times(-44.5+1.137\,1X_1+0.784\,9X_2)$
	下旬	$Y=1.2\times(6.0+0.9X_1+0.02X_2)$	$Y=1.0\times(-44.5+1.137\,1X_1+0.784\,9X_2)$
	月	$Y=6.0+0.9X_1+0.02X_2$	$Y=-44.5+1.137\,1X_1+0.784\,9X_2$
6月	上旬	$Y=0.9\times(4+0.82X_1+0.125X_2)$	$Y=1.0\times(-32.9+0.537\,3X_1+0.828\,5X_2)$
	中旬	$Y=0.8\times(4+0.82X_1+0.125X_2)$	$Y=0.8\times(-32.9+0.537\,3X_1+0.828\,5X_2)$
	下旬	$Y=1.3\times(4+0.82X_1+0.125X_2)$	$Y=1.2\times(-32.9+0.537\,3X_1+0.828\,5X_2)$
	月	$Y=4.0+0.816X_1+0.124\,7X_2$	$Y=-32.9+0.537\,3X_1+0.828\,5X_2$

注:11月～翌年3月:X 为前旬平均流量;4～6月:X_1 为前月平均流量,X_2 为当月降水量。

表 4-7　　武陟、戴村坝站旬、月径流预报方程

月	旬	武陟	戴村坝
10 月	上旬	$Y=0.3+0.6061X$	
	中旬	$Y=7.39+0.8259X$	
	下旬	$Y=4.13+0.8882X$	
	月	$Y=5.41+0.5519X$	$Y=4.2+0.2241X$
11 月	上旬	$Y=5.41+0.576X$	
	中旬	$Y=4.17+0.7383X$	
	下旬	$Y=-0.99+0.8359X$	
	月	$Y=6.48+0.4517X$	$Y=2.3+0.5046X$
12 月	上旬	$Y=-2.11+0.7852X$	
	中旬	$Y=-1.11+0.7172X$	
	下旬	$Y=-0.4+0.5576X$	
	月	$Y=-1.15+0.4739X$	$Y=0.4+0.6312X$
1 月	上旬	$Y=-0.05+0.8005X$	
	中旬	$Y=0.18+1.1352X$	
	下旬	$Y=0.17+0.6746X$	
	月	$Y=0.3+0.6975X$	$Y=0.6+0.8505X$
2 月	上旬	$Y=0.06+0.6481X$	
	中旬	$Y=0.11+0.6156X$	
	下旬	$Y=-0.05+0.9134X$	
	月	$Y=0.13+0.4652X$	$Y=0.1+0.7593X$
3 月	上旬	$Y=0.04+0.9999X$	
	中旬	$Y=-0.03+1.2193X$	
	下旬	$Y=2.68+1.0766X$	
	月	$Y=0.65+1.5438X$	$Y=0.5+0.275X$
4 月	上旬	$Y=-0.11+1.1587X$	
	中旬	$Y=0.59+0.532X$	
	下旬	$Y=2.96+0.3162X$	
	月	$Y=1.08+0.2031X$	$Y=0.9+0.0156X$
5 月	上旬	$Y=2.17+0.6173X$	
	中旬	$Y=1.95+0.4037X$	
	下旬	$Y=0.89+1.2349X$	
	月	$Y=3.97+0.2023X$	$Y=1.3+0.295X$
6 月	上旬	$Y=3+0.5938X$	
	中旬	$Y=1.29+0.6345X$	
	下旬	$Y=-0.79+1.0862X$	
	月	$Y=2.6+0.5228X$	$Y=6.4+0.0321X$

注:旬、月径流预报方程中,武陟站预报因子 X 为前旬平均流量,戴村坝站预报因子 X 为前月平均流量。

第五节　黄河桃汛洪水预报模型

黄河桃汛洪水,是中游水库春灌蓄水的主要来源。因此,做好桃汛洪水预报,对中游水库春灌蓄水期水量优化调度非常重要。

黄河桃汛主要是黄河宁蒙河段冰凌消融和该河段冰期河槽蓄水量的突然释放以及上游来水、区间加水所致,冰凌洪水一般发生在3月底4月初,传播到黄河下游时正值桃花盛开季节,故称为桃汛洪水,又称桃汛。

宁蒙河段位于黄河流域最北端,纬度高,冬季气温较低,气温在0 ℃以下的时间持续长达4～5个月,极端最低气温可达－25～－40 ℃。因此,该河段大部分结冰封冻,冰期长达4个月左右。由于其特定的地理位置和水文气象条件,形成流凌封冻溯源而上,解冻开河则由上而下。该河段一般于11月中旬流凌,12月上中旬开始封冻;在流凌封冻期间由于大量冰花在河道中聚积,使水流速度急剧减小,水位迅速抬高,流量逐段减少,封河后的小流量较封河前一天的流量减少2/3以上,大量水储存于河槽内,形成了河槽式水库。

3月中下旬至4月上旬解冻开河阶段,因上段解冻时间早于下段,河槽蓄水逐段向下释放,汇集到下段冰盖前,产生一定的附加压力,迫使下游河段尚未充分解体的冰层强行解冻,甚至出现卡冰结坝,使水量集中突然释放,形成明显的洪峰向下游推进,即我们所说的桃汛洪水。

一、桃汛水量预报模型

(1)头道拐桃汛水量预报模型。影响头道拐桃汛水量的主要因素为上游来水和内蒙河段冰期气温,经过对多年资料的分析,建立了头道拐站桃汛水量与兰州3月平均流量和宁蒙河段12月～翌年2月平均气温的回归方程如下:

$$Y = -2.06 + 0.015X_1 - 0.37X_2 \qquad (4\text{-}3)$$

式中　Y——头道拐桃汛水量,亿 m^3;

X_1——兰州3月份平均流量,m^3/s;

X_2——宁蒙河段12月～翌年2月平均气温,℃。

(2)三门峡水库入库桃汛水量预报模型。三门峡水库入库(潼关站)水量的69%来自于头道拐站以上,晋陕区间和渭河来水仅占31%,建立头道拐桃汛水量与潼关桃汛水量、晋陕区间3月上旬平均流量和华县3月平均流量相关方程如下:

$$Y = 2.65 + 0.85X_1 + 0.008X_2 + 0.007X_3 \qquad (4\text{-}4)$$

式中　Y——三门峡水库入库桃汛水量,亿 m^3;

X_1——头道拐桃汛水量,亿 m^3;

X_2——华县3月平均流量,m^3/s;

X_3——晋陕区间3月上旬平均流量,m^3/s。

二、头道拐站桃汛流量过程预报

头道拐桃汛流量释放过程与内蒙河段的槽蓄水量和开河形势等因素有关,由于开河形势在预报模型中难以考虑,桃汛流量释放过程的预报难度较大。通过对1969～1990年实测资料的分析,建立了头道拐桃汛10日(桃峰前4日,桃峰后5日)逐日流量过程与头道拐桃汛10日水量相关预报方程如下:

$$Q_i = 1\,157 K_i W \quad (i = 1,2,3,\cdots,10) \tag{4-5}$$

式中 Q_i——头道拐桃汛10日逐日平均流量,m^3/s;

W——头道拐桃汛10日水量,亿m^3;

K_i——系数,分别为0.073、0.078、0.094、0.128、0.196、0.141、0.091、0.073、0.065、0.061。

预报允许误差取实测值的30%,预报方程合格率为80%,经对1991～1994年试预报检验,合格率为83%,见表4-8。

表4-8 头道拐桃汛10日逐日平均流量预报检验 (单位:m^3/s)

年份	项目	1日	2日	3日	4日	5日	6日	7日	8日	9日	10日
1991	预报值	814	870	1 050	1 430	2 190	1 570	1 010	814	725	680
	实测值	1 010	1 070	1 240	2 180	2 070	942	750	670	640	590
	误差(%)	-19	-19	-15	-34	+6	+67	+35	+21	+13	+15
1992	预报值	732	782	943	1 280	1 970	1 410	913	732	652	612
	实测值	739	838	925	1 200	1 880	1 610	943	747	615	540
	误差(%)	-1	-7	+9	+7	+5	-12	-3	-2	+6	+13
1993	预报值	954	1 020	1 230	1 670	2 560	1 840	1 190	954	850	976
	实测值	1 480	1 490	1 640	1 850	1 980	1 600	990	770	660	658
	误差(%)	-36	-32	-25	-10	+29	+15	+20	+23	+28	+21
1994	预报值	674	720	868	1 180	1 810	1 300	840	674	600	563
	实测值	870	879	1 100	1 070	1 150	895	865	838	795	770
	误差(%)	-23	-18	-21	+10	+57	+45	-3	-20	-25	-27

第六节 小 结

(1)在分析非汛期径流变化特点和影响因素的基础上,建立的黄河中下游非汛期径流预报模型,其合格率高。在近两年实际作业预报中,预报效果也比较好,为黄河水量调度工作提供了重要依据。

(2)从近两年实际作业预报结果与实况比较来看,近两年实际作业预报误差较试预报的前三年明显增大,而且预报结果系统偏大。经分析,由于黄河中游地区受人类活动影响较大,而有些影响因素在预报模型中很难直接予以考虑(如区间引耗水等)。非汛期径流预报模型是根据1970～1995年资料系列建立的,近几年,黄河中游地区持续干旱少雨,区间引耗水量较90年代以前明显增加,致使径流预报值系统偏大。因此,有必要根据近几年实际情况对径流预报模型参数进行重新修正。在实际作业预报中,要采用预报模型和相关预报图等手段进行综合分析,才能取得较为满意的预报结果。

(3)根据近几年实际预报经验,水利工程对径流预报的影响较大。目前,一些水利工程的运用尚无一定规律(如陆浑水库、故县水库、万家寨水库等),难以在径流预报中予以考虑,这对径流预报精度也有一定的影响。

参考文献

[1] 庄一鸰,林三益.水文预报.北京:水利电力出版社,1986

[2] 赵人俊.流域水文模拟.北京:水利电力出版社,1984

[3] 吴明远,詹道江,叶守泽.工程水文学.北京:水利电力出版社,1987

[4] 金光炎.水文水资源随机分析.北京:中国科学技术出版社,1993

[5] 李杰友,熊学能.水库月径流中长期预报系统的开发研究.水利水电科技进展,1998(3):32~34,38

[6] 丁晶,邓育仁.随机水文学.成都:成都科技大学出版社,1988

[7] 陈鸣钊,沈尧亮.模糊数学在水文预报中初步应用.水文,1988(1):6~14

[8] 钟登华,王仁超,皮钧.水文预报时间序列神经网络模型.水利学报,1995(2):69~75

[9] 李贤彬,丁晶,李后强.水文时间序列的子波分析法.水科学进展,1999(2):144~149

[10] 郭芳.TOPMODEL在淮河流域的移植应用及其与新安江模型比较研究.南京:河海大学,1996

[11] 李致家,孔祥光.非线性水文系统的实时预报方法比较.水文,1997(1):24~28

[12] 刘新仁.大尺度水文模型研究.见:赵光恒,许荫椿,商学政.河海大学科技进展1991~1995.南京:河海大学出版社,1995.9~12

[13] 李纪人.遥感和地理信息系统在分布式流域水文模型研制中的应用.水文,1997(3):8~12

[14] 陈先德.黄河水文.郑州:黄河水利出版社,1996

[15] 陈赞廷.黄河流域的水文预报方案.见:黄河水利委员会民主党派办公室.治河文选.郑州:黄河水利出版社,1996.38~44

[16] 翟家瑞.常用水文预报算法和计算程序.郑州:黄河水利出版社,1995

第五章 三门峡水库和小浪底水库非汛期多目标联合调度模型

三门峡水库和小浪底水库(简称三、小水库)是黄河中游上两座重要的控制性水利枢纽,两库联合调度可以对进入黄河下游的水量进行有效调节,提高水资源利用效率,缓解下游供水紧张局面。以黄河下游非汛期水量调度需求为导向,考虑黄河下游水资源短缺现状和小浪底水库兴利目标等级次序,建立符合实际的三、小水库非汛期多目标联合调度模型。

第一节 基本思路和技术路线

一、基本思路

水库调度的任务是根据来水、用水预报,确定“未来”一定时期(调度余留期和面临时段)的水库控制运用方式,其目的在于通过水库的调蓄作用,最大限度地协调水资源的供需矛盾。为充分发挥三、小水库调蓄能力,缓解黄河下游水资源供需矛盾,使有限的水资源获得最大效益,许多专家学者对三、小水库调度问题进行过研究,并取得了丰富的成果。这些研究从不同角度探讨了三、小水库联合调度问题,但距指导实时水库调度还有一定距离。本次建立的三、小水库联合调度模型充分借鉴这些研究成果,重点研究水库调度模型的实时性和可操作性。

鉴于黄河目前的实际情况,本次重点研究三、小水库非汛期的水量联合调度问题。黄河泥沙问题复杂,主要集中在汛期,非汛期水流含沙量较小,从模型的实用性和可操作性出发,非汛期水库调度暂不考虑泥沙问题。近年来,随着人们环保意识增强,黄河水资源调度要满足河口地区生态环境要求的呼声愈来愈高,黄河三角洲生态自然保护区的保护问题也得到国务院的高度重视。生态环境用水的量化一直是生态和环保学者研究的课题,希望能够回答河道要保持多少流量才能满足生态环境要求。为便于模型计算,本次研究将河口地区生态环境用水要求简化为入海流量不小于某一流量约束,这一流量约束应根据实际需要确定。

由于受到人类认识水平局限性、信息采集手段落后等因素限制,目前尚不能对较长时期(如月)的来水、用水作出准确的预估,但预报结果定性上比较合理。随着预报时段的缩短,预报精度也相应提高,短期预报(如旬)的精度已能够满足生产要求。水库调度是一个多阶段序贯决策过程,调度效益是通过长期控制和短期实施配合实现的,所以水库调度应充分利用长期预报和短期预报信息,将二者有机结合起来。同时,在水库调度过程中,应尽可能利用新的信息,减少误差,提高调度水平,即进行通常所说的“实时校正”。“实时校正”具体表现为在新的面临时刻,一方面要采用新的更高精度的来水、用水预报代替原先的预报值;另一方面,为了避免误差积累,还要采用当前各库实际状态(如实测水位),重新进行余留期的水库调度,得到水库新的控制运用方式。

根据算法的不同,水库调度模型可以分为优化调度模型和模拟调度模型两种,它们各具特色。为满足模型方法多样性和对比分析的需要,本次分别建立了三、小水库优化调度模型和模拟调度模型。

二、技术路线

三、小水库调度模型采用“长短结合、逐时段校正”的滚动决策方法。将水库调度分为两个层次,即长期调度(月时段)和短期调度(旬时段)。水库长期调度是根据月来水、用水预报,考虑水库长期运行效益,利用优化调度模型或模拟调度模型,得到两水库月调度过程。为保证水库调度的长期效益,实现对系统的宏观控制,把水库当前月末水位作为短期调度的控制条件。水库短期调度是根据当前月余留旬的来水、用水预报,利用优化模型,得到三、小水库旬调度过程。长期调度模型传递过来的当前月末水库水位是旬调度的控制条件,在短期调度模型中,当前月末水库水位应达到该水位,通过这个水位实现“长短结合”。每个月初或旬初,由于情况发生变化,要根据水库实际运行状态和新的来水、用水预报,重新进行水库长期调度或短期调度,实现逐时段校正,直到最后一个调度时段结束。原则上长期调度模型每个月运行一次,每过一个月,时间长度缩短一个月,到7月,仅为7月上旬;旬模型每个旬运行一次,每过一个旬,时间长度缩短一个旬,由此实现滚动决策。

及时的信息反馈和调整对于提高调度质量是至关重要的。在当前月或旬的任意时刻(非整数时段),发现来水、用水预报有严重偏离时,模型随时根据新的来水、用水预报和水库实际状态重新进行水库调度,以修正水库调度策略。

第二节　水库运用方式及水流传播时间分析

一、水库运用方式

由于受到潼关高程的限制,三门峡水库的调节能力有限,315 m高程以下调节库容仅2.5亿m^3左右。小浪底水库具有51亿m^3的长期调节库容,可以单独承担下游的供水、灌溉等任务,以及承担大部分的防凌任务。基于上述考虑,拟定了以下小浪底水库生效后的三、小水库运用方式:

(1)三门峡水库蓄水量很少,其运用方式接近径流发电。10月仍处于汛期,水库按305 m控制运用;11月按310 m控制运用;12月～翌年6月,水库按310～315 m控制运用,凌汛期因防凌需要可短时间蓄至326 m;6月底水位降低至305 m。

(2)小浪底水库蓄水调节期为10月～翌年7月上旬,单独承担下游供水、灌溉等任务。凌汛期,小浪底水库首先承担下游防凌任务,在其20亿m^3防凌库容用完后,三门峡水库再参与防凌运用(长系列计算表明,三门峡水库参与防凌运用的几率较小)。

封河期,通过水库调节形成较好的封河条件,可为安度凌汛打下良好基础;开河期,通过水库调节下泄流量,控制开河的动力条件,可减轻或避免凌灾。根据下游凌汛发生的特点，以及三门峡水库多年的防凌运用实践，将下游防凌运用转化为控制断面流量，即：在下游河道封冻前，控制断面流量，创造有利的封河条件，避免过大流量封河或过小流量封河；下游河道封冻后控制小浪底水库泄流，使控制断面流量小于封河流量，且保持相对均匀。本次采用花园口断面作为防凌控制断面。近年来，受断流影响，下游引水提前，凌汛期引水量增加，下游凌汛形势发生改变。即使河道下段发生小流量封河，上段下泄大流量，但由于沿河引水较大，也不会造成凌灾。

在实际调度过程中，应根据下游凌汛和引水的具体情况，灵活控制花园口断面流量。

二、水流传播时间

从小浪底水库坝址到黄河入海口，河道全长近900 km，河道比降约为0.38‰。采用直接分析法来推求河道水流传播时间，下游河道不同流量级的传播时间见表5-1。由于非汛期上游来水较小且相对平稳，在三、小水库调节下，下游河道流量一般为中小流量(400～1 000 m^3/s)。从表5-1可以看出，从小浪底水库坝址到利津断面，中小流量的传播时间为6～9 d。

表5-1 **黄河下游河道不同流量级的传播时间** (单位:d)

河段	流量级(m^3/s)					
	200～400	400～600	600～800	800～1 000	1 000～1 200	1 200～1 400
小浪底—花园口	(1.53)	1.53	1.38	1.15	1.05	0.92
花园口—夹河滩	(0.98)	0.98	0.94	0.87	0.85	0.74
夹河滩—高村	(0.77)	0.77	0.69	0.64	0.63	0.67
高村—孙口	2.05	1.38	1.17	1.02	0.93	
孙口—艾山	1.01	0.71	0.57	0.51	0.45	
艾山—泺口	1.59	1.26	1.03	0.90	0.81	
泺口—利津	2.91	2.32	1.84	1.47	1.33	
合计	10.84	8.95	7.61	6.56	6.06	2.32

注:( )中的数字为本流量级在该河段出现的次数极少，为避免太大的任意性，借用相近流量级的传播时间。

传播时间问题是决定水量调度方案能否实施的关键因素之一。由于中小流量从小浪底到利津传播时间为6～9 d，与调度时段长度月和旬相比不容忽视，同时考虑到水量实时调度要求以及水量调度监督管理需要，无论是月水量调度还是旬水量调度，都必须考虑河道水流传播时间的影响。

水流传播时间随河段和流量的不同而变化，但为使计算方便，本次水流传播时间经综合分析采用固定值，见表5-2。

表5-2 **黄河下游各河段水流传播时间**

河段	小浪底—花园口	花园口—夹河滩	夹河滩—高村	高村—孙口	孙口—艾山	艾山—泺口	泺口—利津
传播时间(d)	1.0	1.0	1.0	1.0	0.5	1.0	1.5

第三节　等级优化调度模型

一、概　述

根据兴利和除害多目标综合利用要求，三、小水库非汛期主要承担下游防凌、供水、灌溉和发电等任务。上述目标之间关系复杂，且有时相互矛盾，如灌溉和发电，为了达到发电量最大，要求尽可能蓄水，以抬高水位，提高单位水量的发电量，而对于灌溉来讲，需要适时供水，并尽可能地使缺水均匀化。由此可见，三、小水库联合调度问题是一多目标决策问题。

多目标决策，即向量最优化。理论上较为完善的方法主要包括目标规划法、替换价值交换法、多目标动态规划法、层次分析法等。由于直接求解多目标决策问题较为困难，提出许多简化求解方法，如主要目标法、功效系数法、分层序列法等，但是其理论探讨和实际应用都有待进一步研究。

考虑供水的环境、社会和经济效益，三门峡和小浪底两水库非汛期承担的任务具有明显的等级次序，即生态和防凌优先，供水和灌溉次之，最后才是发电。可以用分层序列法求解，下面简单介绍一下分层序列法。

设有 m 个目标，按其重要性给出一个序列，分为最重要目标、次重要目标等。设给出的重要性序列为

$$f_1(x), f_2(x), \cdots, f_m(x)$$

首先对第一个目标求最优，并找出所有最优解的集合 R_0；然后在 R_0 内求第二个目标的最优解，记这时的最优解集合为 R_1，如此等等一直到求出第 m 个目标的最优解 x^0，其模型为

$$\begin{cases} f_1(x^0) = \max\limits_{x \in R_0 \subset R} f_1(x) \\ f_2(x^0) = \max\limits_{x \in R_1 \subset R} f_2(x) \\ \quad\vdots \\ f_m(x^0) = \max\limits_{x \in R_{m-1} \subset R_{m-2}} f_m(x) \end{cases} \tag{5-1}$$

该方法有解的前提是 R_0、R_1、…、R_{m-1}非空，同时 R_0、R_1、…、R_{m-2}都不能只有一个元素，否则就很难进行下去。

二、目标函数

根据多目标求解的分层序列法建立水库等级优化调度模型。防凌和生态环境用水为第一级目标，供水和灌溉为第二级目标，发电为第三级目标。

（一）防凌和生态环境用水

为保证防凌和生态环境用水目标，将它们转化为硬性约束。

（二）供水和灌溉

第二级优化调度目标是三门峡以下调度余留期总的缺水量最小，同时使各时段缺水

量尽可能均匀，防止发生集中缺水。该目标函数表达式为

$$\min TW = \sum_{t=1}^{n} \theta_t \cdot [WX_t + WS_t + WT_t - (q_{2t} + QZ_t) \cdot \Delta T(t)]^p \tag{5-2}$$

式中 TW——下游总缺水量；

θ_t——t 时段缺水判别系数；

WX_t——t 时段小浪底以下总需水量，包括城市生活用水、工业用水和农业用水；

WS_t——t 为时段小浪底以下总的河道损失水量，包括河道蒸发和渗漏；

WT_t——t 时段小浪底以下总的滩区用水量；

q_{2t}——t 时段小浪底水库泄流；

QZ_t——t 时段小浪底以下支流总的来水；

$\Delta T(t)$——t 时段长度；

n——时段总数；

p——缺水均匀调整指数，$p \geqslant 1$，p 越大，则缺水越均匀。

缺水判别系数 θ_t 表达式为

$$\begin{cases} (q_{2t} + QZ_t) \cdot \Delta T(t) - WX_t - WS_t + WT_t \geqslant 0 & (\text{则 } \theta_t = 0, \text{不缺水}) \\ (q_{2t} + QZ_t) \cdot \Delta T(t) - WX_t - WS_t + WT_t < 0 & (\text{则 } \theta_t = 1, \text{缺水}) \end{cases} \tag{5-3}$$

试验表明，作物不同生育阶段对缺水的敏感程度是不同的，如小麦的返青期、拔节期和灌浆期缺水敏感程度高，该时期同样的缺水所造成的减产量要比其他时期大。可见，保证作物生育关键时段的需水，防止作物减产过多，具有非常重要的意义。为此，在目标函数中特别引进了时段重要性因子 $\lambda(t)$，通过赋予关键时段 $\lambda(t)$ 较大值，以突出其重要性，可使作物生育关键时段的缺水量尽可能小，从而达到使减产量最小化的目的。

加入时段重要性因子 $\lambda(t)$ 后，第一级优化调度目标函数变为

$$\min TW = \sum_{t=1}^{n} \theta_t \cdot \{\lambda(t) \cdot [WX_t + WS_t + WT_t - (q_{2t} + QZ_t) \cdot \Delta T(t)]\}^p \tag{5-4}$$

(三)发电

第三级优化调度目标函数是三、小水库调度余留期发电量之和最大，它是对第二级优化调度目标函数的补充。因为在不缺水的年份或时段，满足第二级目标函数的解可能有多个，此时应寻求发电量最大的运行策略作为水库调度的最优策略。第三级优化调度目标函数表达式为

$$\max E = \sum_{i=1}^{2} \left\{ \sum_{t=1}^{n} [N_{it} \cdot \Delta T(t)] \right\} \tag{5-5}$$

式中 E——总发电量；

N_{it}——i 电站 t 时段平均出力，$i=1$ 为三门峡，$i=2$ 为小浪底；

其他符号含义同前。

三、约束条件

(1)库区水量平衡约束：

$$V_{it} - V_{it-1} = (QR_{it} - q_{it} - L_{it}) \cdot \Delta T(t) \tag{5-6}$$

式中 V_{it}——i 水库 t 时段末库容；

V_{it-1}——i 水库 t 时段初库容；

QR_{it}——i 水库 t 时段入流；

q_{it}——i 水库 t 时段出流；

L_{it}——i 水库 t 时段水量损失(包括蒸发、渗漏、库区引水等)。

(2)水库水位约束：

$$Z_{\min,it} \leqslant Z_{it} \leqslant Z_{\max,it} \tag{5-7}$$

式中 Z_{it}——i 水库 t 时段末蓄水位；

$Z_{\min,it}$——i 水库 t 时段末允许最低蓄水位；

$Z_{\max,it}$——i 水库 t 时段末允许最高蓄水位。

(3)电站出力约束：

$$N_{\min,it} \leqslant N_{it} \leqslant N_{\max,it} \tag{5-8}$$

式中 N_{it}——i 电站 t 时段平均出力；

$N_{\min,it}$——i 电站 t 时段允许最小出力；

$N_{\max,it}$——i 电站 t 时段允许最大出力。

(4)发电流量约束：

$$qe_{\min,it} \leqslant qe_{it} \leqslant qe_{\max,it}(i,j) \tag{5-9}$$

式中 qe_{it}——i 电站 t 时段平均发电流量；

$qe_{\min,it}$——i 电站 t 时段允许最小发电流量；

$qe_{\max,it}$——i 电站 t 时段允许最大发电流量。

(5)调节期末水位约束：

$$Ze_i \leqslant Ze^* \tag{5-10}$$

式中 Ze_i——i 水库调节期末水位；

Ze^*——i 水库调节期末计划水位,对于长期调度它是事先拟定值,对于短期调度它是长期调度模型计算的当前月末水库水位。

(6)防凌对小浪底水库泄量约束：

$$\begin{cases} q^{\mathrm{I}}_{\min,2t} \leqslant q_{2t} \leqslant q^{\mathrm{I}}_{\max,2t} & (\text{封河前}) \\ q^{\mathrm{II}}_{\min,2t} \leqslant q_{2t} \leqslant q^{\mathrm{II}}_{\max,2t} & (\text{封河期}) \end{cases} \tag{5-11}$$

式中 $q^{\mathrm{I}}_{\min,2t}$、$q^{\mathrm{I}}_{\max,2t}$——封河前允许最小和最大泄量；

$q^{\mathrm{II}}_{\min,2t}$、$q^{\mathrm{II}}_{\max,2t}$——封河期允许最小和最大泄量；

其他符号含义同前。

(7)河口生态环境用水要求：

$$Qb_{8t} \geqslant Qb_t^* \tag{5-12}$$

式中 Qb_{8t}——河口断面 t 时段流量；

Qb_t^*——河口断面 t 时段因生态环境要求允许最小流量。

(8)变量非负约束。所有变量非负。

四、模型算法

本次研究仅涉及三门峡和小浪底两水库,维数低,所以采用理论成熟且简单有效的增量动态规划方法(IDP)。

增量动态规划计算步骤如下:

(1)拟定一条初始调度线。

(2)以这条初始调度线为基础,在其上下选取步长 ΔZ(一开始步长可以大一些),形成一条寻优廊道。

(3)使用动态规划方法在该廊道内寻优,求最优调度线。

(4)如果所求最优调度线和初始调度线不完全重合,则不需改变步长,应以所求调度线作为初始调度线,按上述步骤(2)和(3)重新进行计算;如果所求最优调度线与初始调度线处处重合,说明所选步长已不能增优,应以所求调度线作为初始调度线,缩小步长继续进行优化计算。

(5)直至步长已缩小为规定的最小步长,如调度线不能再增优,此时最优调度线即为所求。

在进行增量动态规划之前,先采用较大步长将水库水位离散,用动态规划寻优,并将该水库最优调度线作为水库增量动态规划的初始调度线。

在极端情况下,约束条件有时不能全部满足,造成模型无解。如来水较小,电站最小出力满足不了,那么就产生不可行解,在此情况下就必须调整约束以获得可行解。造成模型无解的原因主要是最小出力约束太苛刻。为防止因约束太苛刻而造成模型无解,模型能够自适应调整约束。自适应算法是:当模型无解时,自动调整最小保证出力约束,放宽该约束,重新运行调度模型,直至模型有解。

第四节　模拟调度模型

由于模拟模型更适合描述复杂的水资源系统的逻辑结构和运行过程,而且具有较强的灵活性,有必要建立模拟调度模型,它不仅可以评价优化调度方案,而且也可以给调度人员提供一个选择机会。

模拟调度模型的基本出发点是尽可能地将水留到用水高峰期(3~6 月)下泄,因为此时正是下游引黄灌区主要粮食作物小麦的关键生长期。本次建立的模拟调度模型是基于以下拟定的分阶段调度规则建立的:

(1)凌前调度(10 月),该时期下游用水相对较少,小浪底水库按照下游需水泄水,如果在该泄水条件下,电站出力满足不了系统最小出力要求,则加大水库泄量,使电站出力达到最小出力要求。

(2)凌期调度(11 月~翌年 2 月),该时期主要是向青岛、河北供水,以及向平原水库和补源灌区补水,小浪底水库按上述用水要求泄水,如果在该泄水条件下,电站出力满足不了系统最小出力要求,则加大水库泄量,使电站出力达到最小出力要求。封河期小浪底水库泄水首先要满足下游防凌安全。

(3)灌溉用水高峰期调度(3～6 月),该时期下游需水量大,水库按下游需水要求供水,如果缺水,则各时段均匀缺水。

考虑到防凌安全,封河前每一个调度时段,均要根据来水预报,确定合适的防凌库容,同时考虑一定的安全系数。

上述水库运用规则,体现了小浪底水库非汛期防凌、供水、灌溉、发电的开发目标和尽可能将水资源留到 3～6 月份灌溉高峰期的使用原则。

第五节　模型求解

鉴于来水、用水长期预报精度不高,而短期预报精度通常较高,所以水库长期调度采用优化和模拟两种方法,短期水库调度只采用优化方法。

如上所述,水库调度要考虑水流传播时间影响,具体反映在计算小浪底以下需水量 WX_t、滩区用水 WT_t 和河道损失 WS_t 时,各河段都要相应地向后错一个时段计算,后错时段长度为小浪底到该河段下断面的传播时间,同时也克服动态规划法无后效性的限制。

例如计算下游需水量 WX_t,公式为

$$WX_t = \int_{pt(i) \leqslant s < pt(i)+\Delta T(t)} QX_{is} \, ds \tag{5-13}$$

式中　QX_{is}——i 河段 s 时刻需水流量;

$\Delta T(t)$——t 时段长度;

$pt(i)$——小浪底水库到 i 河段水流传播时间。

小浪底以下滩区用水 WT_t 和河道损失 WS_t 的计算方法同计算需水量 WX_t。

防凌和生态环境约束需要推求各防凌控制断面和河口断面流量,在推求过程中同样也要考虑水流传播时间的影响。

在处理水流传播时间问题时,模型提供了 3 种方法:第一种方法是充分考虑,即各河段的传播时间采用具体的分析值;另一种方法是简化处理,即高村以上河段采用一个传播时间,高村以下采用一个数值;第三种方法是不考虑水流传播时间。

第六节　模型验证

采用黄河流域水资源模拟模型(YRSIM)进行对比验证。YRSIM 是基于网络方法——最小费用最大流的水资源模拟模型,广泛应用于黄河流域水资源规划、调度和管理。在相同来水、用水和边界条件下,优化调度、模拟调度和 YRSIM 的调度结果见表 5-3。

从表 5-3 可以看出,优化调度、模拟调度和 YRSIM 三个水平年都不缺水,这是因为下游用水数据是基于 1987 年国务院批准的《黄河可供水量分配方案》中的分水指标,非汛期用水总量约为 99 亿 m^3,远小于非汛期来水量。

表 5-3　　　　优化调度、模拟调度和 YRSIM 结果对比

来水年型	模型	总缺水量（亿 m^3）	总发电量（亿 kW·h）
丰水	优化	0	42.82
	模拟	0	39.24
	YRSIM	0	41.30
平水	优化	0	39.11
	模拟	0	36.70
	YRSIM	0	38.76
枯水	优化	0	25.08
	模拟	0	24.11
	YRSIM	0	25.34

注：表中为小浪底水库正常运用期 11 月～翌年 6 月计算结果。

从发电量指标来看，枯水年优化调度、模拟调度和 YRSIM 计算结果相差不大，主要是因为枯水年来水本身就少，优化余地不大；丰水年和平水年，优化调度要大于模拟调度和 YRSIM。在丰水年和枯水年，模拟调度均小于 YRSIM，这主要是个别细节的处理不一致所造成的，如模拟调度考虑了均匀加大供水，而 YRSIM 则没有。无论是丰水年、平水年还是枯水年，优化调度和模拟调度的发电量差别很小，这主要是因为模拟调度是基于分阶段调度规则，其基本出发点是尽可能将水预留到后期（灌溉用水高峰期）使用，这本身就含有优化思想，即保持高水位运行。

验证结果表明，所建模型能够满足确定的功能要求。

第七节　小　结

结合黄河实际，利用多目标决策分层序列法建立了三、小水库等级优化调度模型，同时为满足对比分析需要，建立了三、小水库模拟调度模型。

(1)开发研制的三、小水库优化调度模型，实行等级优化调度，以保证防凌和生态环境用水要求为第一级目标，总缺水量最小为第二级目标，发电量最大为第三级目标，符合黄河实际。在第二级优化调度目标中，同时考虑了使作物生长关键期缺水量最小以及调节期缺水量尽可能均匀。

(2)三、小水库等级优化调度模型采用动态规划方法，能够考虑水库调度运用中的非线性因素。

(3)建立的水库优化调度模型和模拟调度模型能够进行对比分析、相互验证。

(4)模型中考虑了水流传播时间的影响，增加了模型的实用性。

但由于三、小水库非汛期实时联合调度问题复杂，本次建立的水库调度模型在以下两方面有待进一步完善：

(1)对来水、用水预报误差的考虑。本次建立的三、小水库调度模型是确定性模型,没有考虑来水、用水预报误差,今后应研究考虑预报误差的水库随机调度模型。

(2)实现优化和模拟调度的结合。本次建立的水库优化调度模型和模拟调度模型,还相对独立,如何将二者有机结合,达到优势互补,需要深入研究。

参 考 文 献

[1] 张勇传.优化调度理论在水库调度中的应用.长沙:湖南科技出版社,1985

[2] 叶秉如、水利系统优化规划和调度.河海大学水文系,1987

[3] 董增川,叶秉如.水电站库群优化调度的分解方法.河海大学学报,1990(6):70~77

[4] Turgeon A,Charbonneau R. *An aggregation - disaggregation approach tolong - term reservoir management*. Water Resour. Res.,1998(12):3585~3594

[5] Karamouz M,Houck M H,Delleur J W. *Optimization and simulation of multiple reservoir*. J. Water Resour. Plng. and Mgmt.,1992(1):71~81

[6] 黄强.黄河干流水库联合实施调度及智能决策支持系统研究.西安:西安理工大学,1995

[7] 黄强.黄河干流水库联合实施调度及智能决策支持系统研究.西安理工大学博士论文,1995

[8] 薛松贵,王益能.网络方法在流域水资源利用模拟模型研究中的应用.水科学进展,1995,6(18):66~70

[9] 姜海萍.黄河下游水量调度宏观决策模型.河海大学硕士论文,1995

[10]《运筹学》教材编写组编.运筹学.北京:清华大学出版社,1990

第六章　黄河下游河段配水模型

合理配置黄河水资源,不仅有利于缓解水资源供需紧张局面,促进节约用水,而且可使国民经济发展有可靠的水资源供给基础。由于黄河下游引黄灌区范围广,地区差异明显,故在水资源空间配置时必须考虑不同地区的客观差异,如土壤墒情、降水等。此外,水资源空间配置还受到行政干预、地区平衡等人为因素影响。黄河下游河段配水是一个非结构化决策行为,如何建立适用的模型是黄河水量调度中一个迫切需要解决的难题。

第一节　水资源配置模型

水资源分配是将水源,如河道、水库、湖泊中的水,按照效率、公平等特定原则,分配给多个用户。用户可以是城市和工业用水,也可以是灌溉用水,甚至是旅游、环境等用水。根据算法的不同,水资源配置模型大体可以分为两类,一类是优化模型,另一类是折扣模型。

一、优化配置模型

对于某一特定时段来说,水资源分配是如何将水资源分配到各用户,这属于资源的空间配置范畴。优化配置模型可以分为一维配置模型和多维配置模型。

(一)一维配置模型

设某水源可供分配水量为 Q,要分配给 n 个用户。令 x_i 表示分配给第 i 个用户的水量,其配水收益(或称效益函数)为 $g_i(x_i)$。水资源分配就是确定 x_i 的值,使各用户的收益总和最大,即:

$$f_n(Q) = \max\sum_{i=1}^{n} g_i(x_i) \tag{6-1}$$

约束于:

$$\sum_{i=1}^{N} x_i \leqslant Q \tag{6-2}$$

$$0 \leqslant x_i \leqslant Q \quad (i = 1,2,\cdots,n)$$

上述配置模型的特点是只有一个水源。由于效益函数 $g_i(x_i)$ 通常是非线性,因此上述模型大多采用动态规划(DP)方法求解。动态规划的效益递推方程为

$$f_k(q) = \max_{\substack{0\leqslant x_k\leqslant q \\ q\leqslant Q}} \{g_k(x_k) + f_{k+1}(q - x_k)\} \quad (k = n, n-1,\cdots,1) \tag{6-3}$$

$$f_{n+1}(q) = 0$$

(二)多维配置模型

设有 m 个水源,某一特定时段可供水量分别为 Q_1、Q_2、…、Q_m,要分配给 n 个用户。设 x_{ij}表示第j 个水源分配给第i 个用户的水量,其配水收益(效益函数)为 $g_{ij}(x_{ij})$。各用户的需水量为 d_i。设各用户均可从任一水源取水,这时水量分配是寻求一组 x_{ij},使总供水效益最大,即:

$$z = \max\sum_{j=1}^{m}\sum_{i=1}^{n} g_{ij}(x_{ij}) \tag{6-4}$$

约束于:

$$\sum_{i=1}^{n} x_{ij} \leqslant Q_j \tag{6-5}$$

$$\sum_{j=1}^{m} x_{ij} \leqslant d_i$$

$$x_{ij} \geqslant 0$$

同样地,上述问题可以用动态规划法求解,其递推方程为

$$f_k(q_1,q_2,\cdots,q_m) = \max\left\{\sum_{j=1}^{m} g_{kj}(x_{kj}) + f_{n+1}(q_1 - x_{k1},q_2 - x_{k2},\cdots,q_m - x_{km})\right\} \tag{6-6}$$

二、折扣模型

水资源优化配置在理论上是合理的,但在实际应用中由于效益函数或损失函数难以获得而使其应用受到限制。水资源分配的本质是协调供需矛盾,在可供水量大于需水量时,需水均可满足,各用户之间不存在矛盾;当可供水量小于需水量时,各用户之间存在争夺资源冲突,此时水资源分配可以采用折扣的方法。

以一个水源为例,设可供分配水量为 Q,要分配给 n 个用户。令 d_i 表示第i 个用户的需水量。

(1)当可供水量大于需水量,即 $Q \geqslant \sum_{i=1}^{n} d_i$ 时,各用户分配水量 x_i 为其需水量,即:

$$x_i = d_i \tag{6-7}$$

(2)当可供水量小于需水量时,即 $Q \leqslant \sum_{i=1}^{n} d_i$,要进行打折扣,即:

$$x_i = \lambda_i \cdot d_i \tag{6-8}$$

$$\lambda_i \leqslant 1.0 \tag{6-9}$$

式中 λ_i 为折扣系数,它反映不同用户的重要性,一般来说重要用户的 λ_i 取值要大,不太重要的用户的 λ_i 取值可以小一些。通过赋予用户不同的折扣系数,得到不同的配水方案。

第二节　河段配水基本原则

河段配水的基本原则是水资源分配的基础,确定合适的配水原则对于协调地区矛盾、

促进水资源高效利用具有极其重要的意义。水资源分配一般要遵循公平、考虑效率和兼顾上下游左右岸及地区之间的利益等通用原则。根据下游引黄地区的实际情况，结合上述通用原则，确定以下黄河下游河段配水基本原则。

(1)以1987年国务院分水方案为基础，枯水年同比例折减。1987年国务院分水方案是正常来水年份情况下的黄河可供水量分配方案，已为沿黄各省(区)普遍接受。黄河下游河段配水，特别是河南、山东两省总水量分配，应以1987年国务院分水方案为基础，实行枯水年同比例折减。

(2)实行分级调度和断面控制。黄河可供水量分配以省际配水为主，省内配水原则上由各省自行负责。以高村水文站作为进入山东省的水量控制断面，以利津水文站作为入海水量的控制断面，省内水量控制断面根据需要选取。

(3)优先满足城镇用水和河口地区用水，考虑留有足够的防凌库容和适当的环境用水。黄河下游郑州、开封、济南、东营等城市用水主要或部分取自黄河；因当地水资源贫乏，河口地区用水在很大程度上依赖于黄河供水，这部分用水由于其重要性和特殊性应予以优先满足。

为了下游河道防凌安全和防止河口三角洲生态环境恶化，必须考虑留有足够的防凌库容和适当的环境用水。

(4)充分利用地表水。尽管下游引黄地区当地河川径流贫乏，但各地区仍充分利用坑、塘、洼地和在河道上修建节制闸等，拦蓄当地河川径流；在滨海地区，修建了许多平原水库，将黄河多余水量蓄起来，以备急用。优先利用地表水，可以缓解黄河供水不足的压力，促进水资源的综合利用。

(5)合理开采地下水。下游引黄地区地下水资源较丰富，但地区分布不均，且各地区地下水开采利用程度相差很大。黄河下游和远离引黄口门地区，因黄河供水保证程度较低，地下水开采率偏高，一些地区甚至出现大面积的降落漏斗，产生严重的地质环境问题。而黄河下游上段和靠近引黄口门地区，因引黄便利，主要引用黄河水，造成地下水位抬升，导致土壤次生盐碱化。河段配水原则上应能引导灌区合理开采地下水，维持地下水资源的动态平衡。

(6)地区公平性。黄河水资源作为国有财产，各地区在使用黄河水时，拥有同等的权利，不能为了某一地区利益，优先供水或多供水，而牺牲其他地区的利益，除非作出相应的补偿。

(7)促进节约用水。在水资源紧缺的同时，黄河下游引黄地区还普遍存在用水浪费的不和谐现象。目前，下游引黄灌区渠系水利用系数不高，一般在0.3～0.6之间，干渠衬砌率约为7%。另外，一些灌区的灌溉方式较落后，灌溉定额偏高。河段配水时，应对水量浪费严重的灌区，适当减少供水，以督促其节约用水。

(8)因时因地配水。下游引黄灌区范围广，灌区降雨、作物需水、土壤墒情等因素都因时因地在变化，河段配水必须考虑地区间客观存在的差异，动态地进行，才能做到实事求是，使黄河有限的水资源得到合理利用。

(9)紧密结合现行管理体制，可操作性好。

第三节　河段配水模型

一、基本思路

黄河下游河段配水就是把小浪底水库泄水和伊洛河、沁河、大汶河、金堤河、天然文岩渠等支流来水，考虑河道环境用水和蒸发、渗漏等河道损失，按一定的原则分配到下游各引黄地区，见图 6-1。如前所述，根据调度时段长短，水库调度分为长期调度(月时段)和短期调度(旬时段)，因此河段配水也相应地分为长期配水(月时段)和短期配水(旬时段)。原则上每个月初和旬初，分别进行月河段配水和旬河段配水。月河段配水是为制定或调整调度预案；旬河段配水是为制定分河段旬配水控制意见。

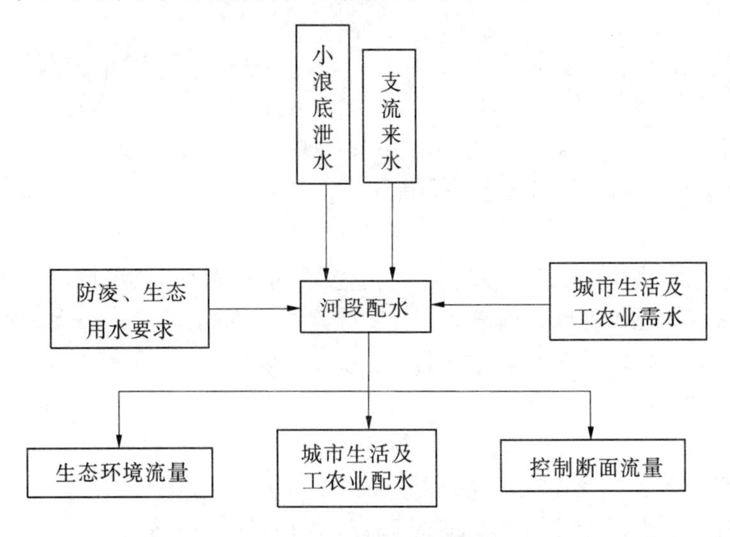

图 6-1　河段配水框架

下游引黄灌区范围广，地区差异明显，在河段配水时应考虑不同地区的客观差异，合理配置水资源。河段配水是一种半结构化的决策行为，受到行政干预、地区平衡等人为因素影响。因此，黄河下游河段配水模型给用户提供了灵活多样的配水方法，包括同倍比配水、按权重配水和面向对象的协商配水。

黄河下游用水包括滩区用水、河道水量损失、工业生活用水、农业用水以及河口生态环境用水等。下游用水中最大的用户是农业用水，约占总用水量的 90%。其他用水户用水量所占比重较小，但保证程度要求高，因此对这部分用水予以简化处理，即采用全部满足。为公平起见，在旬河段按权重配水时，先分配给各灌区一定水量，维持农作物的基本生存需要，我们把这部分水量称为“保命水”。剩余可供水量再按权重分配到各引黄灌区。“保命水”等于需水某一百分数，这一百分数各个灌区可以相同，也可以不同，用户应根据实际情况进行确定。

根据河道水流传播时间分析，中小流量从小浪底坝址流到利津断面需 6～9 d，所以河段配水和水库调度一样需要考虑水流传播时间的影响，否则其实用性将大打折扣。水库调度模型采用了不考虑水流传播时间、简单考虑和充分考虑三种方法，为保持一致性，河段配水和水库调度采用相同的方法。

二、河段配水方法

本次建立的河段配水模型采用三种配水方法，即同倍比配水、按权重配水和面向对象的协商配水，下面分别作简要介绍。

（一）同倍比配水

同倍比配水是最简单、最具可操作性的配水方法。

设第 i 个灌区需引黄水量为 WX_i，总需引黄水量为 TW，则：

$$TW = \sum_{i=1}^{m} WX_i \tag{6-10}$$

式中　m——灌区总数。

设黄河可供水量为 WA，根据 WA 和 TW 确定各灌区相同的折扣系数 λ，即：

$$\begin{cases} \lambda = 1.0 & (WA \geqslant TW) \\ \lambda = WA/TW & (WA < TW) \end{cases} \tag{6-11}$$

根据折扣系数 λ，可以得到灌区的分配水量 WD_i：

$$WD_i = \lambda \cdot WX_i \tag{6-12}$$

显然，同倍比配水不是最好的方法，因为它没有考虑灌区土壤墒情、预报降水、作物种植结构、作物缺水敏感程度以及用户保证程度等因素的影响，对那些夸大需水要求的灌区所分配的水量明显偏多，且在时空分布上缺乏说服力。

（二）按权重配水

黄河下游引黄灌区范围广，南北相差约3个纬度，跨黄河、淮河和海河三大流域。灌区土壤墒情、预报降水、作物缺水敏感程度和作物种植结构等在时空上存在着客观的差异，对于某一时段来讲，各灌区的缺水严重程度不同，有时相差极大。河段配水不应对所有灌区“一视同仁”，应重点保证严重缺水灌区的抗旱用水，力争把缺水造成的损失降低到最低限度，避免“大锅水”和“平均主义”。以权重 θ_i 表示 i 灌区的缺水紧张程度，θ_i 越大则缺水越严重。

用 i 灌区的权重 θ_i 乘以其需水量 WX_i，得到修正需水量 WX'_i，即：

$$WX'_i = \theta_i \cdot WX_i \tag{6-13}$$

我们把 i 灌区加权前的需水量 WX_i 称做原需水量。

设总的修正需水量为 TW'，则：

$$TW' = \sum_{i=1}^{m} WX'_i \tag{6-14}$$

设黄河可供水量为 WA，根据 WA 和 TW'，可以得到折扣系数 λ，即：

$$\lambda = WA/TW' \tag{6-15}$$

因此，对 i 灌区分配水量 WD_i 为

$$WD_i = \lambda \cdot WX'_i \tag{6-16}$$

对于权重 $\theta(i)$ 大的灌区，其修正需水量 WX'_i 对总加权需水量 TW' 的比值和原需水

量 WX_i 对总需水量 TW 的比值相比要变大，权重小的灌区则正好相反。因此，对于权重大的灌区其按权重配水要比同倍比配水大，权重小的灌区其按权重配水要比同倍比配水小，从而重点保证了严重缺水灌区的抗旱用水。

按权重配水比同倍比配水前进了一步，因为它通过赋予严重缺水灌区相对较大的权重，来增加该灌区的配水量，减少缺水损失，体现了优化配水的思想，使得水量分配更趋合理、公正，同时按权重配水具有较强的时效性，在时空分布上更有说服力。

(三)协商配水

协商配水是用户根据其经验判断，在同倍比配水或按权重配水的基础上，对一个或多个灌区配水量进行调整的配水方法。

设 i 灌区初始配水量为 WD_i。用户对 i 灌区配水量 WD_i 进行调整，设调整量为 ΔW，则调整后配水量 WD'_i 为

$$WD'_i = WD_i + \Delta W \tag{6-17}$$

由于 i 灌区配水量发生改变，其他灌区配水量也要发生相应的变化，本次采用同比例缩放法，即：

$$WD'_j = WD_j - \Delta W \cdot \frac{WD_j}{\sum\limits_{\substack{k=1 \\ k \neq i}}^{m} WD_k} \quad (j = 1,2,\cdots,m; j \neq i) \tag{6-18}$$

对上述配水如果仍不满意，可以继续调整，直至用户满意为止。

协商配水比较灵活，给用户很大的自主权，增加了决策的艺术性，但任意性较大，配水是否合理，在很大程度上依赖于决策支持信息是否完备，决策者的知识、经验是否丰富以及其素质是否良好等。

三、月、旬河段配水模型

在河段配水时，城市生活、工业和生态用水采用简化处理，即全部满足，那么月、旬河段配水模型主要是针对农业灌溉进行水量分配。

(一)月河段配水模型

月河段配水主要是为了制定或调整水量调度预案，时段步长为月，采用同倍比配水方法。

水库调度在考虑水流传播时间影响时，对下游各河段的需水量、滩区用水和河道损失都相应地向后错一个时段计算，后错时段长度为小浪底到该河段下断面的传播时间。对应于 t 时段的小浪底泄流 q_{2t}，下游各河段的需水量 WX'_{it}、滩区用水 WT'_{it}、河道损失 WS'_{it}和支流来水量 WZ'_{it}分别为

$$WX'_{it} = \int_{pt(i) \leqslant s < pt(i)+\Delta T(t)} QX'_{is} \mathrm{d}s \tag{6-19}$$

式中 QX'_{is}——i 河段 s 时刻需水流量；

$\Delta T(t)$——t 时段长度；

$pt(i)$——i 河段水流传播时间。

$$WT'_{it} = \int_{pt(i) \leqslant s < pt(i)+\Delta T(t)} QT'_{is} \mathrm{d}s \tag{6-20}$$

式中 QT'_{is}——i 河段 s 时刻滩区需水流量；

其他符号含义同前。

$$WS'_{it} = \int_{pt(i) \leqslant s < pt(i)+\Delta T(t)} QS'_{is} \mathrm{d}s \tag{6-21}$$

式中 QS'_{is}——i 河段 s 时刻河道损失流量；

其他符号含义同前。

$$WZ'_{it} = \int_{pt(i) \leqslant s < pt(i)+\Delta T(t)} QZ'_{is} \mathrm{d}s \tag{6-22}$$

式中 QZ'_{is}——i 河段 s 时刻支流来水流量；

其他符号含义同前。

由于滩区用水和河道水量损失是不可控制的，在进行河段配水之前应予以扣除。设扣除滩区用水和河道水量损失后的黄河可供水量为 $WA(t)$，利用前面所介绍的同倍比配水方法，可以得到各河段分配水量 WD'_{it}，利用水量平衡方程可以得到断面流量 $\overline{Q}'_{it}$。

由于 WD'_{it}是和小浪底 q_{2t}泄水相对应的，对于 t 时段来讲，它们都错后一个时段，这个错后时段正好等于小浪底到该河段下断面的水流传播时间。为便于监督管理，仅仅得到 WD'_{it}和$\overline{Q}'_{it}$是不够的，必须得到正常时段的河段配水 WD_{it}和断面流量$\overline{Q}_{it}$：

$$WD_{it} = \int_{0 < s \leqslant \Delta T(t)} QD'_{is} \mathrm{d}s \tag{6-23}$$

式中 QD'_{is}——i 河段 s 时刻配水流量。

$$\overline{Q}_{it} = \frac{\int_{0 < s \leqslant \Delta T(t)} Q_{is} \mathrm{d}s}{\Delta T(t)} \tag{6-24}$$

(二)旬河段配水模型

旬河段配水模型采用同倍比配水、按权重配水和用户协商配水方法。旬、月同倍比配水方法是一致的，只是时段长短不同，用户协商配水相对简单，所以下面重点介绍按权重配水。

本次利用模糊多因素、多层次综合评判法来评价各引黄灌区的配水权重，该方法在众多模糊数学教科书中都有详细介绍，此处不作赘述。

根据用水规律分析对配水的指导性意见和灌区实际情况，并考虑资料获取难易程度等因素，确定土壤墒情、预报降水、综合缺水敏感指数、地下水开采水平、正常灌溉率、供水效率和综合灌溉定额等 7 个评价指标，它们形成配水权重评价指标系统，如图 6-2 所示。

土壤墒情在一定程度上反映了灌区前期降水情况，土壤墒情差的灌区其配水权重应比其他灌区大；预报降水反映未来一定时期灌区可能的雨水补给，预报降水大的灌区土壤墒情将有很大改善，因此其配水权重要比其他灌区小；作物综合缺水敏感指数是指作物对缺水的"反应"，敏感指数越大，缺水造成的损失则越大，因此缺水敏感指数大的灌区其配水权重要比其他灌区大。土壤墒情、预报降水和作物综合缺水敏感指数是随时间而变化的，因此把这三个指标归纳为一类，称为实时信息指标。

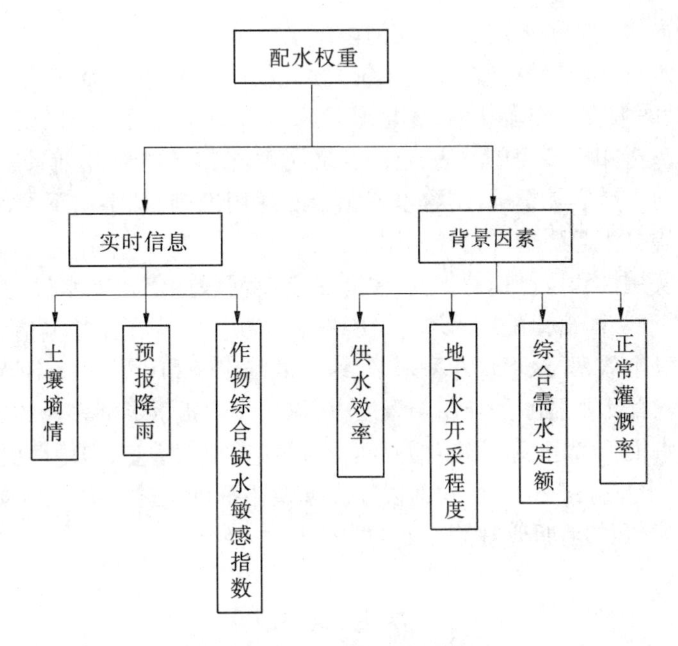

图 6-2　配水权重评价指标体系

地下水开采水平反映灌区是否充分利用当地地下水资源。地下水开采水平较低的灌区,其配水权重应比其他灌区小,以促使其充分利用当地地下水资源,减小黄河供水压力,防止土壤次生盐碱化;黄河下游引黄灌溉包括正常灌溉和补源灌溉两种类型,正常灌溉率是正常灌溉面积占总灌溉面积的比值,正常灌溉率大的灌区,其配水权重应比其他灌区大;供水效率反映了水资源浪费情况,供水效率低的灌区,水资源浪费严重,其配水权重应比其他灌区小,以督促其加强节水,提高供水效率。地下水开采水平、正常灌溉率、供水效率和综合灌溉定额这四个指标不随时间变化,但它们反映了传统灌溉习惯、节水导向等信息,称之为背景信息。

在确定配水权重时,实时信息的作用较大。

各个评价指标对于其分系统的重要程度或分系统对整个评价系统的重要程度是各不相同的,本次采用层次分析法确定其权重。

设 U 是下游河段集合,A 是"配水权重大河段"在 U 上的模糊集。在灌区当前旬各评价指标特征值已知的情况下,利用模糊多因素、多层次综合评判法可以得到 t 时段 i 灌区隶属于 $\underset{\sim}{A}$ 的隶属度 $\mu_{\underset{\sim}{A}}(i,t)$。根据隶属度可作为权重的原理,把 $\mu_{\underset{\sim}{A}}(i,t)$作为 i 灌区 t 时段的配水权重 θ_{it},即:

$$\theta_{it} = \mu_{\underset{\sim}{A}}(i,t) \tag{6-25}$$

根据按权重配水方法进行配水,得到 WD'_{it}和 $\overline{Q}'_{it}$后,按式(6-23)和式(6-24)计算正常时段河段分配水量 WD_{it}和断面流量 $\overline{Q}_{it}$。

第四节　小　结

在归纳现有水资源分配方法的基础上,结合黄河下游实际情况,提出三种河段配水方法，并根据这些方法建立了相应的月、旬河段配水模型。

(1)对现有水资源配置模型进行了系统总结，根据模型算法，将其分为优化配置模型和折扣配置模型两大类。作者认为，优化配置模型由于效益函数难以获得，缺乏实用性，但适合理论研究；折扣模型简单灵活，物理意义明确，在生产中应用前景广阔。

(2)根据黄河下游实际情况，结合水资源分配通用准则，拟定出下游河段配水基本准则，对下游水资源分配起到宏观指导作用。

(3)从模型实用性和可操作性出发，建立了下游河段同倍比配水模型、按权重配水模型和协商配水模型。同倍比配水简单、实用；按权重配水考虑了土壤墒情、预报降水、综合缺水敏感指数、供水效率、地下水开采水平、综合灌溉定额和正常灌溉率等七个因素，具有科学性；用户协商配水加强了用户参与程度，可以给用户提供灵活多样的决策支持。

(4)河段配水模型考虑了水流传播时间，比以往有很大进步，实用性更强。

从指导实时水量分配来看，所建河段配水模型还有待于进一步改进，如考虑增加配水效果评价和水量分配的监督管理等方面的内容。

参 考 文 献

[1] N. 伯拉斯. 水资源科学分配. 北京：水利电力出版社，1984
[2] 曾赛星，李寿声. 灌溉水量分配大系统分解协调模型. 河海大学学报，1990(1)：67～74
[3] 唐德善. 缺水地区水资源优化分配模型研究. 河海大学学报，1992(2)：35～43
[4] 唐德善. 大流域水资源多目标优化分配模型研究. 河海大学学报，1992(6)：40～47
[5] 黄强. 黄河干流水库联合实施调度及智能决策支持系统研究. 西安：西安理工大学，1995
[6] 陈守煜. 模糊水文学与水资源系统模糊优化原理. 大连：大连理工大学出版社，1989
[7] 邱林. 模糊水文学. 郑州：黄河水利出版社，1995
[8] 郭元裕. 系统工程及其在农田水利方面的应用(一). 农田水利与小水电，1984(3)：27～30
[9] 叶秉如. 水利系统优化规划和调度. 河海大学水文系，1987

第七章　三门峡以下地区最小生态环境需水量研究和水环境保护对策

第一节　河流水环境和水生态概况

一、入河排污口概况

(一)入河排污口废污水和污染物排放情况

据1998年的排污口调查资料统计,黄河三门峡以下共有11个排污口,其中小浪底—花园口河段8个,高村—泺口河段3个(其中有1个排污口很少排污,监测时不排污)。小浪底库区段,由于水库建设移民搬迁的要求,排污口调查时已无直接排向黄河的排污口;其他河段由于黄河堤防的制约和管理工作的要求,没有污水排放口排向黄河。另外,黄河小浪底—花园口河段,新、老蟒河实际上已经成为济源、孟县、温县等城市或乡(镇)的排污沟,主要污染指标COD、氨氮等的浓度已经超过或远远超过污水排放标准,本次研究工作也将其视为入河排污口进行评价。这样,黄河三门峡以下入黄排污口的数量就为13个,实际排放的排污口共有12个。

三门峡以下12个排污口排入黄河干流的污废水总量为3.83亿t,主要污染物COD排放量为9.85万t,氨氮排放量为1.18万t,总磷和石油类排放量分别为855 t和368 t,挥发酚、氰化物、总砷、总汞、六价铬、总铅、总镉等7种污染物合计排放量为79.6 t。上述11种污染物的总排放量为11.16万t。在12个排污口中,新、老蟒河的废污水排量分别占总排放量的38.5%和44.0%,两河合计占全河段的废污水总量的82.5%;两条河流排放的11种污染物分别占总排放量的21.8%和56.8%,两河合计占全河段的污染物总量的78.6%。可见新、老蟒河排污沟不但排放的废污水量大,排放的污染物量也属最多。除新、老蟒河外,河南省的孟州一干渠和山东省的翟庄闸废污水和污染排放量也很大,其中孟州一干渠的废污水和污染物排放量分别占总排放量的3.1%和10.8%,翟庄闸的废污水和污染排放量分别占总排放量的5.2%和7.2%。黄河三门峡以下的入黄排污量按河段划分,以河南省的小浪底—花园口河段最多,废污水量和污染物排放量分别占总排放量的94.7%和92.7%,山东高村—泺口河段仅占总排放量的5.3%和7.3%。三门峡以下各排污口和分河段废污水、污染物入黄情况见表7-1。

黄河三门峡以下入黄排污口,排放的污染物主要是有机污染综合指标COD和氨氮,两者的合计等标污染负荷比,按污水排放标准评价占90.1%,按地面水环境质量Ⅴ类标准评价占91.3%,说明三门峡以下的主要污染指标为COD和氨氮。从污染源管理的角

表 7-1　　黄河三门峡以下废污水和污染物排放量及其所占比列　　(单位:t)

序号	排污口名称	COD	氨氮	总磷	挥发酚	氰化物	石油类	总砷	总汞	六价铬	总铅	总镉	污染物总量		废污水总量	
													t/a	占(%)	万 t	占(%)
1	小浪底桥沟	185	14.72	3.017	0.282	0	10.91	0	0	0.058	0	0	214.0	0.19	956.3	2.5
2	小浪底二标生活污水	10.8	1.45	0.243	0	0	0.28	0.002	0	0	0	0	12.77	0.01	15.82	0
3	白鹤磷肥化肥厂	113.4	1300	0.74	0.012	0.497	1.38	1.225	0	0	0	0	1417	1.27	158	0.4
4	首阳山电厂渣场	24.8	2.55	2.563	0.008	0	0	0.447	0	0.032	0	0	30.4	0.03	798.6	2.1
5	孟津县小寨造纸厂	907.7	1.55	1.99	0.023	0.011	0.56	0.049	0	0	0.081	0.004	911.9	0.82	64	0.2
6	洛阳石化总厂	233.7	47	3.179	0.019	0.001	13.94	0.054	0	0	0	0	297.9	0.27	389.4	1.0
7	杨村沟	743.1	69.34	8.054	0.038	0	2.43	0.173	0	0	0	0	823.1	0.74	1 125.4	2.9
8	新蟒河	22 391	1 330	413	2.354	0	145.1	2.387	0	0	0	0	24 283	21.76	14 717	38.5
9	老蟒河	58 636	4 192	322.6	34.5	0	168.6	4.772	0	0	0	0	63 359	56.78	16 819	44.0
10	孟州一干渠	11 453	511.8	84.96	24.2	0	16.19	0.467	0	0	0	0	12 091	10.84	1 198.4	3.1
11	龙桥造纸厂	80	1.34	0.053	0.006	0.001	0.18	0.003	0	0	0	0	81.58	0.07	16.5	0
12	翟庄闸	3 715.7	4 313	14.62	0.093	6.657	8.86	0.504	0.000 6	0	0.568	0	8 060	7.22	1 997.8	5.2
13	鲁雅制药厂												0	0		0
13 个排污口合计		98 494	11 786	855	61.6	7.17	368	10.09	0.000 6	0.09	0.649	0.004	111 582	100	38 256	100
三门峡—小浪底		0	0	0	0	0	0	0	0	0	0	0	0	0.	0	0
小浪底—花园口		94 698	7 471	840	61.5	0.51	359	9.58	0	0.09	0.081	0.004	103 440	92.7	36 242	94.7
花园口—高村		0	0	0	0	0	0	0	0	0	0	0	0	00	0	0
高村—泺口		3 796	4 315	15	0.1	6.66	9	0.51	0.000 6	0	0.568	0	8 142	7.3	2 014	5.3
泺口—垦利		0	0	0	0	0	0	0	0	0	0	0	0	0	0	0
垦利—河口		0	0	0	0	0	0	0	0	0	0	0	0	0	0	0

度看,COD 和氨氮的污染负荷量分别占 10 类污染总负荷量的 30.5% 和 60.8%。说明若按照达标排放控制三门峡以下的入黄排污口,COD 的难度略高于氨氮,若按照地表水环境质量标准控制入黄排污口,氨氮的难度大于 COD。除 COD 和氨氮外,其他污染物的等标污染负荷比一般都很低。最高的挥发酚,按照污水排放标准评价占 6.3%,按照地面水环境质量标准评价占 4.8%;石油类的等标污染负荷比占 1.9%~2.9%,其他污染物的等标污染负荷比就更低。

(二)主要支流排污概况

除直接通过排污口、排污沟进入黄河干流的污染物外,三门峡以下各主要城镇的废污水还有一部分是通过支流进入干流的。1998 年黄河干流入河排污口调查,共调查得三门峡以下主要支流 20 多条,其中排污能够构成对黄河水影响的支流有 9 条(以单项污染参数劣Ⅳ地面水标准为控制),它们分别是洛河、沁河、天然文岩渠、汜水河、枯水河、北沙河,以及排污量不大,位于小浪底库区内的王沟河、槐扒河和西弯河等。黄河下游的大汶河、金堤河等支流，虽然污染严重，接纳的废污水排放量也很多，但由于大汶河污水进入东平湖后，基本不能进入黄河干流，金堤河污水由于黄河河床升高等原因，也基本上全年不进入黄河。另外，本研究考虑到黄河支流水量丰、平、枯变化大的因素，评价时仅选用对污染控制和环境需水计算具有重要意义的枯水期的实测值进行评价。

在黄河三门峡以下的9条支流中，枯水期入黄河水量和污染物量最大的支流是洛河，平均每日入黄河水量为432万t，污染物量为112.3 t；其次是沁河，平均每日入黄河水量为72万t，污染物量为49.0 t。两条支流平均每日入黄河的水量占9条支流总和的97.9%，其中洛河占83.9%、沁河占14%；两条支流污染物量合计占9条支流总量的96.5%，其中洛河占67.2%、沁河占29.3%。除洛河、沁河外，其他支流的水量和污染入黄量一般都很小，只有北沙河的污染物总量能够占到9条支流污染物总量的1.5%，其他支流均小于总量的1%。其中小浪底库区的王沟河、槐扒河、西弯河的污染物总量合计仅占9条支流0.2%；汜水河、枯水河、天然文岩渠、北沙河等4条支流的入黄污染物总量占9条支流入黄总量的3.3%。由此可见，三门峡以下对黄河干流污染影响最大的支流主要是洛河和沁河。见表7-2。

表7-2　三门峡以下主要支流枯水期水量和污染物入黄河量　(单位:kg/d)

项目	王沟河	槐扒河	西弯河	洛河	汜水河	沁河	枯水河	天然文岩渠	北沙河	合计
COD	181.4	20.0	95.0	99 360.0	593.6	46 981.6	1 068.2	1 188.0	2 360.1	151 847.9
氨氮	0	1.3	1.7	8 121.6	31.2	850.3	4.9	127.0	149.1	9 287.1
总磷	0	0.1	0	1 831.7	2.3	122.5	1.0	8.6	28.1	1 994.3
挥发酚	0	0	0.3	13.0	0.2	32.4	0	0.1	0.2	46.2
氰化物	0	0	0	0	0	0	0	0	0.2	0.2
石油类	15.8	0.2	0.3	3 024.0	4.4	972.8	2.7	8.2	2.6	4 031.0
总砷	0	0	0	0	0.2	0	0.4	0.7	0.5	1.8
总汞	0	0	0	0	0	0	0	0	0	0
六价铬	0	0	0	0	0	0	0	0	0	0
总铅	0	0	0	0	0	0	0	2	0	2.3
总镉	0	0	0	0	0	0	0	0.2	0	0.2
污染物合计	197.2	21.6	97.3	112 350.3	631.9	48 959.6	1 077.2	1 334.8	2 540.8	167 211.0
支流水量(万t/d)	1.2	0.1	0.1	432.0	0.9	72.1	1.9	4.3	2.6	515.1
占总水量(%)	0.2	0	0	83.9	0.2	14.0	0.4	0.8	0.5	100
占污染物总量(%)	0.1	0	0.1	67.2	0.4	29.3	0.6	0.8	1.5	100

按照综合排放标准一级现有值进行评价，三门峡以下支流的主要污染物依次为COD、氨氮、石油类和挥发酚，四种污染物的等标污染负荷量占参与评价的10种污染物负荷量的99.7%，其中COD占57.5%、氨氮占23.4%、石油类占15.3%、挥发酚占3.5%。按照地表水环境质量Ⅴ类标准评价，四种污染物的等标污染负荷比也为99.7%，所不同

的是 COD 的等标污染负荷比降为 36.1%，氨氮的等标污染负荷比增加为 36.8%，其他污染物石油类、挥发酚分别为 24.0% 和 2.7%，与按污水综合排放标准的等标污染负荷比相当。这种情况说明，三门峡以下各主要支流的污染及其对黄河干流的影响，以有机物综合指标 COD 和氨氮、石油类、挥发酚为主，其他污染物对黄河干流的污染影响不显著。

二、黄河干流水质污染概况

水质污染现状评价选取 pH 值、溶解氧、高锰酸盐指数(COD_{Mn})、生化需氧量(BOD_5)、氨氮、亚硝酸盐氮、硝酸盐氮、挥发酚、氰化物、石油类、总砷、总汞、六价铬、总铜、总铅、总镉等 16 项参数作为评价因子。评价标准采用 GB3838—88《地面水环境质量标准》(其中氨氮指标采用 GHZB1—1999《地表水环境质量标准》)进行分类。评价资料选用 1997～1999 年黄河水质监测资料，分汛期和非汛期两个时段。评价方法选用单因子地图叠加法，以单项污染最重的因子作为定级的依据，并分时段计算Ⅲ类水质的保证率和氨氮因子的超标倍数。评价结果见表 7-3。

从表 7-3 可见，黄河三门峡以下水质污染严重，全河段的年平均污染状况，除小浪底库区外，均为Ⅳ类或Ⅴ类。其中，三门峡和花园口两个断面的污染最为严重，年平均污染状况为Ⅴ类。按汛期、非汛期的污染状况划分，非汛期的污染状况显著重于汛期，这可能主要是因为非汛期水量小、排污量相对较大的缘故。黄河水质污染主要因子是氨氮、高锰酸盐指数和挥发酚等，其中以氨氮的污染最为严重，全河段基本普遍受到氨氮的影响；三门峡和花园口两断面的氨氮超标倍数均在 1 倍以上，其他河段污染较轻，但也有显著的超标现象。Ⅲ类水质保证率的情形与水质类别和氨氮超标倍数的情况相反，以三门峡和花园口的保证率低，其他河段的保证率相对较高，即水质污染愈重，Ⅲ类水的保证率就愈低。从花园口以下的氨氮超标情况和Ⅲ类水质保证率的情况看，愈往下游，水质污染愈来愈轻。这主要是由于两岸大堤的制约，排污加入很少，污染物自净、降解的缘故。

三、河流水生态和景观环境概况

(一)河流水生态

依据以往资料，黄河鱼类及生物多样性并不丰富，现知鱼类有 153 种(亚种)，还不及长江水系的 1/2，分隶于 14 目 29 科 93 属，其中淡水鱼 124 种，过河口及河口鱼类 29 种。淡水鱼类以鲤科居多，有 82 种，占鱼类组成的 53.6%，其他科的鱼类种群较少，一般在 10% 以下。黄河鱼类组成有明显的地域性差异。上游河源至贵德段，地处青藏高原，形成独特的高寒气候，鱼类区系种类少，仅有 16 种鱼类；贵德至孟津河段有鱼类 71 种，但缺乏平原型的自然种群；孟津以下至入海口共有鱼类 78 种，以中国平原复合体鱼类为主。黄河干流的鱼类产卵场、栖息地主要有小北干流的韩城段、伊洛河口段、花园口段和东平湖水库等河段或水域。黄河主要名贵鱼类为黄河鲤鱼，没有国家级需要特别保护的鱼类种群或其他生物群体。如长江的中华鲟、白暨豚，黑龙江的冷水鱼类，塔里木河的新疆大头鱼和塔里木裂腹鱼等。黄河鱼类不但种群少，捕获量也少，这可能主要源于黄河天然径流年内、年际变化大和泥沙含量高等因素的制约。近年来，黄河三门峡以下河道内天然鱼类捕获量基本为零(除水库库区外)，这主要是由于水量减少、水质污染和大坝阻拦等因素的作用。

表 7-3　　　　黄河干流三门峡以下水质现状评价结果一览

断面名称	距河口(km)	水期	水质类别	污染因子	氨氮超Ⅲ类倍数	Ⅲ类水保证率(%)
三门峡	1 025	汛期	Ⅴ	氨氮	1.46	8.3
		非汛期	Ⅴ	氨氮	1.14	8.3
		年平均	Ⅴ	氨氮	1.28	8.3
河水	958	汛期	Ⅲ	高锰酸盐指数、挥发酚		50.0
		非汛期	Ⅳ	氨氮	0.46	20.0
		年平均	Ⅲ	高锰酸盐指数、挥发酚	0.16	28.6
孟津	870	汛期	Ⅲ	高锰酸盐指数		33.3
		非汛期	Ⅴ	氨氮	1.18	16.7
		年平均	Ⅳ	氨氮	0.7	22.2
花园口	768	汛期	Ⅲ	高锰酸盐指数、挥发酚		50.0
		非汛期	Ⅴ	氨氮	1.94	0
		年平均	Ⅴ	氨氮	1.16	16.7
高村	579	汛期	Ⅲ	高锰酸盐指数		18.2
		非汛期	Ⅳ	氨氮	0.94	4.2
		年平均	Ⅳ	氨氮	0.2	8.6
艾山	386	汛期	Ⅲ	高锰酸盐指数		54.5
		非汛期	Ⅳ	氨氮	0.8	4.3
		年平均	Ⅳ	氨氮	0.06	20.6
泺口	278	汛期	Ⅲ	高锰酸盐指数		50.0
		非汛期	Ⅳ	氨氮	0.56	22.7
		年平均	Ⅳ	氨氮	0.08	31.2
利津	104	汛期	Ⅱ	高锰酸盐指数		57.1
		非汛期	Ⅳ	氨氮	0.34	22.2
		年平均	Ⅳ	氨氮	0.04	36.0

黄河三门峡以下鱼类产卵场、栖息地主要有伊洛河口和天然情况下的东平湖滞洪区。目前，东平湖滞洪区已经改建为东平湖水库，失去了与黄河的联系；伊洛河口鱼类产卵场由于黄河水量减少和污染加剧的影响，也已经基本失去了其应有的功能。

(二)河流景观环境

黄河三门峡以下以河流景观为特色的游览区主要有郑州邙山、东营黄河河口和新近开发的小浪底水库等。

郑州黄河游览区位于该市区西北 27 km 的黄河南岸。游览区以岳山、广武山一带为中心,古属于敖山。4 000年前大禹曾在此治水;周宣王曾于此筑“践土台”大会诸侯;楚晋曾于此会战;韩国曾于此修建汴渠;楚汉相争时期,刘邦和项羽隔广武涧对峙,并割鸿沟以“中分天下”;汉末时期曹操曾驻军于广武;唐朝修建了昭成寺果园庄;五代建彦章寨;明朝修飞龙顶,还有敖仓遗址、河阴输场等。尤其在明清时期,这里山河壮丽、竹树环合,形成了远近闻名的荥泽八景:纪庙丰碑、黄河古渡、岳山耸翠、隋堤烟柳、鸿沟暮云、广武晴岚、惠济长桥、古城牧唱。1952年,毛泽东主席登上岳山的小顶山视察黄河,发出了“要把黄河的事情办好”的号召。

黄河河口旅游区位于三角洲的东营市。从景观资源上看,以黄河入海口为代表,融广袤、古朴、新奇、野趣于一体的河口景观、湿地景观、草场景观和海滩景观等自然景观构成了独特的旅游资源。黄河河口保护区堪称珍禽的乐园,已发现有269种鸟类在此栖息,数量约在1 000万只以上。黄河三角洲的鸟类约占全国鸟类总数的22.3%,其中包括国家一级重点保护鸟类丹顶鹤、白头鹤、白鹳、大鸨等7种,国家二级重点保护鸟类大天鹅、灰鹤、白枕鹤等34种,列入《濒危野生动植物种国际贸易公约》的鸟类40种。

黄河小浪底是一座具有防洪、防凌、减淤、供水和发电等综合效应的特大型控制性工程。黄河小浪底风景区西起黄河八里胡同,东至坡头西滩,长50 km,景区位于河南省三点一线黄金旅游线上,距郑州130 km,距九朝古都洛阳40 km。景区按区位分为西滩景区、大坝景区、张岭半岛景区、孤山峡景区。龙山文化、仰韶文化、新石器早期文化在此都有遗址。

(三)河口湿地生态环境和生物多样性

黄河河口三角洲湿地总面积40.2万 hm^2(以东营市为代表),其中浅海湿地16.8万 hm^2,占41.2%;滩涂面积10.2万 hm^2,占25.4%;河流水面1.59万 hm^2,占4.0%;水库水面1.36万 hm^2,占3.4%;坑塘苇地4.20万 hm^2,占10.4%;沟、渠和水工建筑物占地5.72万 hm^2,占14.2%;其他湿地0.35万 hm^2,占0.86%。黄河三角洲分区、分类湿地面积见表7-4。

表7-4 **黄河三角洲各类湿地面积** (单位:hm^2)

县(市)区	浅海湿地	滩涂面积	河流水面	水库水面	坑塘苇地	沟渠水工建筑物占地	其他湿地	合计	占全市(%)
全市	168 000	101 915	15 950	13 601	41 966	57 237	3 463	402 132	100
东营区	12 759	11 055	1 155	8 071	7 600	14 814	700	56 154	14.0
河口区	85 064	43 050	2 821	4 104	15 136	9 472	700	160 347	39.9
垦利县	63 797	32 658	7 095	1 384	11 787	13 702	700	131 123	32.6
利津县	0	12 974	3 009	38.65	4 758	7 914	700	29 394	7.3
广饶县	6 380	2 178	1 870	3.393	2 684.7	11 335	663	25 114	6.2

黄河河口三角洲湿地的分布是沿海县、区面积广阔,分布集中,随着向内陆的深入,主要湿地面积逐渐减少,分布也较零散。其中以河口区拥有湿地面积最多,湿地面积数为 160 347 hm^2,占整个三角洲总湿地面积的 39.9%;其次是垦利县,拥有湿地面积 131 123 hm^2,占 32.6%;东营区湿地面积为 56 154 hm^2,占 14.0%;利津县和广饶县湿地面积较少,分别为 29 394 hm^2 和 25 114 hm^2,分别占湿地总面积的 7.3%和 6.2%。黄河三角洲陆上湿地面积(不含浅海湿地)与土地面积相比,以垦利县所占的比值最高,为 37.07%;再次是河口区,为 35.99%;东营区和利津县,湿地面积占土地面积的比例分别为 25.1%和 24.4%;广饶县为 16.9%。全三角洲湿地面积与土地面积之比值的平均值为 30%。见表 7-5。

表 7-5　土地面积与湿地面积(不含浅海湿地)统计

县(市)区	湿地面积(hm^2)	土地总面积(hm^2)	湿地占土地总面积(%)
东营区	28 949.6	115 562.0	25.05
河口区	76 965.6	213 879.1	35.99
垦利县	77 593.3	209 288.7	37.07
利津县	31 431.2	128 690.5	24.42
广饶县	19 191.1	113 787.3	16.87
总计	234 130.8	781 207.6	30.0

黄河三角洲地区已经划为国家级自然保护区的湿地面积为 15.3 万 hm^2。其中核心区面积为 7.9 万 hm^2,缓冲区面积为 1.1 万 hm^2,实验区面积为 6.3 万 hm^2。该区域地理位置优越,生态类型独特,是中国暖温带保存最完整、最广阔、最年轻的湿地生态系统,是东北亚内陆和环西太平洋鸟类迁徙的主要“中转站”、越冬栖息地和繁殖地。保护区内有水生生物资源 800 多种,其中属国家重点保护的有文昌鱼、江豚、松江鲈鱼等;有野生植物上百种,属国家重点保护的濒危植物野大豆和性能优良的中草药分布广泛;各类鸟类 187 种,列为中日候鸟保护协议的有 108 种,其中属国家一级重点保护的野生动物有丹顶鹤、白头鹤、白鹳、金雕、大鸨等,属国家二级重点保护的野生动物有大天鹅、小天鹅、灰鹤、蜂鹰等 30 余种,各种鹭类、鹰鸭类水禽不但种类多,数量也极为丰富。保护区范围位于黄河现行河道及其故道两岸。

(四)河口海域生态环境和生物多样性

渤海面积为 7.7 万 km^2,平均水深为 18 m。北有辽东湾,西有渤海湾,南有莱州湾。由于有黄河、海河、辽河、滦河等江河径流所挟带的大量泥沙堆积,所以深度较浅。渤海中部略深,海峡口最大处深度可达 70 m,是黄海与渤海交换水流的惟一通道。由于它和黄海相连,因此在生物的组成上基本和黄海相同。只有少数几种是自己的特有种,游泳生物和底栖生物都是如此。在海洋生物地理区划中,黄海、渤海区均属北太平洋区东亚亚区。由于渤海为内海,沿岸河川径流较多,各种营养物质远较黄海丰富。因此,它是各种鱼、虾、蟹类的产卵繁殖和肥育的优良场所,素有“鱼虾类摇篮”之称。

黄河河口及其附近海域的鱼类有112种,全年以暖温性种群居多(如皱唇鲨、孔鳐、青鳞鱼、凤鲚、鲈等),在冬季和夏季还分别出现少量冷温性种群和暖水性种群。其生物学特点主要取决于种群的适应性和环境的水温变化等。

第二节　河道内生态环境需水量计算

一、河道水生态和景观环境需水量

(一)计算方法

保护河道内水生态的计算方法一般是基于这样一种假设:保护水生生物指示种,例如虹鳟鱼、鲑鱼等栖息地所需的水量,与保护整个生境所需的水量是相同的。河道内生态环境需水量计算方法可分为现场法和非现场法,现场法计算生态环境需水量需要有比较翔实的水生物栖息地的河道、水文、生物等方面的同步观测资料。对于黄河下游的情况而言,河道水流游荡、摆动,生物多样性并不丰富,本次工作采用非现场法计算生态环境需水量。

非现场法生态环境需水量计算方法也叫Montana法或Tennant法。该方法以河流水生态健康情况下的多年平均流量观测值为基准,将保护水生态和水环境的河流流量值分为最大允许值、最佳范围值、极好状态值、非常好状态值、一般好状态值,以及中或差状态值、差或最小状态值和极差状态值等,共6个底限标准、一个高限标准和一个最佳范围标准。在上述6个底限标准中,又依据水生物对环境的季节性要求不同,分为4～9月鱼类产卵、育肥期和10月～翌年3月的一般用水期,推荐的标准值是以河流健康状况下多年平均流量值的百分数为基础。见表7-6。

表7-6　保护水生生态等有关环境资源的河流流量状况标准

不同流量比值的描述	推荐的基流标准(多年平均流量值的百分数)		说明
	一般用水期(10月～翌年3月)	鱼类产卵育幼期(4～9月)	
最大	200	200	适用于各类用途的河道内生态环境用水
最适宜的范围	60～100	60～100	
表现突出	40	60	适用于鱼类产卵场、栖息地和特别重要的景观娱乐河段
极好	30	50	
好	20	40	
尚可或有退化	10	30	
很差或最小	10	10	适用于没有特别要求的一般河段
严重退化或不可利用	<10	<10	

要使河段具有鱼类栖息和产卵、育幼等生态功能，必须保持河道水面、流量处于上佳状态，以便使其具有适宜的浅滩水面和水深。对一般河流而言，河道内流量占年平均流量的 100% ～60%，河宽、水深及流速将为水生生物提供优良的生长环境，大部分河道急流与浅滩将被淹没，只有少数卵石、沙坝露出水面，岸边滩地将成为鱼类能够游及的地带，岸边植物将有充足的水量，无脊椎动物种类繁多、数量丰富；对捕鱼、划船及大游艇航行要求都可满足。河道内流量占年平均流量的 60% ～30%，河宽、水深及流速一般是令人满意的。除极宽的浅滩外，大部分浅滩能被淹没，大部分边槽将有水流，许多河岸能够成为鱼类的活动区，无脊椎动物有所减少，但对鱼类觅食影响不大；可以满足捕鱼、筏船和一般旅游的要求，河流及天然景色还是令人满意的。河道流量 5% ～10%，对于大江大河仍有一定的河宽、水深和流速，可以满足鱼类洄游、生存和旅游、景观的一般要求，是保持绝大数水生物短时间生存所必需的瞬时最低流量。

非现场法生态环境需水量计算，适合于水生物优先度不高的河流或河段。在法国，《乡村法》中第 232.5 条规定：河流最低生物流量不应小于多年平均流量的 1/10；对于所有河流，或者部分河流，如果其多年平均流量大于 80 m^3/s，此时政府可以给每条河制定法规，但最低流量的下限不得低于多年平均流量的 1/20。

（二）在黄河上的应用及计算结果

黄河泥沙含量高，天然径流季节性变幅大，下游属游荡性的沙质河床，河道形态和水流边界条件具有随季节性变化和来水、来沙条件变化的特点。7～10 月水量丰，泥沙含量高，河道以淤积为主，月水量占年水量的比例为 14% ～17%；11 月～翌年 6 月，黄河水量枯，泥沙含量低，下游河道以冲刷为主，月水量占年水量的比例一般为 3% ～7%，其中 12 月～翌年 2 月水量最枯，月水量仅有年水量的 3%左右。除水库库区外，黄河三门峡以下的鱼类产卵场、栖息地，目前仅有伊洛河口段尚有一定的功能，鱼类的产卵、育幼期主要在 4～6 月；其他河段基本上属于一般的鱼类通游和洄游“通道”。因此，总体上说，其水生物的优先度不高，适合于使用非现场方法进行需水量计算。沿河水景观环境仅有邙山旅游区为国家级的旅游区，另外还有省、市级确定的郑州花园口和东营黄河河口旅游景点区，旅游区内的水上娱乐项目很少，不是主要的旅游收入之一。旅游季节的高峰期一般也为 4～6 月，但夏、秋季节也有相当的游客数量。

鉴于上述，我们将黄河下游生态环境需水量的季节性划分为 4～6 月、7～10 月、11 月～翌年 3 月 3 个时段，各时段的生态环境最小需水量底限标准，以河流水生态、水环境尚属于健康状态的 50 年代平均径流量为基数，以各水期流量平均值的 100% ～60% 为最佳状态，60% ～30% 为上好状态，30% ～20% 为尚可状态，并将 10% 和 5% 的平均流量定义为可忍受的最小流量和极端最小流量。同时，考虑到黄河泥沙输送的特殊性，认为汛期 7～10 月黄河水量以输沙用水调度为主，兼顾生态用水。由此计算出的各水文断面流量见表 7-7。

依据黄河三门峡以下水生态和水环境的功能类型和特点，本研究将三门峡以下水生态和景观环境功能归结为 4 个不同的级别：①鱼类产卵场、栖息地，重要程度 A 级，4～6 月环境水量保持在最佳状态，其他季节保持在上好状态；②国家级重点观光旅游区，重要程度 B 级，4～6 月环境水量保持在上好状态，其他季节保持在尚可状态 ；③没有划定

表 7-7　　黄河三门峡以下不同生态环境状态河道内流量计算值　　（单位：m^3/s）

占同期平均流量（%）		最佳状态 100%～60%		尚好状态 40%～30%		尚可状态 20%	最小流量 10%～5%	
		100%	60%	40%	30%	20%	10%	5%
三门峡	4～6月	949	570	380	285	190	95	47
	7～10月	2 451	1 470	980	735	490	245	123
	11月～翌年3月	796	478	319	239	159	80	40
花园口	4～6月	992	595	397	298	198	99	50
	7～10月	2 804	1 683	1 122	841	561	280	140
	11月～翌年3月	872	523	349	262	174	87	44
高村	4～6月	927	556	371	278	185	93	46
	7～10月	2 800	1 680	1 120	840	560	280	140
	11月～翌年3月	834	500	333	250	167	83	42
孙口	4～6月	900	540	360	270	180	90	45
	7～10月	2 858	1 715	1 143	857	572	286	143
	11月～翌年3月	836	502	334	251	167	84	42
艾山	4～6月	953	572	381	286	191	95	48
	7～10月	2 862	1 717	1 145	859	572	286	143
	11月～翌年3月	891	535	357	267	178	89	45
泺口	4～6月	940	564	376	282	188	94	47
	7～10月	2 833	1 700	1 133	850	567	283	142
	11月～翌年3月	877	526	351	263	175	88	44
利津	4～6月	928	557	371	278	186	93	46
	7～10月	2 811	1 686	1 124	843	562	281	141
	11月～翌年3月	836	502	334	251	167	84	42

为观光旅游区的大中城市河段和国家一级交通干线与黄河相交的河段，重要程度C级，4～6月环境水量保持在尚可状态，其他季节保持在最小流量状态；④没有特定要求的河段，应达到鱼类能够畅通洄游和整条黄河（下游）不能断流的基本流量，重要程度D级，一般情况下应不低于同期基准流量的10%，极端情况下不低于5%。由此划分的三门峡以下各河段的功能及其河道流量控制要求见表7-8。

根据表7-7和表7-8，本研究计算确定的黄河三门峡以下生态环境最小流量值见表7-9。

表 7-8　　　　**黄河三门峡以下河流生态环境功能划分及需水量控制要求**

类别划分	河段名称	河段范围	水生态、环境功能	河道流量控制要求
A级	伊洛河口	伊洛河口上游5 km至汜水河口	鱼类产卵场、栖息地	4～6月水量保持在50年代同期流量的60%以上，11月～翌年3月保持在30%以上
B级	郑州邙山	邙山提灌站上游5 km至郑州铁桥	国家级黄河旅游区，具有进一步开发的潜力	4～6月环境水量保持在50年代同期流量的30%以上，11月～翌年3月保持在20%
C级	开封柳园口	黑岗口仁渡至开封柳园口	具有近期开发为黄河游览区的潜力	4～6月环境水量保持在50年代同期流量的20%以上，11月～翌年3月保持在10%
	济南	黄河铁路桥至邢家渡	具有近期开发为黄河游览区的潜力	4～6月环境水量保持在50年代同期流量的20%以上，11月～翌年3月保持在10%
	东营黄河河口	胜利大桥至入海口	省市级黄河旅游区	4～6月环境水量保持在50年代同期流量的20%以上，11月～翌年3月保持在10%
D级	其他河段		保持黄河不断流及未来环境和水上娱乐功能开发	最小流量不低于50年代同期流量的10%，极端情况下不低于5%
其他要求	汛期7～10月份，输沙用水调度应兼顾生态环境，最小流量不得低于50年代同期流的10%			

表 7-9　　　　**黄河三门峡以下最小生态环境需水量的确定及其评价**

河段名称	包含水生态环境功能区	代表断面	计算最小流量(m^3/s)	归整建议最小流量(m^3/s)	适宜性评价
孟津—花园口	伊洛河口鱼类产卵场、栖息地，郑州邙山、花园口黄河游览区	花园口	4～6月:595 11月～翌年3月:262	4～6月:600 11月～翌年3月:300	满足
花园口—高村	开封柳园口黄河及滩区湿地游览区	高村	4～6月:185 11月～翌年3月:83	4～6月:500 11月～翌年3月:200	满足
高村—艾山	鱼类畅游和黄河形象保护	艾山	4～6月:90 11月～翌年3月:42	4～6月:450 11月～翌年3月:150	满足
艾山—泺口	济南黄河游览区	泺口	4～6月:188 11月～翌年3月:88	4～6月:400 11月～翌年3月:100	满足
泺口—利津	鱼类畅游和黄河形象保护	利津	4～6月:93 11月～翌年3月:43	4～6月:300 11月～翌年3月:50	满足
利津—入海口	黄河入海口观光游览区	入海口	4～6月:278 11月～翌年3月:173	4～6月:300 11月～翌年3月:50	基本满足
河口近海	4～6月河口海洋鱼类产卵、栖息、育幼，其他月份鱼类洄游和一般观光需求	入海口	4～6月:300～500 11月～翌年6月:50	4～6月:300 11月～翌年6月:50	基本满足

(三)对计算值的归整和建议的最小流量值

河道的水流是连续的,尤其是对黄河下游而言,河床高悬地表,是淮河和海河流域的分水岭,连续700多公里的河长目前已基本无支流水量加入。下游仅有的大汶河、金堤河和天然文岩渠等3条支流只有在特有的降水年份或者是通过泵站提水才有可能进入黄河。另外,黄河下游还有引水、取水工程100多处,设计引水取水能力4 000多m^3/s,自黄河花园口以下至入海口河段,河道内的水量一般只能减少不能增多。这也是近年来黄河下游断流愈来愈加严重,并且愈往下游断流历时愈来愈长,危害愈来愈重的根本原因。因此,本研究认为,依据水生态和水环境需求计算得到的最小生态环境需水量,还必须进行上下功能需求连续性整合,在整合时首先应当考虑整个河道的沿途的蒸发和渗漏,同时也应当适当地考虑沿途取水口的作用和影响,以及省(区)之间可能会产生的矛盾纠纷等。本研究注意到三门峡以下河道内(不含小浪底库区,下同)生态环境用水量,两头大、中间小的特点,通过专家咨询、指导,并通过与河口三角洲近海水域生态环境需水量进行拟合、归整,确定的分河段生态环境需水量见表7-9。

从表7-9可见,黄河三门峡以下河道内生态环境需水量计算值具有鲜明的特点,即两头大、中间小。在孟津—花园口河段,由于有伊洛河口鱼类产卵场、栖息地,邙山—花园口段有国家级黄河游览区的存在,生态环境需水量(最小生态环境流量)是全河段最高的;在利津—入海口河段,由于有河口三角洲自然湿地旅游区——黄河入海流观光景点和河口近海鱼类产卵场、栖息地的存在,生态环境需水量(最小生态环境流量)仅次于孟津—花园口河段。中间的高村—艾山、艾山—泺口、泺口—利津,河段长,生态环境用水需求目标低,有些河段只要达到国外公认的极限最低流量即可(10%~5%的平均流量)。在对这一现实情况进行整合的过程中,本着优选满足鱼类产卵场、栖息地用水需求,同时兼顾其他用水的原则,上游以伊洛河口段鱼类产卵场生态需求得到全面满足为基准,下游以河口近海鱼类产卵、栖息、育幼和河、海鱼类能够洄游的基本需水为原则,中间依据河段长度和取水、用水多少,以及省区关系等因素进行平滑拟合。处理的结果是,除利津—入海口河段难以完全满足外,其他河段都已得到了全面满足。

二、污染物稀释自净需水量

(一)计算方法和模型

依据河流水质预测一维模型:

$$C(x) = C'_0 \exp(-k\frac{x}{86.4u}) \tag{7-1}$$

式中 $C(x)$——预测断面污染物浓度,mg/L;

C'_0——上游起始断面污染物浓度值,mg/L;

k——污染物自净系数,1/d;

x——起始断面至预测断面的距离,km;

u——平均流速,m/s;

86.4——单位换算系数。

C'_0 按下式计算:

$$C'_0 = \frac{C_0 Q_0 + q_0 c_0}{Q_0 + q_0} \tag{7-2}$$

式中 Q_0——上游来水污染物浓度,mg/L;

C_0——上游来水背景流量,m^3/s;

q_0——排污口或支流口排入黄河干流的水量,m^3/s;

c_0——排污口或支流口排入黄河干流的污染物浓度,mg/L。

本研究假定在单一河段中水量是沿程不变的,则式(7-1)两边同时乘以水量($Q_0 + q_0$),并将式(7-2)代入后,经整理得到:

$$(Q_0 + q_0)C(x) = (Q_0 C_0 + q_0 c_0)\exp(-k\frac{x}{86.4u}) \tag{7-3}$$

从式(7-3)可见,下断面流出的污染物总量等于上断面进入的各分项的污染物的衰减剩余量。

式(7-3)是在假定污染源 $q_0 c_0$ 与上游来水挟带污染物 $Q_0 C_0$ 位于同一起始点的推导结果,当污染源或支流口与大河污染物监测断面有一定距离,且有多个污染源、支流口从不同的位置汇入时,我们可以得到如下的模型:

$$(Q_0 + q_1 + q_2 + \cdots)C(x) = Q_0 C_0 f(x_0) + q_1 c_1 f(x_1) + q_2 c_2 f(x_2) + \cdots \tag{7-4}$$

两边整理后得到:

$$Q_0 = \frac{(q_1 c_1 f(x_1) + q_2 c_2 f(x_2) + \cdots) - (q_1 + q_2 + \cdots)C(x)}{C(x) - C_0 f(x_0)} \tag{7-5}$$

式中,$f(x_0)$、$f(x_1)$、$f(x_2)$…分别等于 $\exp(-kx_0/86.4u)$、$\exp(-kx_1/86.4u)$、$\exp(-kx_2/86.4u)$、…。在环境需水量计算时,我们令 $C(x)$为水功能敏感断面的水质目标 C_s,Q_0 即为污染物稀释自净需水量。

当水功能敏感点距排污口(或支流口)距离 L 小于式(7-6)计算结果时,采用河流水质污染二维模型计算稀释自净水量 Q_0,其判别条件如下:

$$L = \frac{1}{\pi} \cdot \frac{u \cdot B^2}{E_z} \tag{7-6}$$

式中 B——河流平均宽度,m;

u——河流平均流速,m/s;

E_z——横向扩散系数,m^2/s。

河流水质预测二维模型为

$$C(x,z) = \frac{m}{h \cdot u\sqrt{\pi E_z \frac{x}{u}}}\exp(-\frac{z^2 u}{4E_z x} - K_p \frac{x}{u}) \tag{7-7}$$

$$m = h \cdot u\sqrt{\pi E_z \frac{x}{u}} \cdot C_0 + qc$$

式中 m——河段入河污染物与背景断面流入的污染物之和,g/s;

u——设计流量下污染带内的纵向平均流速,m^3/s;

h——设计流量下污染带起始断面平均水深,m;

E_z——横向扩散系数，m^2/s；

x——敏感点到排污口纵向距离，m；

z——敏感点到排污口所在岸岸边的横向距离，m。

在求算水质污染稀释自净水量 Q_0 时，假定 $C(x,z)$ 等于敏感点所要求达到的水质目标或标准 C_s，通过试算求解污染带范围内的流量$\left(h \cdot u\sqrt{\pi E_z \frac{x}{u}}\right)$，再通过污染带范围内的流量所占全河流量的比值，反算全河流量 Q_0。

（二）模型参数取值

1.代表性污染因子的选择

根据水质和污染源现状评价结果，COD和氨氮是最普遍、最严重的两个污染因子。因此，环境水量计算应以COD和氨氮作为代表性污染因子。考虑到氨氮因子在水环境中的复杂性和实际操作中不易掌握和控制性，以及国内目前流行的水污染控制一般均以有机污染综合指标COD和BOD为控制因子的特殊性，本研究仅以COD为代表进行了以水质目标为约束的生态环境需水量计算。

2.污染物自净、降解系数 k 值的确定

COD在水环境中的综合降解系数反映了有机污染物在水体作用下降解速度的快慢。许多科学实验和研究资料表明，降解系数不但与河流的水文条件，如流量、流速、河宽、水深、泥沙含量等因素有关，更为重要的是还与河道的污染程度有关。污染物降解系数可用实测资料反推或水团追综法求取，亦可经类比分析确定。本研究在选择黄河干流代表性河段实测资料反推的基础上，与国内外其他河流实测情况进行类比确定。

实测资料反推法采用如下计算公式：

$$k = 86.4\,u\,(\ln C_1 - \ln C_2)/\Delta x \tag{7-8}$$

式中 k——污染物综合降解系数，1/d；

C_1——河段上断面污染物浓度，mg/L；

C_2——河段下断面污染物浓度，mg/L；

u——河段平均流速，m/s；

Δx——上、下断面距离，km。

本次研究结合黄河干流水资源保护规划，选取了黄河上游（镫口—头道拐）、中游（喇嘛湾—府谷）、下游（花园口—高村）3个基本无支流和排污口汇入的河段，利用近年来的水质监测资料，按汛期、非汛期和年均值，对COD的降解系数进行了计算，其结果是：黄河干流COD的降解系数一般为0.11～0.19 1/d，本次研究结合三门峡以下各河段的实际情况，通过类比分析国内外已有的 BOD_5 降解系数资料，考虑到COD的降解系数一般为 BOD_5 的60%还是比较安全的，其取值范围为0.12～0.19 1/d。

3.上断面污染物浓度 C_0 值和水质目标约束值 C_s 的确定

黄河干流水资源保护规划依据河流水污染控制的“零污染原理”和“上游污染不影响下游”的水环境资源分配理论，建立了具有全河一致的水污染控制模型，即某一个河段接纳废污水后在进入下一个河段时，其水质应恢复到未接纳污染前的水平，不得影响下一个

河段的水质和功能，并根据这一原则制定了分河段的水污染物削减计划和削减方案。为保持与规划工作的一致性，本研究对模型中的 C_0 值，均选取上一个污染控制单元处的功能区水质目标值。计算单元内有饮用水水源地或鱼类产卵场、栖息地的河段，以饮用水水源地（取水口）或鱼类产卵场、栖息地为节点，上一河段的 C_0 值采用上游功能区水质目标，下一河段的 C_0 值选用饮用水水源地或鱼类产卵场、栖息地水质标准。计算河段水质目标约束值 C_s 按照不同河段的水质功能类别确定，即饮用水取水口和鱼类产卵场、栖息地采用地面水环境质量Ⅱ类标准，其他一般河段选用Ⅲ类标准。

4. 河段平均流速 u 值、平均水深 H 值的确定

计算单元内河流流速的确定，是通过统计实测流量、流速资料，建立流量～流速关系曲线，从而根据该河段的设计流量确定的相应流速。流量～流速关系式为

$$u = a \cdot Q^b \tag{7-9}$$

式中 u——断面平均流速，m/s；

Q——流量值，m^3/s；

a、b——待定系数。

经过统计、计算并结合各计算河段实际情况，确定各计算单元的流速范围为 0.8～1.0 m/s。

河流的水深受流量、流速、河道边界条件等因素影响较大，水深同流速的确定方法相近，也是通过统计大量的实测资料，绘制出关系曲线，根据设计条件，由关系曲线求出相应河段的水深。经过统计、计算，并结合计算河段实际情况，确定各计算单元的水深范围为 0.67～2.14 m。

5. 横向扩散系数 E_z 值的确定

污染物入河道后，在水流的作用下向各个方向扩散，其中横向扩散系数反映了污染物在水体中横向扩散速度的快慢。河流的横向扩散系数受河流的自然特征影响，与河流的水深、河道的弯曲性、河岸的规则程度及水流的摆动幅度密切相关。一般来说河道弯曲系数越大，越利于污染物的混合，横向扩散系数也越大；河道越不规则，如河道两岸有丁坝、垛坝等河道整治建筑物，污染物混合越快，横向扩散系数也越大。

分析国内外的有关资料，并结合黄河水沙特性、河道游荡性、治河工程状况等自身的实际情况，以及个别河段所做试验研究成果，综合分析确定有关计算河段的横向扩散系数，取值范围在 0.3～1.2 m^2/s，其中顺直河段较小，弯曲河段较大。

6. 主要排污口和支流口代表性排污条件的选择

为了便于对比和使用，本次研究工作选择了三种实际可能出现的情况作为设计代表性排污条件方案。

方案一：排污口和支流污废水和污染物排放量取现状年（1998 年）枯水期实际排放量。

方案二：排污口污废水排放量不变，COD 浓度达到国家《污水综合排放标准》，支流口水量不变，COD 浓度超过国家《污水综合排放标准》按污水排放标准计。

方案三：排污口污废水排放量不变，COD 浓度达到国家《污水综合排放标准》，支流口水量不变，COD 浓度达到国家环保局行业标准 GHZB1—1999《地表水环境质量标准》第

Ⅴ类，即支流口 COD 浓度达到 40 mg/L。

依据上述三个方案，黄河三门峡以下各主要排污口、支流口的废污水及污染物入黄量设计情况见表 7-10。

表 7-10　　黄河三门峡以下排污口、支流口设计排污条件(不含小浪底库区)

类别	排污口、支流口名称	距河源(km)	水量(万 t/d)	方案一:实测枯水期		方案二:污水标准		方案三:支流Ⅴ类标准	
				COD(kg/d)	浓度(mg/L)	COD(kg/d)	浓度(mg/L)	COD(kg/d)	浓度(mg/L)
支流	伊洛河	4 635.8	432.00	99 360.0	23.0	99 360.0	23.0	99 360.0	23.0
	汜水河	4 651.8	0.86	593.6	69.0	593.6	69.0	593.6	40.0
	新蟒河	4 655.8	34.56	50 112.0	145.0	34 560.0	100.0	13 824.0	40.0
	老蟒河	4 666	34.56	95 731.2	277.0	34 560.0	100.0	13 824.0	40.0
	沁河	4 684.3	72.06	46 981.6	65.2	46 981.6	65.2	46 981.6	40.0
	枯水河	4 688	1.90	1 068.2	56.2	1 068.2	56.2	1 068.2	40.0
	天然文岩渠	4 878.5	4.32	1 188.0	27.5	1 188.0	27.5	1 188.0	27.5
	北沙河	5 147.8	2.59	2 360.1	91.1	2 360.1	91.1	2 360.1	40.0
排污口	小浪底桥沟	4 568.5	2.16	490.3	22.7	490.3	22.7	490.3	22.7
	小浪底二标生活污水	4 568.2	0.03	18.5	61.7	18.5	61.7	18.5	61.7
	白鹤磷肥化肥厂	4 591.0	0.17	115.8	68.1	115.8	68.1	115.8	68.1
	首阳山电厂渣场	4 612.0	2.25	69.6	3.1	69.6	3.1	69.6	3.1
	洛阳石化总厂	4 594.0	1.21	713.7	59.0	713.7	59.0	713.7	59.0
	杨村沟	4 594.3	3.89	2 430.0	62.5	2 430.0	62.5	2 430.0	62.5
	孟州一干渠	4 620.0	3.63	16 765.1	461.8	3 630.0	100.0	3 630.0	100.0
	龙桥造纸厂	5 086.0	0.05	242.4	484.8	50.0	100.0	50.0	100.0
	翟庄闸	5 094.0	1.30	1 963.4	151.0	1 300.0	100.0	1 300.0	100.0
合计/平均			597.54	320 203.5	125.22	229 489.4	65.24	188 017.4	51.03

注:金堤河、大汶河和其他两个排污口枯水期不排污,未计入。

(三)水功能敏感点的界定和计算结果

根据三门峡以下水功能区划和水功能敏感点的性质及其与排污口、支流口的位置关系，本研究通过确定水质目标约束断面、约束点及其相应约束条件，对黄河三门峡以下(不含小浪底库区)水功能敏感区和敏感点，进行了划分和界定。

水功能敏感点选取伊洛河口鱼类场产卵场、栖息地(分上、下两个断面分析，上断面不包含伊洛河水质影响，下断面包含伊洛河水质影响)，郑州邙山、花园口城市供水取水口，济南老徐庄城市供水取水口，共 5 个约束点或者说是约束断面。新乡市菜园口(人民胜利渠渠首闸)城市供水取水口与郑州邙山取水口对岸相望，但由于其所取水量往往直接含有老蟒河和沁河污水，因而不搬迁取水口或排污口是无法满足生活供水水质要求的。本次研究时，讨论了沁河和老蟒河枯水期污水下排至郑州花园口取水口 1 km 以下的问题，并对下移后对开封黑岗口水质的影响进行了分析。濮阳市渠村闸城市供水取水口距上游重污染支流天然文岩渠入黄口不到 1 km,属于应该采取“搬迁”排污口或取水口才能解决问题的河段,本研究仅对其进行了一定的分析研究,不作为确定生态环境需水量的依据;济南市大王庙,以及引黄济津、引黄济青和其他城市取水口,由于其上游城市供水取水口到本取水口之间没有新的污染源加入,在上游水质达标后,下游取水口河段的水质也理应达标,因而本研究没有将其选为水质约束敏感点。

另外,由于老蟒河入黄口位置经常发生变化,又是一个特别重要的大污染源,因而本研究对其变化特性进行了分析。在计算邙山取水口的污染稀释、自净需水量时,我们假定老蟒河在其上游 16 km 处排入黄河;在计算花园口取水口环境需水量时,我们假定其与沁河一起排入黄河干流,构成对花园口水质产生影响。这样处理对两个关键的生活饮用水取水口的供水安全是必要的。黄河三门峡以下水功能敏感区、敏感点设计计算条件及结果见表 7-11。

表 7-11　　**黄河三门峡以下主要排污河段稀释自净需水量及其比较**

约束控制点名称	设计排污条件	污染稀释自净需水量(m^3/s)	90 年代最枯月平均流量(m^3/s)	生态、景观最小水量(m^3/s)
伊洛河口上游	现状实测	114.5	160(小浪底)	300
伊洛河口下游	现状实测	232.6	127(花园口)	300
郑州邙山取水口	现状实测 污水达标 污水、支流均达标	621.4 310.1 164.6	127(花园口)	300
郑州花园口取水口	现状实测 污水达标 污水、支流均达标	660.7 382.3 194.2	127(花园口)	300
开封黑岗口取水口	现状实测 污水达标 污水、支流均达标	651.8 333.1 128.9	69.7 (高村、花园口平均值)	250 (开封黑岗口位于花园口与高村之间)
濮阳渠村闸取水口	现状实测	29.2	12.3(高村)	200
济南老徐庄取水口	现状实测	16.9	0(艾山)	100

从表 7-11 可见,黄河三门峡以下,伊洛河口鱼类产卵场、栖息地河段,在黄河上游水质好转(即依据零污染原理控制污染排放)的情况下,整个河段上断面的污染稀释自净水量需要 115m^3/s,下断面的污染稀释自净水量需要 233 m^3/s。郑州邙山城市生活取水口河段,若不考虑污水治理,需要 621 m^3/s 的稀释自净水量;若考虑污水治理能够达到国家规定的排放标准,需要有 310 m^3/s 的稀释自净水量;若考虑污水排放口达到国家标准,主要支流入黄口达到国家环保局颁布 GHZB1—1999《地表水环境质量标准》第Ⅴ类标准,需要的稀释自净水量为 165 m^3/s。郑州花园口取水口、开封黑岗口取水口,在不对本河段的污染源进行治理的情况下,需要的稀释自净水量为 650～660 m^3/s,在考虑污废水排放达标的情况下,需要的稀释自净水量为 330～380 m^3/s,在考虑排污口达到排放标准、支流口达到Ⅴ类(GHZB1—1999)标准的情况下,需要的稀释自净水量为 130～200 m^3/s。

开封以下濮阳、济南河段,虽有少量的排污加入,但一般情况下构不成对城市取水口的污染危害。另外一个值得注意的问题是,新乡、濮阳城市供水取水口上游不到 1 km,就分别有重污染支流蟒河、沁河和天然文岩渠汇入,这是不符合《饮用水水源地管理规定》的,在支流污染不能得到很好治理的情况下,水质是没有保证的。济南市城市生活饮用水水源地上游,枯水季节虽然污染排放量较少,需要的稀释自净水量很少,但在黄河断流季节上游污水积存,或者是支流大汶河、金堤河突击排放的情况下,也往往产生严重污染。

第三节　河口地区生态环境需水量计算

一、湿地生态需水量

(一)湿地水文和水平衡模型

湿地专指以淡水维持的淡水湿地(包括天然和人工的湖泊、水库等)或微盐沼泽、芦苇湿地。滩涂湿地靠自然潮汐运动和降水补给,浅海湿地属海洋的一个部分,均不属于本研究的范围。因此,本部分所谓的湿地水文及其水平衡模式和以后部分提到的湿地生态需水量均是专指以淡水维持的淡水湿地和微盐沼泽湿地等(见图 7-1)。

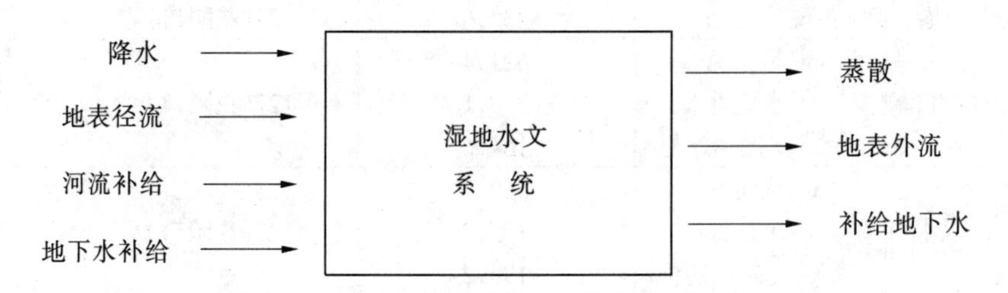

图 7-1　湿地水文示意图

湿地水文条件是湿地类型和湿地功能最重要的决定因子。不同的水文条件赋予湿地生态系统不同的物理和化学属性,对湿地生物系统起着决定性的选择作用。湿地水文包括水的输入、水的输出、水深、水流方式、淹没持续时间、季节和淹水频率等。水的输入主要有降水、地表外流、地下水补给、河流泛滥补给、河流侧渗补给等,水的输出主要有蒸散、地表外流和补给地下水等。

湿地水文状况主要是指湿地的水文周期,是湿地水位的季节性变化。不同湿地类型的水文周期是大不相同的。水文周期的逐年恒定性决定着湿地的稳定性。湿地水文周期是由 3 个因子作用的结果:①水进出的平衡;②地面等高线;③亚表层土壤、地质和地下水条件。第一个因子表达的是湿地水收支平衡,第二、第三个因子决定了湿地的蓄水能力。依据水量平衡原理,沼泽、湖库类湿地水平衡可用下列模型表示:

$$P + R_1 + Q + G_1 = E + R_2 + G_2 \tag{7-10}$$

式中　P——降水补给水量;

R_1——地表径流补给水量;

Q——河流补给水量,包括河流漫溢、侧渗补给(s)等;

G_1——地下水补给量；

E——水面蒸发与植物蒸散水量；

R_2——湿地外流水量；

G_2——湿地渗漏水量。

(二)湿地自然保护区需水量

黄河三角洲湿地自然保护区位于1976年黄河入海故道和现行流路两侧，总面积为15.33万hm^2。1990年，保护区申请建立时，区内有林地面积1.44万hm^2，占9.4%；草地面积5.55万hm^2，占36.2%；水面面积(含芦苇地)3.96万hm^2，占25.8%；滩涂面积3.85万hm^2，占25.1%；其他用地0.53万hm^2，占3.5%。近年来，由于黄河断流频繁，小流量历时增多，河水漫滩机遇减少，侧渗补给到两岸湿地的水量也呈明显减少的趋势，因而区内部分湿地严重退化。据估计，正常年份的湿地水面面积减少了1万hm^{2}左右，约占保护区湿地水面面积的1/4。

由于黄河三角洲自然保护区没有实地观测到的淡水水面和水体水文资料，本次研究通过现场查勘、专家咨询和收集研究有关的图集、报告等，对河口三角洲淡水湿地水文系统的基本认识是：三角洲现行河道和黄河故道、河口两侧的淡水湿地水面，主要是由降水和黄河漫溢、侧渗补给形成和支撑的。黄河故道虽然已经不行水，但黄河故道水库及河道中的水资源仍然是引取的黄河水，没有黄河和黄河故道的漫溢、侧渗补给，自然保护区的淡水水面就会萎缩。近年来，保护区淡水湿地面积减少的实例已经证明了这一点。保护区水面面积的减少，主要有水面蒸发和植物蒸腾所造成，在降雨季节也有向外漫溢的水量，但由于河堤、海堤和河间洼地地形的制约，一般降水年份的外溢量较少；保护区湿地水体与地下的交换很微弱，这主要是滨海地形十分低平等原因造成的。为此，本次研究为简便起见，地下水的补给和渗漏略去不计；湿地水面汇流区的地表径流的补给与排泄，考虑到区域面积较小，且有黄河入海泥沙和海岸防潮堤防的阻拦，也将其正负影响忽略不计。于是，式(7-10)可以简化为

$$P + Q = E \tag{7-11}$$

即：

$$Q = E - P \tag{7-12}$$

本研究收集了黄河三角洲利津、垦利、呈口等气象站的多年实测气温、降水、蒸发等资料，并依据同步系列较长的利津站降水、蒸发资料，以湿地自然保护区的水面面积为基数，计算了1964～1993系列年情况下的湿地生态需水量，计算结果见表7-12。

表7-12　**黄河三角洲湿地生态需水量计算结果**

典型年	气温(℃)	降水量(mm)	蒸发量(mm)	自然保护区需水量(万m^3)	水库湿地需水量(万m^3)	需水总量(万m^3)	湿地需水量特征
1964～1993年平均	12.7	550.6	1 918.8	54 756.8	18 805.4	73 562	平均
1990年	13.2	1 120.0	1 546.8	16 901.3	5 804.5	22 706	最小
1968年	13.0	322.7	2 265.5	76 934.9	26 422.1	103 357	最大

从表7-12可见，维持黄河三角洲湿地生态自然保护区处于良性状态的最大生态环境需水量为7.7亿 m^3，最小生态环境需水量为1.7亿 m^3，多年平均需水量大约为5.5亿 m^3。

(三)水库湿地需水量

目前，河口三角洲地区已建成大、中、小型平原水库434座，总库容达到64 855万 m^3。这些水库的平均水深一般在3～5 m，水面总面积大约为13 600 hm^2，是黄河三角洲湿地资源的重要组成部分。依据河口地区长系列的降水、蒸发资料计算，这些水库在正常运行的情况下，平均每年蒸发水量大约需要1.88亿 m^3，占水库总库容的29.0%；在极为干旱的年份，蒸发水量大约需要2.64亿 m^3，占水库总库容的40.7%；在特殊湿润的年份，蒸发水量大约需要0.58亿 m^3，占水库总库容的8.9%。见表7-12。

河口地区地势低平，地下水埋深一般仅有1～3 m，尤其是平原水库的所在地，一般均为低洼积水区，水库通过库底向地下渗漏的量很少，一般仅有堤防跟脚才有少量的渗水。本次研究考虑到蒸发计算时，均为全年满库计算成果，数值可能有所偏大，因此对水库渗漏水量不再计算。

(四)其他湿地需水量和湿地生态需水总量

除上述湿地外，黄河三角洲地区淡水湿地还有河流水面、滩涂湿地、渠道和排水沟水面，以及路边湿地和一些位于规划开发区的低洼湿地等。这些湿地一般或受特定的防洪、输水功能制约，不需要计算生态环境需水量，或受地方土地开发和城镇建设需要，不能长期存留，不需要计算生态环境需水量。从自然的角度讲，渠道、路旁以及排水沟、河湿地，一般均为零散的、季节性的，甚至是比较短暂的输水湿地，对河口地区的生态环境和保护珍稀物种、候鸟迁徙影响不大。本研究不计算这些湿地的需水量。

由此可以推出，维持河口地区湿地生态环境的需水总量，即为自然保护区湿地生态需水量与平原水库湿地生态需水量之和。根据表7-12的计算结果，河口三角洲湿地生态需水总量，多年平均为7.36亿 m^3，其中，自然保护区湿地生态需水量为5.48亿 m^3；占74.5%；平原水库湿地生态需水量为1.88亿 m^3，占25.5%。在十分典型的严重干旱年份，预计湿地生态需水量大约需要10.34亿 m^3；在十分典型的湿润年份，预计湿地生态需水量大约需要2.27亿 m^3，两者相差3.6倍，说明河口地区的湿地生态需水量波动幅度比较大。本研究认为，湿地生态水面面积在年内与年际之间有所波动是一种正常的自然现象。因此，在以后的计算中，以多年平均需水量7.36亿 m^3 作为湿地生态需水量的依据。

二、河口海域和鱼类洄游需水量

(一)河口海域生物资源与黄河的关系

根据有关文献报道，黄河河口及其附近海域鱼类的数量分布与海水的温度、盐度的关系存在着以下规律：春季海水的温度、盐度与梭子鱼和鲈鱼的数量分布密切相关，温度起决定作用，温度对这两种鱼类数量的影响程度更大；夏季海水的温度、盐度与鳓鱼、黄鲫、鲈鱼、小黄鱼、银鲳、焦氏舌鳎等6种鱼的数量分布关系相当显著，盐度影响大于温度；秋季斑鱼祭、黄鲫、刺头梅童鱼、小黄鱼、银鲳、焦氏舌鳎等的数量分布受海水盐度影响较大；冬季海水温度、盐度对鳓鲚、梭鱼、黑鳃梅童鱼、绵虾等有一定的影响，但并不显著。此外4～6月份是鱼虾产卵、孵化的高峰季节，海水的适宜盐度为23‰～27‰之间，一般情况下黄河河口及其附近海域的盐度在30‰左右,此期间的盐度要求对鱼虾的产卵、孵化具有重要意义。

(二)河口海域和鱼类洄游需水量

20世纪80年代中期,黄委会在进行水资源利用规划时,关于入海水量问题曾征求过国家水产部门的意见,依据该部门的估计,满足黄河河口海域鱼虾生长条件的要求,需要黄河在每年的4～6月份下泄入海水量60亿 m^3。如果黄河为枯水年,可在4月份集中下泄20亿 m^3。根据大量的观测资料分析,渤海水域低盐度中心常位于黄河河口外,一般情况下可在22‰以下,80年代以来有明显偏高的趋势;在黄河入海流量为300～500 m^3/s 时,涨潮时感潮河段的盐度为25‰左右,相应口门外附近海域的盐度为30‰左右;低潮时淡水水舌突出于口门以外海域,感潮段完全受淡水控制,盐度为零,相应口门外附近海域的盐度为25‰～27‰。由此可以计算出:4～6月份入海总水量在24亿～40亿 m^3,即可基本满足鱼虾产卵、孵化所需要的海水盐度要求。

黄河下游的洄游性鱼类主要有鲚鱼、银鱼和鳗鲡等,80年代中后期,黄河三门峡以下仍有凤鲚产卵场,少时捕获有鳗鲡和刀鲚。根据本次调查和有关资料分析,在黄河入海水量大于50 m^3/s 时,对鱼类洄游影响不大。为此,本研究参照以往的工作成果,将海、河洄游鱼类的溯河洄游最小流量定为50 m^3/s。

三、河口景观需水量

以黄河入海口为代表,融广袤、古朴、新奇、野趣于一体的河口三角洲自然景观构成了独特的旅游资源。为此,保持黄河入海水量具有一定的流态、流量是必要的。然而,考虑到黄河水资源供需十分紧缺,本次河口景观需水量计算依据Montana法,仅计算分季节或时段极端最小流量、平均最小流量和平均最小水量。极端最小流量、平均最小流量和平均最小水量,分别以最小月流量、季节平均流量和平均水量的10%为代表,计算结果见表7-13。

四、河口三角洲生态环境需水总量

在黄河河口地区,需要黄河供给淡水维持生态平衡的需水量主要包括:①三角洲湿地生态需水量;②河口近海生物需水量;③河流、海洋洄游性鱼类最小需水量;④河口景观环境需水量等。这四部分用水之间,既有各自的独立性,也有相互之间的重复和共同拥有。同时,这些用水有的还与黄河下游特有的输沙用水相重复;平原水库作为湿地生态用水的一个部分,还可能与河口地区的工业、农业和城乡生活用水有重复。因此,确定河口三角洲地区生态环境用水总量,还需要分时段、分季节地研究和区分这些用水之间的重复和交叉。

根据《黄河的重大问题及对策》及其他研究成果,黄河下游输沙入海水量主要发生在汛期(7～10月),输沙入海水量大约需要150亿 m^3,输沙入海流量一般应达到2 000 m^3/s 以上。与上述研究的汛期生态环境需水量相比,输沙入海用水无论是水量还是流量,都远大于前者。因此,从大的方面上来讲,汛期输沙入海用水可以全面兼顾汛期环境基流,也可以全面兼顾汛期河流、海洋鱼类洄游用水。但是本研究建议,在进行汛期输沙用水水量

表 7-13　　　　　　　　**黄河河口景观最小需水量计算成果**

季节划分	水量特征	50 年代平均值	50 年代平均值的 10%
非汛期(4～6 月)	极端最小流量(m^3/s)	832	83.2
	平均最小流量(m^3/s)	928	92.8
	最小需水量(亿 m^3)	73	7.3
非汛期(11 月～翌年 3 月)	极端最小流量(m^3/s)	484	48.4
	平均最小流量(m^3/s)	836	83.6
	最小需水量(亿 m^3)	109	10.9
非汛期(11 月～翌年 6 月)	极端最小流量(m^3/s)	484	48.4
	平均最小流量(m^3/s)	869	86.9
	最小需水量(亿 m^3)	182	18.2
汛期(7～10 月)	极端最小流量(m^3/s)	2 195	219.5
	平均最小流量(m^3/s)	2 811	281.1
	最小需水量(亿 m^3)	299	29.9
全年	极端最小流量(m^3/s)	484	48.4
	平均最小流量(m^3/s)	1 523	152.3
	最小需水量(亿 m^3)	480	48.0

调度操作时,应尽可能地避免过大、过多的水量变幅,尽可能地减少泥沙含量,积极防止因输沙不当而造成严重的河流和近海生态危机。

河口三角洲地区平原水库水面广阔,是河口三角洲湿地面积的重要组成部分,也是该地区工业、农业和城镇生活的关键水源。本研究计算的水库蒸发水量是否与经济和生活供水分配水量有重复,也是确定三角洲地区生态环境需水量多少的重要因素。据统计,1990～1997 年河口地区平均年供水量为 15.1 亿 m^3,其中引黄供水 14.2 亿 m^3,占 94%;地下水 0.89 亿 m^3,占 6%。在 1990～1997 年的引黄供水量中,最小年份的供水量为 12.4 亿 m^3(1990 年),最大年份的供水量达到 16.2 亿 m^3(1993 年)。依据国务院制定的《黄河可供水量分配方案》,山东省的黄河水量分配权共有 70 亿 m^3,其中河口地区为 7.8 亿 m^3,与河口地区供水现状相差太大。为此,本研究将河口三角洲平原水库蒸发、耗散水量计入生态环境需水量(仅限东营市,不得向上游地区类推)。这样做的主要理由是:①三角洲平原水库已经成为该地区湿地生态环境的重要组成部分,并且随着水库水面的不断扩大,三角洲湿地生态环境没有因黄河断流而显著恶化;相反地,鸟类的种群、数量都比断流不太严重的 20 世纪 80 年代有了显著增加,这其中的变化与平原水库的增加不无关系。②平原水库建设占地,多数本来就是三角洲地区的低洼湿地,水库建设使得这些地区的湿地面积更加稳定,多耗水量理应计入生态用水。

在本次研究的河口三角洲生态环境四项用水中,各部分之间的重复及其季节分配如何掌握,也是关系到生态环境用水量多少的重要因素。本研究认为,河流、海洋洄游用水

50 m^3/s,应是全年的最低流量;河口近海鱼类产卵季节需水 24 亿～40 亿 m^3,应是每年 4～6 月份必须保证的水量;河口景观最小流量是分季节的最小景观环境需水量;自然保护区和平原水库的湿地生态需水量,主要集中在非汛期,汛期 7～10 月份不但黄河的流量大,含沙量也高,引水会严重造成水库淤积和湿地退化,同时,该时段也是三角洲地区的集中降雨季节,湿地水源不但不需要补充而且还有可能外溢。因此,湿地生态需水量主要发生在非汛期。依据上述界定,不难推出黄河三角洲的生态环境需水总量。黄河三角洲生态环境需水总量见表 7-14。

表 7-14　　黄河河口三角洲生态环境最小需水量计算　　(单位:m^3/s)

需水季节划分	水量特征	鱼类洄游	河口景观	近海生物	湿地生态	输沙水量	河口生态最小需水量	
							不含输沙水量	含输沙水量
非汛期(4～6月)	极端最小流量(m^3/s)	50	83.2	300			300	300～500
	平均最小流量(m^3/s)		92.8	300～500			300～500	300～500
	最小需水量(亿 m^3)		7.29	24～40			24～40*	24～40*
非汛期(11月～翌年3月)	极端最小流量(m^3/s)	50	48.4				50	50
	平均最小流量(m^3/s)		83.6				84	84
	最小需水量(亿 m^3)		10.9				10.89*	10.89*
非汛期(11月～翌年6月)	极端最小流量(m^3/s)	50	48.4	300～500			50	50
	平均最小流量(m^3/s)		86.9	300～500			87	87
	最小需水量(亿 m^3)		18.2	24～40	7.36*		42.3～58.3*	42.3～58.3*
汛期(7～10月)	极端最小流量(m^3/s)	50	219.5	300		2 000 以上	220	2 000 以上
	平均最小流量(m^3/s)		281.1	300～500			281	281
	最小需水量(亿 m^3)		29.9			150*	29.87*	150*
全年	极端最小流量(m^3/s)	50	48.4	300～500		2 000 以上	50	50
	平均最小流量(m^3/s)		152.3				152	152
	最小需水量(亿 m^3)		48.0	24～40	7.36*	150*	72.1～88.1*	192.3～208.3*

注:1. 表中带 * 的数字为参与汇总计算的水量或者为最后的计算结果,不带 * 的数字为其他项目可以兼顾的水量,没有参加最后结果的形成。

2. 输沙水量仅为汛期的量,2 000 m^3/s 以上是输沙时的最小流量,汛期不输沙时,应按最小景观流量 220 m^3/s 控制。

3. 近海生物繁殖需水量仅为 4～6 月份的最小需水量和最小流量。

4. 湿地生态需水量为长系列降水、蒸发资料计算的平均值。

从表 7-14 可见,河口三角洲生态环境需水总量,在不考虑输沙入海需水量情况下,平均每年最少需要 72 亿～88 亿 m^3(平均 80 亿 m^3),其中汛期约为 30 亿 m^3、非汛期为 42 亿～58 亿m^3(平均 50 亿 m^3)。在考虑汛期输沙入海需水量的情况下,全年生态环境最小需水量为 192 亿～208 亿 m^3(平均 200 亿 m^3),其中汛期为 150 亿 m^3、非汛期为

42 亿～58 亿 m^3。在生态环境需水量中，绝大部分为入海需水量，在考虑输沙入海需水量的情况下，入海需水总量为 184 亿～200 亿 m^3，占总需水量的 96.5%；在不考虑输沙入海需水量的情况下，入海需水总量为 65 亿～81 亿 m^3，占总需水量的 91.3%。河口三角洲多年平均湿地生态需水量大约需要 7.36 亿 m^3，其中三角洲国家自然保护区湿地生态需水量为 5.48 亿 m^3、平原水库湿地生态需水量为 1.88 亿 m^3。

第四节　河道内最小流量与最小入海水量的确定

从计算的污染稀释自净需水量与 20 世纪 90 年代的实测最枯月平均流量相比（见表 7-11），可以看出，黄河三门峡以下水质污染严重，在考虑上游省（区）污染得到治理的情况下，污染稀释自净水量也远远大于实测最枯月平均水量。这一方面说明三门峡以下河段的水质污染必须加强治理，另一方面也说明单靠污染治理，不增加河道内的污染稀释自净水量也是不现实的。通过污染稀释自净水量与前面计算的水生态、水环境最小需水量相比，我们可以看出，在水生态、水环境最小流量情况下，郑州邙山、花园口和开封黑岗口的水质，在排污口达标排放和支流口水质界于地表水Ⅴ类与排放标准之间时，水质即可达到城市供水水质要求。其他河段的污染稀释自净水量一般均小于水生态和水环境最小流量。这也充分说明，按照水生态和水环境最小需水量控制下游河道最小基流量，通过一定程度的污染治理，各重要取水口和水质敏感点的水质是可以达标的。

由于本研究在确定三门峡以下各河段的水生态和景观环境需水量时，充分考虑了河口三角洲地区的河口近海生态、湿地生态、景观环境和鱼类洄游等的基本需求，并以此为依据，对整个三门峡以下的黄河干流，分河段进行了整合和平衡，最后确定的生态环境需水量（见表 7-9）既能兼顾河口地区的基本需求，又能满足三门峡以下各河段水生态和水环境需求，而表 7-9 中确定的最小流量，在考虑一定的污染治理条件下，又能兼顾表 7-11 提出的污染稀释自净需水量。因此，本研究认为，黄河三门峡以下河道内生态环境需水量，可以执行表 7-9 推荐的最小生态环境流量值。表 7-9 与表 7-11 汇总成果见表 7-15。

从表 7-15 可见，黄河三门峡以下河道内生态环境最小需水量的最终计算结果为：在非汛期的 4～6 月，从河口上溯到伊洛河口的鱼类产卵场、栖息地，最小生态流量应分别不低于 300～600 m^3/s；在非汛期的 11 月～翌年 3 月应分别不低于 50～300 m^3/s。河口三角洲地区最小生态环境需水量，在不考虑排沙用水的情况下，非汛期不低于 42 亿～58 亿 m^3，平均 50 亿 m^3，其中 4～6 月份不低于 24 亿～40 亿 m^3，全年不低于 72 亿～88 亿 m^3；在考虑排沙用水的情况下，全年不低于 192 亿～208 亿 m^3，平均不低于 200 亿 m^3。

生态环境需水的确定是一项十分复杂工作。但从河流、河口水生态的角度而言，随着河川径流一年四季的变化，沿岸各种生命的生境需求，地方居民在养鱼与娱乐方面的价值观念，及某条河流水域方面的其他因素，对保留多少河水才能满足各种环境因素的需求，往往是各有各的见解，很难取得一致。除此之外，水资源的功能和用途是多种、多方面的，我们计算的生态环境需水量无论是环境、生态保护的用水，还是美化环境或者是供人享用的娱乐用水，都有一个与工业、农业及其他方面取水用水相互协调的需要，协调优劣的评判标准是“经济”，是河流水量的实际承受能力。生态环境需水量的提出，是一个社会文明

表 7-15　　三门峡以下生态环境需水量计算成果总表

河口地区最小需水量(亿 m^3)计算成果

季节划分	水量特征	不含输沙水量	含输沙水量
非汛期(4～6月)	极端最小流量	300～500	300～500
	平均最小流量	300～500	300～500
	最小需水量	24～40	24～40
非汛期(11月～翌年3月)	极端最小流量	50	50
	平均最小流量	84	84
	最小需水量	10.89	10.89
非汛期(11月～翌年6月)	极端最小流量	50	50
	平均最小流量	87	87
	最小需水量	42.3～58.3	42.3～58.3
汛期(7～10月)	极端最小流量	220	220
	平均最小流量	280	>2 000,排沙
	最小需水量	29.87	150
全年	极端最小流量	50	50
	平均最小流量	152	152
	最小需水量	72.1～88.1	192.3～208.3

三门峡以下河道内最小流量计算成果

河段名称	季节划分	建议最小流量(m^3/s)	适宜性评价
孟津—花园口	4～6月	600	满足
	11月～翌年3月	300	
花园口—高村	4～6月	500	满足
	11月～翌年3月	200	
高村—艾山	4～6月	450	满足
	11月～翌年3月	150	
艾山—泺口	4～6月	400	满足
	11月～翌年3月	100	
泺口—利津	4～6月	300	满足
	11月～翌年3月	50	
利津—入海口	4～6月	300	基本满足
	11月～翌年3月	50	
河口近海	4～6月	300	基本满足
	11月～翌年3月	50	

的标志,是物质财富不断积累和富裕的产物,它会随着人们的休闲、娱乐时间的增多而增加,随着科学技术的广泛应用和社会生产力的不断提高而增值。因此,从宏观上来讲,生态环境需水量的价值是一个动态的、不断增值的变数。为此,本研究建议,在黄河水资源分配和调度时,应认真协调各个方面的需求,进一步深入研究生态环境需水量,并在南水北调生效后,增加黄河生态环境需水量。

第五节　污染物总量控制方案与水环境保护对策意见

一、水功能区划和水质目标确定

(一)水功能区划

依据黄河干流水功能区划,三门峡以下共划分有 5 个一级功能区、10 个二级功能区。区划成果见表 7-16。

表 7-16　　　　　黄河三门峡以下水功能区划和水质目标

序号	一级功能区名称	二级功能区名称	功能区编码	起始断面	终止断面	长度(km)	水质目标	区划依据
1	黄河小浪底水库开发利用区	小浪底饮用工业用水区	04010011403011	三门峡大坝	小浪底大坝	130.8	Ⅲ	义马、渑池、中条山有色金属公司生活、工业用水
2	黄河河南开发利用区	焦作饮用农业用水区	04010011503011	小浪底大坝	孤柏嘴	78.1	Ⅲ	吉利、温县生活工业用水，地下水傍河水源地
3		郑州新乡饮用工业用水区	04010011503021	孤柏嘴	狼城岗	110.0	Ⅲ	郑州、新乡、长城铝业公司生活、工业用水，景观环境
4		开封饮用工业用水区	04010011503031	狼城岗	东坝头	58.2	Ⅲ	开封生活、工业用水，景观环境
5	黄河豫、鲁开发利用区	濮阳饮用工业用水区	04010011603011	东坝头	大王庄	134.6	Ⅲ	濮阳、东明、中原油田、菏泽电厂生活、工业用水
6		菏泽工业农业用水区	04010011603022	大王庄	张庄闸	99.7	Ⅲ	水生态和鱼类畅游、生存，地下水傍河水源地
7	黄河山东开发利用区	聊城工业农业用水区	04010011703012	张庄闸	齐河公路桥	118.0	Ⅲ	水生态和鱼类畅游、生存，地下水傍河水源地
8		济南饮用工业用水区	04010011703021	齐河公路桥	梯子坝	87.3	Ⅲ	济南生活、工业用水
9		滨州饮用工业用水区	04010011703031	梯子坝	王旺庄	82.2	Ⅲ	滨州生活、工业、农业用水
10		东营饮用工业用水区	04010011703041	王旺庄	西河口	86.6	Ⅲ	东营、利津、垦利和胜利油田生活、工业用水，引黄济青
11	黄河河口保留区		04010011802000	西河口	入海口	41.0		预留水域

计算时，考虑到河段内排污口与取水口之间的关系等因素，对一些城市供水与排污关系复杂的河段，又细分了若干排污控制单元。黄河三门峡以下总量控制计算单元共有 17

个(见表7-17)。

表7-17 黄河三门峡以下COD、氨氮纳污能力计算成果

序号	功能区名称	COD		氨氮	
		河段纳污能力(kg/d)	现状入河量(kg/d)	河段纳污能力(kg/d)	现状入河量(kg/d)
1	焦作饮用农业用水区	170 884	139 947	5 561	14 258
2	郑州新乡饮用工业用水区1	37 590	146 437	1 112	10 444
3	郑州新乡饮用工业用水区2	11 531	48 050	346	855
4	郑州新乡饮用工业用水区3	51 061		1 489	
5	开封饮用工业用水区1	1 842		56	
6	开封饮用工业用水区2	31 653		964	
7	濮阳饮用工业用水区1	15 405		1 252	
8	濮阳饮用工业用水区2	78	1 188	134	127
9	濮阳饮用工业用水区3	36 362		1 108	
10	濮阳饮用工业用水区4	4 777		55	
11	菏泽工业农业用水区	49 423		1 512	
12	聊城饮用农业用水区	66 787	12 783	1 993	11 971
13	济南饮用工业用水区1	6 542		199	
14	济南饮用工业用水区2	35 872		1 097	
15	滨洲饮用工业用水区1	20 999		641	
16	滨洲饮用工业用水区2	1 106		34	
17	东营饮用工业用水区	24 761		757	
合计(kg/d)		566 673	348 405	18 310	37 655
合计(t/a)		206 836	127 168	6 683	13 744
实际排污河段合计(t/a)		81 856	127 168	2 640	13 744
不能排污河段合计(t/a)		124 979		4 043	

(二)水质目标

依据水功能区保护的要求和我国现行的地面水环境质量标准,河流源头水源涵养区采用国家Ⅰ类水质标准;城市生活饮用水一级保护区和鱼类产卵场、栖息地采用国家Ⅱ类水质标准(由于范围很小,功能区划表中未能显示);生活饮用水二级保护区和保护河流水生态连续性的一般需求采用国家Ⅲ类水质标准;人体非直接接触的娱乐用水采用国家Ⅳ类水质标准,一般景观用水采用国家Ⅴ类水质标准。

本次规划和研究工作,考虑到黄河的重要性和保护黄河水生态的一般要求,制定的黄

河水体保护目标的最低要求为Ⅲ类水质，对于一些河段的排污控制区，考虑到排污混合的需要，在实际计算中，污染物均匀混合断面的最低水质目标为地面水环境质量标准第Ⅳ类。

二、水环境纳污能力计算

（一）计算模型

1.河流纳污能力一维模型

河流纳污能力一维模型为

$$[m]=C_s(Q+\sum q_i)\exp(k\frac{x_1}{86.4u})-C_0Q\exp(-k\frac{x_2}{86.4u}) \tag{7-13}$$

式中 $[m]$——河段纳污能力，g/s；

Q——河段设计流量，m^3/s；

C_s——规划河段水质目标值，mg/L；

C_0——规划河段上断面污染物浓度，mg/L；

q_i——i 排污口的污废水排放量，m^3/s；

k——污染物综合衰减系数，1/d；

x_1——排污概化口至下游控制断面的距离，km；

x_2——排污概化口至上游对照断面的距离，km；

u——平均流速，m/s。

河段排污重心（概化口）以污染物的等标负荷为权重进行概化求算，情况比较简单时，可直接利用污水量为权重或依据直观感受进行概化。

当计算河段内的排污口不能概化或不适宜于概化为一个排污口时，河段纳污能力$[m]$按下式计算：

$$[m]=QC_s\exp(k\frac{x_0}{86.4u})+q_1C_s\exp(k\frac{x_1}{86.4u})+q_2C_s\exp(k\frac{x_2}{86.4u})+\cdots-C_0Q \tag{7-14}$$

式中 q_1、q_2——河段内第一个、第二个排污口汇入河流的污水流量，mg/L；

x_0、x_1、x_2——Q 和 q_1、q_2汇入点到排污控制计算断面的距离，km；

其他符号含义同前。

2.河流纳污能力二维模型

当水功能敏感点距排污口（或支流口）不足以使污染物充分扩散和均匀混合时，采用河流水质污染二维模型计算稀释自净水量 Q_0，河流纳污能力二维（岸边）模型为

$$[m]=\left[C_s\exp(k\frac{x}{86.4u})-C_0\right]\cdot h\cdot u\sqrt{\pi E_z\frac{x}{u}} \tag{7-15}$$

式中 u——设计流量下污染带内的纵向平均流速，m/s；

h——设计流量下污染带起始断面平均水深，m；

E_z——横向扩散系数，m^2/s；

x——计算点(或功能敏感点)至排污口的纵向距离,km;

其他符号含义同前。

(二)计算参数取值

根据黄河干流水质和污染源现状评价结果,COD和氨氮是污染最普遍、最严重的两个因子,欲使黄河水环境质量根本好转,必须严格控制其入河量。因此,规划确定COD和氨氮作为黄河干流纳污能力计算和污染物总量控制的首选因子。

设计流量是河流水文参数中最基本的一个参数,它不仅直接影响到其他水文参数,而且在纳污能力计算中至关重要。规划选用了1970～1998年实测水文资料系列进行设计流量计算。其基本原则如下:

(1)一般计算河段的设计流量采用90%保证率最枯月平均流量。

(2)具有饮用水功能的计算河段,为了保证饮用水安全,其设计流量采用95%保证率的最枯平均流量。

(3)考虑河道环境用水和大型水利工程的调节作用,小浪底水库以下设计流量在原保证率计算基础上进行了调整。黄河利津站设计流量按50 m^3/s控制。

计算河段背景浓度(C_0)值依据河流"零污染危害"原理和"上游污染不影响下游"的水环境资源分配理论,计算单元上断面背景浓度采用该单元所处功能区的水质目标。计算单元内有饮用水水源地的河段,取水口上面河段的背景浓度采用功能区水质目标,而取水口下面河段的背景浓度则采用饮用水水源地水质标准。

一维模型中的污染物综合降解系数 k,二维模型中的水深 H、河宽 B、横向扩散系数 E_z 等,与污染稀释自净需水量计算中的方法相同。黄河三门峡以下分河段纳污能力计算成果见表7-17。

(三)计算成果

从表7-17可见,黄河三门峡以下枯水期(设计流量情况下)各水功能区和排污控制单元的允许排污量(环境容量)总和,COD为20.7万t/a,氨氮为0.67万t/a。这些纳污能力大多分布在不宜设置排污口或者是有黄河大堤隔离的河段,实际有污染排放的5个主要功能区的纳污能力,COD仅有8.2万t/a,氨氮仅有0.26万t/a。

三、污染物削减量计算和控制方案

(一)污染物削减量计算

1.以现状排放量为基点的计算模型

以现状实际排污为基点,以水功能区水质目标为控制的污染物削减量计算模型为

$$\sum W_{xi} = \sum (W_{pi} - W_{hi}) \tag{7-16}$$

式中 W_{xi}——i 功能区污染物削减量,kg/d;

W_{pi}——i 功能区污染物排放量,kg/d;

W_{hi}——i 功能区允许排放量,即环境容量,kg/d。

2.以工矿企业排污口达标为基点的计算模型

以工矿企业排污口达标为基点的污染物削减量计算模型为

$$\sum W_{xi} = \sum [W_{wpi} - W_{wbi}) + (W_{zpi} - W_{zhi})] \tag{7-17}$$

式中　W_{wpi}、W_{wbi}——i 功能区排污口污染物实际排放量和达标排放量，kg/d；

W_{zpi}、W_{zhi}——i 功能区支流口污染物实际排放量和环境允许排放量，kg/d；

其他符号含义同前。

排污口污染物浓度标准按 GB8978—1996《污水综合排放标准》一级现有值控制，即 COD 取 100 mg/L，氨氮取 15 mg/L；当排污口现状污染物浓度小于排放标准时，按现状实际排放浓度计算。

3. 以排污口达标和支流口达到环境水质目标的计算模型

以排污口达标和支流口达到地方规划水质目标的污染物削减量计算模型为

$$\sum W_{xi} = \sum [(W_{wpi} - W_{wbi}) + (W_{zpi} - W_{zbi})] \tag{7-18}$$

式中　W_{wpi}、W_{wbi}——i 功能区排污口污染物实际排放量与达标排放量，kg/d；

W_{zpi}、W_{zbi}——i 功能区支流口污染物实际排放量与达标排放量，kg/d。

支流口污染物浓度标准按 GHZB1—1999《地表水环境质量标准》第Ⅴ标准控制，即 COD 取 40mg/L，氨氮取 1.5mg/L；当支流口污染物浓度小于规划水质目标时，按现状实际排放浓度计算。

黄河三门峡以下不同控制方案的污染物总量计算成果见表 7-18。

表 7-18　主要水功能区不同排污控制方案污染物削减量计算成果

项目	功能区名称	河段纳污能力(kg/d)	现状入河量(kg/d)	环境达标削减量(kg/d)	环境达标削减率(%)	污水达标削减量(kg/d)	污水达标削减率(%)	污水支流达标削减量(kg/d)	污水支流达标削减率(%)
COD	焦作饮用农业用水区	170 884	139 947			13 135	9.4	94 731	67.7
	郑州新乡饮用工业用水区 1	37 590	146 437	108 847	74.3	76 723	52.4	76 887	52.5
	郑州新乡饮用工业用水区 2	11 531	48 050	36 519	76.0			45 645	95.0
	濮阳饮用工业用水区 2	78	1 188	1 110	93.4				
	聊城饮用农业用水区	66 787	12 783			856	6.7	5 790	45.3
	合计	286 870	348 405	146 476	42.0	90 714	26.0	223 053	64.0
氨氮	焦作饮用农业用水区	5 561	14 258	8 697	61.0	1 551	12.2	10 278	72.1
	郑州新乡饮用工业用水区 1	1 112	10 444	9 332	89.4	2 108	25.3	4 197	40.2
	郑州新乡饮用工业用水区 2	346	855	509	59.5			816	95.4
	濮阳饮用工业用水区 2	134	127						
	聊城饮用农业用水区	1 993	11 971	9 978	83.4	1 866	18.5	11 068	92.5
	合计	9 146	37 655	28 516	75.7	5 525	17.2	26 359	70.0

(二)污染物总量控制方案

从表7-18可见,三门峡以下各主要水功能区和排污控制单元的污染物削减量,若按照规划制定的水环境保护目标进行控制,COD需要削减146 t/d,占现状实际入河量348 t/d的42.0%;氨氮需要削减28.5 t/d,占现状实际入河量的75.7%。若按污水排放口达标进行控制,COD仅能削减掉现状入河量的26.0%,氨氮仅能削减掉现状入河量的17.2%。由此可见,单纯依靠污水排放口达标排放,是不能解决重点功能区的水污染问题的;若在污水达标排放的基础上,加强重点支流的治理和保护,实现国家和地方政府提出的最低水功能目标达到地面水环境质量Ⅴ类标准,则COD的削减率可以达到64%,比环境达标削减率42%高出22%,氨氮的削减率可以达到70%,与实现环境达标削减率75.7%相近。因此,从总体上说,只要按照国家和地方政府有关部门提出的污水达标排放和支流水质治理达标(Ⅴ类水标准)的目标进行控制,黄河干流三门峡以下各主要河段的水环境质量即可实现规划制定的水质保护目标。

然而,我们也应当看出,上述结论是在没有考虑到面源污染和某些功能区的特殊情况下得出的。对于三门峡以下各重点功能区的实际情况而言,有些功能区的城市供水取水口就在排污口下游不足1km处,严重违反了生活饮用水水源管理规定,只有通过搬迁排污口或者是取水口的方式进行解决问题,否则,单靠污染治理是无法解决的。对于面源污染而言,首先需要加强防范、控制污染,具体的污染治理与水质的关系问题应当另列专题研究。

四、水环境保护对策意见

(一)完善水质、水量监测系统,实施排污总量控制和节水减污审核

在流域内各主要河流、水库的行政区界断面和重要的水源地、保护区,设置水质、水量监控系统,配备监控设施和信息传输设备,实现行政区界水质、水量信息采集、传输现代化;按照总量控制的要求监控污染源,实现以行政区界为单元的水质、水量双控制和行政首长负责制,保证上游来水水质不断好转。

强化取水许可制度,加强取水和排水监控,对超标用水和超标排污的工矿企业,实施累进收费与节水减污审核。具体措施为:①制定超标用水和超标排污收费标准;②对超标用水或超标排污的工矿企业或其他法人单位,依据超标水量和超标排污量的累进程度实施收费或罚款;③强制超标用水和超标排污的工矿企业或其他法人单位实施以节水、减污为中心的清洁生产审核,杜绝生产过程中的跑、冒、滴、漏现象,促进工艺改革和技术进步;④对仍不达标的工矿企业或其他法人单位实施停水、限水整顿制度;⑤上述制度的实施依照取水许可管理权限,由流域机构和地方政府分别实施,并将实施结果向上级部门备案和向社会公布。

(二)严格控制新的污染产生,强化对已有污染源的治理

严格执行国家产业政策和环境保护法规政策,一切新建、改建和扩建工程项目,都应推行清洁生产技术,采用少排污或不排污的工艺流程,严格执行建设项目环境影响评价和环保工程与主体工程“同时设计、同时施工、同时运行”制度。各级水行政主管部门在审批高耗水、重污染项目的取水、用水计划时,要严格审核其节水、减污计划和工艺、工程措施,

并参与其竣工验收和运行检查；对不符合节水、减污条件的企业不得发放取水许可证；对开工运行达不到节水、减污设计要求的，要进行以节水、减污为中心的清洁生产审核，或控制取水、用水量，直至完全吊销用水、取水许可。

对国家环保法规严令禁止的小造纸、小化工、小炼焦、小制革、小电镀、小冶金等高耗水、重污染型工业企业和位于城市供水水源地或大中水库一级保护区的工矿企业污染源，进行每年一度的定期或不定期检查，彻底防治这些企业“死灰复燃”。

对废水排放达不到国家标准的工业企业污染源，或直接对城市水源或其他重要水域有显著危害的污染源，要全部实施以节水、减污为中心的清洁生产审核，并责令其建设和完善废污水处理设施，使全流域工业废水处理率和达标率达到国家规定的标准。

(三)建设城市污水处理厂与污水回用系统

在大中城市修建城市污水处理厂，建立城市污水回用系统，减少城市污水外排量。为保证三门峡以下水质达标，流域内兰州、呼和浩特、太原、西安四城市的污水处理率在2010年要达到国家规定70%以上，西宁、银川、包头、宝鸡、咸阳、洛阳、泰安等城市的污水处理率达到60%以上；其他城市污水处理率达到50%以上。全流域的城镇污水处理率达到60%以上。同时，开展污水回用工程研究和建设，提高城市污水回用率。

(四)开展区域综合治理和污水资源化工作

利用黄土旱塬特有的地形、地貌、地质，以及土壤化学等方面的有利条件，结合城市污水集中处理和水利工程、水土保持工程及生物措施，建设污水稳定塘——土地生态处理和资源化工程系统，使污水中的水、肥资源在黄土旱塬发挥经济、环境和生态效益，节余“清水”资源，改善河道生态环境。

(五)加强对重要水源地的管理和保护

在黄河干流沿岸河段，建设城市供水水源保护区和大中水库保护区，依据污染物稀释、自净规律，明确保护区的安全范围和界线，在重点保护区边界处插牌或建立隔离带保护工程；建立水质、水量和生态环境监控系统，以及用于管理、监视和观光、考察的瞭望塔等设施；制定或完善相应的管理法规，设置专人或机构负责管理。

定期对黄河水生物和鱼类进行调查，加强鱼类产卵场、栖息地的水生态研究，逐步积累黄河鱼类生存、繁殖与河流水量水质的关系资料，明确鱼类产卵产场、栖息地的安全界线，在重点防护区建立隔离带、瞭望塔和水质、水量、环境生态监控系统，保护黄河鱼类和其他生物资源。

对三门峡、小浪底水库和郑州邙山、东营河口及其他水生态、水环境和湿地生态环境保护区，要加强管理，严防因观光旅游等活动造成的污染和破坏。流域机构要加强对这些区域的统一管理。

(六)水质、水量保护信息向社会公布，把黄河水资源保护和水污染防治列入全国重点

加强水质水量监测和管理调度信息的网络建设，及时利用多种媒体报道和通报黄河水质水量保护信息，接受社会的监督和检查，是提高黄河水资源管理、调度工作水平的重要保障。

黄河是中华民族的摇篮、象征。流域内经济开发悠久，文化源远流长，曾长期是我国政治、经济和文化的中心，土地、矿产资源丰富，地理位置重要，是我国实现承东启西、社会

经济可持续发展的中间地带。然而，流域内水资源贫乏，水环境容量小，生态环境十分脆弱，稍有不慎，即可能造成整个流域生态系统功能的严重破坏。为此，建议把黄河流域水资源保护、水污染防治，以及生态环境保护工作列入全国重点。

（七）开源节流，保证生态环境需水量

通过渠道防渗、管道输水、田间节水和喷灌、微灌等节水措施，在宁蒙灌区、下游引黄灌区等老灌区建设节水灌溉工程。新建灌区要全部按节水要求设计和施工。

争取南水北调工程早日开工建设，尽快向黄河调水或替补黄河灌区耗水，增加河道基流，优先考虑生态环境需水量。建立全河水量调度管理中心和信息监控中心，实施全河水量统一调度，确保河道最小生态流量和入海水量目标实现。

参考文献

[1] 农业部生物多样性计划编写组. 中国农业部门生物多样性保护行动计划. 北京：中国农业出版社，1993
[2] 田家怡，贾文泽，等. 黄河三角洲生物多样性研究. 青岛：青岛出版社，1999
[3] 林超，田琦，等. 美国的环境用水. 中国水利网，2000.5
[4] 杨广俊，等. 世界环境报告（1996年）. 济南：山东人民出版社，1999

第八章　水量调度风险分析

水量调度一方面受到水文气象等随机因素变化的影响,另一方面还受到决策者的主观认识影响。在水量调度过程中,由于来水、用水预报的误差,以及决策者经验的不足和决策支持信息不完备等因素限制,使得水量调度决策存在失误的可能。由于众多不确定因素的存在,决定了水量调度风险不可避免,水量调度风险大小对于选择合适的水量调度方案、调整作物种植结构、减少缺水损失,具有非常重要的意义。

第一节　水量调度风险分析理论和方法

一、风险定义

1981年,美国风险分析协会成立后不久,就组成一个专门委员会来研究风险定义。经过三四年的工作,专门委员会列出了14种风险定义,并指出不太可能取得完全统一。专门委员会还认为没有必要建立一个通用的风险定义,建议根据各自的工作,自由选定适宜自己的定义。目前风险还没有统一的定义,例如在Bayes理论下的决策风险定义为决策的期望损失;在随机水文学中,风险定义为一个失事事件发生的概率。对于水量调度系统而言,其风险就是在水库调度和河段配水过程中,发生失事事件的可能性或概率。这里失事事件是广义的,它可以表示诸如发生缺水、凌汛灾害、电站出力低于系统要求、水库水位超过或低于某一限制水位等任何事件。

风险包括不确定性和损害两方面。损害通常定义为一种物质损失(damage)或人身伤害(injury),而风险通常还包含有损失或伤害的实际发生可能性(likelihood)。没有损害就没有风险,同样如果只存在损害而没有不确定性,同样也不存在风险。由于每个人对不确定性的理解是不同的,且评估灾害也会因人而异,所以对同样的风险,不同人的认识是不一样的,这导致风险具有很大的主观性。

根据Kaplan和Garrick的观点,当提出“什么是风险”问题时,实际上是提出了三个问题,即“在这项工程中或在运作过程中出现什么事故”、“发生的可能性有多大”和“如果发生了,其后果将会怎么样”。用 S_i 表示第 i 种事故,其出现的可能性用 p_i 表示,出现事故后的损害用 x_i 表示,关于风险三个问题表示为

	记号	例如
发生什么事故	S_i	火/爆炸
(出现什么事故)可能性有多大	p_i	0.01%
(频率/概率多大)后果如何 (损害是多少)	x_i	$100 000/伤害3人

风险的完整定义应该是上述“三位体”的集合。

把系统失效概念和动力学意义上的荷载 L 和抗力 R 联系起来，则风险可定义为：系统外来荷载 L 大于本身抗力 R 的概率，即

$$P_f = P \quad (L > R) \tag{8-1}$$

式中 P_f 为系统风险；$L>R$ 表示系统失效。

L 和 R 影响因素众多，即均为多元函数，分别计为

$$L = f(x_1, x_2, \cdots, x_i) \tag{8-2}$$

$$R = g(y_1, y_2, \cdots, y_j) \tag{8-3}$$

式中 x_i——荷载 L 影响因素；

y_j——抗力 R 影响因素。

风险 P_f 可用 L、R 的联合概率密度函数 $f_{RL}(r,l)$ 来表示：

$$P_f = \int_a^b \int_c^l f_{RL}(r,l) \mathrm{d}r\mathrm{d}l \tag{8-4}$$

式中 a、b——荷载 L 的上、下限；

c——抗力 R 的下限。

通常式(8-4)中 $a=c=0$；$b=+\infty$。

对于不同的研究问题，荷载和抗力具有不同的物理意义。例如，当研究供水问题时，荷载可以表示用户需水量，抗力表示系统可供水量；在研究河道防洪风险时，系统荷载则是洪峰流量，抗力则是河段的泄流能力。

二、风险特征

归纳起来，风险具有以下几方面特征：

(1)客观存在性。由于不确定性因素的作用，预期目标不一定能够实现，所以说风险是一种客观存在，我们既不能拒绝也不能否认风险。对于水量调度而言，由于来水、用水的随机性，以及调度人员经验不足等因素影响，使得缺水风险客观存在。

(2)不确定性。由于风险影响因素众多，关系复杂，在进行风险分析时，不可能穷尽所有影响因素；另一方面，限于目前的认识水平，风险因素之间的关系还不可能完全了解。无论采用什么方法来确定风险，只能是系统风险的近似描述，并不是系统的真正风险。也就是说，风险本身具有不确定性。

(3)可评估性。不确定性是风险的本质属性，但这并非表明人们对它束手无策，人们可以通过对以往发生过的类似事件的统计分析，对某种风险事件发生的频率及其造成的后果作出判断，从而对可能发生的风险进行预测和衡量。风险分析的过程实际上就是风险评估过程。

(4)损失性。没有损害就没有风险。未能达到预期目标的后果就是会带来某种损失，一般可用经济价值来度量。

(5)结果双重性。不利的后果一旦发生会带来损失，但冒一定的风险往往隐含可获得巨大效益，也就是通常所说的风险报酬或风险效益。正是由于风险效益的驱动，才使得人

们去冒险。

三、风险分析方法

近年来,风险分析在许多学科中得到广泛应用,研究人员提出了许多风险分析方法,归纳起来主要有重限期法、解析方法、随机模拟方法和二阶矩法。这些方法互有优劣,其比较见表 8-1。

表 8-1 **风险分析方法比较**

方 法	重现期法	解析方法	随机模拟法	二阶矩法
考虑各种有关因素	非常有限	有限	能考虑	能考虑
需要知道有关因素的概率分布	单一关系	需要	需要	不需要,但需要知道影响因素的一、二阶矩
应用时复杂性	简单	复杂	较复杂	一般
计算量	较小	中等	大	中等
能否计算总风险	不能	限于很少因素	需大量计算	能
结果能否用于经济分析	部分能	能	能	能

(一)重现期法

重现期法是水文学家最为熟悉且常用的方法之一。该方法仅考虑了荷载 L 的随机性,并通过频率分析来说明其统计特性。重限期 T_r 定义为:出现荷载 L 等于或大于某一特定抗力 R^* 事件的平均时间间隔。如 T_r 以年为单位,则在任何一年内荷载 L 不大于设计抗力 R^* 的概率为

$$p = 1 - 1/T_r \quad (L \leqslant R^*) \tag{8-5}$$

那么,n 年内风险 P_f 为

$$P_f = 1 - (1 - 1/T_r)^n \tag{8-6}$$

或近似表示为

$$P_f \approx 1 - e^{n/T_r} \quad (T_r \text{ 较大}) \tag{8-7}$$

$$P_f \approx n/T_r \quad (T_r \gg n) \tag{8-8}$$

重现期法计算风险直接简单,但只能考虑到荷载 L 的随机性,因此不能估算复杂系统的总风险。

(二)解析方法

解析方法的思路是找出风险各影响因素的概率密度函数,然后推求它们的联合概率密度函数,进而通过积分方法计算系统风险。

解析方法理论严谨,但最大缺点是很难获得各影响因素的概率密度函数,且在影响因素很多时,计算起来不仅麻烦而且困难。该方法虽不实用,但在理论概念上较好,常用于理论分析。

（三）随机模拟法

随机模拟法又称蒙特卡罗法（Monte Calro）。该方法首先利用计算机随机数生成程序，根据每一影响因素的分布函数或统计特性，生成一组样本值，然后计算荷载和抗力。通过大量的反复抽样计算，统计荷载大于抗力的概率，即可得到风险。

随机模拟法优点是可以用于复杂问题的求解，缺点是计算工作量大，而且不能保证数值解与解析解（如果存在）完全一致，因此在有其他简单方法时，应尽量避免使用该方法。

（四）二阶矩法

二阶矩法是近几年广泛应用的计算系统风险（或部分风险）的强有力的工具，主要包括均值一次二阶矩法和改进一次二阶矩法。这类方法可以考虑系统的所有影响因素，而无需忽略贡献小的因素。对于每一个影响因素只需知道其均值和方差，而不需知道其概率分布。

二阶矩法是一种近似方法，它略去随机变量按泰勒级数展开的二次或更高次项。这类方法只利用前两阶统计矩，即随机变量的期望值和方差（或变差系数）。在实际应用时，各影响因素的分布通常不很明确，但有可能知道它们的均值和方差，在这种情况下，二阶矩方法是最适宜不过的。

第二节　水量调度风险分析

一、概　述

黄河三门峡以下非汛期水量调度系统是一个复杂的“人—事—物”大系统，包括三门峡和小浪底水库、下游河道、引黄灌区以及水量调度人员等。限于目前的预报水平，中长期来水、用水预报精度还不高，特别是过程上还存在很大的误差，加上决策者理性能力不足造成的调度失误，以及工程因突发因素如电力、通讯及设备故障等造成事故，使得水量调度存在多种风险。其中，由于来水、用水的不确定性造成的风险是水量调度风险的重要组成部分。

黄河中下游非汛期径流总量预报精度较高，误差通常在10%以内。逐月来水预报精度各不相同，其中10月和4、5、6月受降雨影响，预报精度不够理想，其他月份主要受退水影响，精度通常较高。小浪底水库具有51亿m^3的长期调节库容，水量调节能力较大，因此径流过程对水量调度影响不很明显，预报来水总量对其影响较大。

在实际调度时，由于受降雨随机性和作物种植结构的多变性等因素影响，下游用水预报比较困难。第三章根据不同降雨和地下水开采水平，拟定了多种用水过程，调度人员可以根据对未来降雨和地下水开采情况的判断，选择某一用水过程，以代替用水预报。

水量调度风险大小对于选择合适的水量调度方案、调整作物种植结构、减少缺水损失，具有非常重要的参考价值。如果水量调度风险较大，小浪底水库要安排一定库容，用来保证农作物关键时段的用水需求，上游龙羊峡和刘家峡水库也要做好向下游补水准备，另外还应引导农民调整作物种植结构，多种植耐旱作物，以降低对灌溉用水的敏感性。

本次水量调度风险分析是基于合理的水库调度和河段配水，考虑来水、用水随机性，采用典型解集和统计试验等方法计算风险。在假定来水总量预报误差为正态分布的基础上，采用随机模拟技术，生成非汛期来水总量系列，对来水总量采用典型解集方法，生成随机来水系列。由于受降雨随机性和作物种植结构多变性等因素影响，下游用水预报比较困难。根据不同降雨和地下水开采水平，拟定 12 种用水过程，假定用水为均匀分布，得到下游用水随机过程。对每一组来水、用水系列，利用水量调度模型计算其缺水量，对缺水量系列进行统计分析，从而得到水量调度风险。本次水量调度风险实质上是水资源短缺风险。风险分析计算见图 8-1。

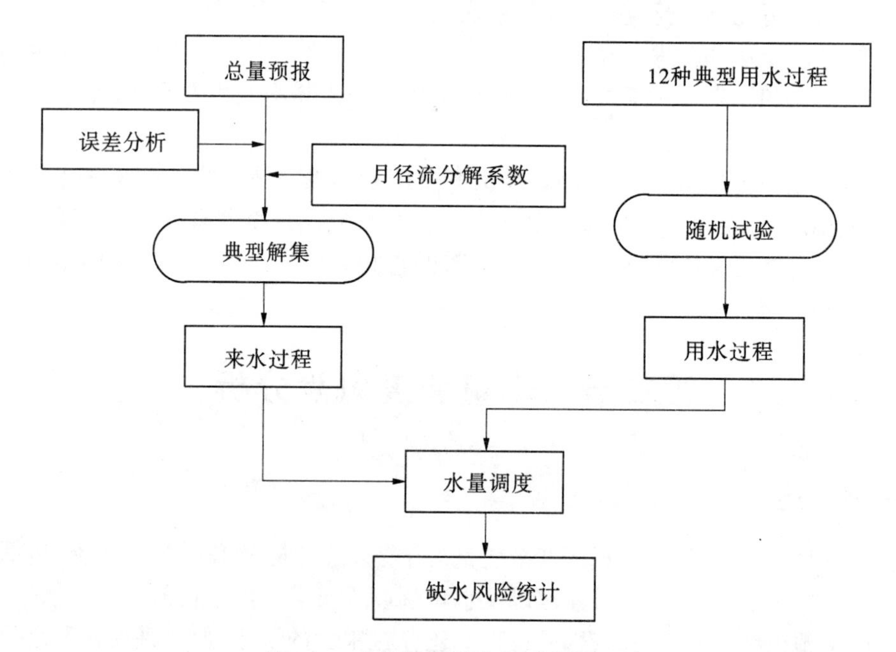

图 8-1　水量调度风险分析计算框图

二、水量调度风险分析计算

(一)非汛期来水总量系列生成

设非汛期来水总量预报值为 W'，假定预报误差 ε 为正态分布 $N(0,\sigma_\varepsilon^2)$，考虑预报误差的非汛期径流总量 W_t 为

$$W_t = W' + \sigma_\varepsilon \zeta_t \tag{8-9}$$

式中　ζ_t——标准化正态随机数；

σ_ε——误差标准差系数。

因此，为了得到非汛期径流系列 W_t，关键在于得到标准化正态随机变数 ζ_t。

均匀分布随机数是生成标准化正态随机变数 ζ_i 的基础。随机数模拟的方法除了原始方法(如抽卡法等)外，大致分为三类：利用随机数表、利用物理随机数发生器和数学方法。随着计算机技术的发展，目前应用最为广泛的方法是数学方法。用数学方法模拟的随机数要具有以下特点：

(1)模拟的随机数要具有分布的均匀性、抽样的随机性和独立性等；

(2)模拟的随机数要具有足够的周期,满足任务要求;

(3)模拟随机数速度快,占用内存少。

由于乘同余法能够满足上述要求,在科研和生产中应用较为广泛,其递推公式为:

$$x_{n+1} = \lambda x_n (\mathrm{mod} M) \quad (n = 0,1,2,\cdots) \tag{8-10}$$

式中 x_0 是初值,λ 为乘子,M 为模,它们都是非负整数,且 $\lambda < M$。上式表示为 x_{n+1} 是 λx_n 被 M 整除后的余数,称为 x_{n+1} 与 λx_n 对模 M 同余。因此,$x_{n+1} < M$,从而

$$u_{n+1} = \frac{x_{n+1}}{M} \tag{8-11}$$

就是[0,1]区间上均匀分布的随机数。

利用随机数系列生成正态分布随机系列的方法也有多种,如利用正态分布表、随机数方法和坐标变换法。坐标变换法计算工作量小,精度较高,在计算机上运算方便,应用效果良好,常被采用。该方法是对随机数 u_1 和 u_2 作如下变换:

$$\zeta_1 = \sqrt{-2\ln u_1}\cos 2\pi u_2 \tag{8-12}$$

$$\zeta_2 = \sqrt{-2\ln u_2}\cos 2\pi u_1 \tag{8-13}$$

本次采用坐标变换法生成随机标准正态变数系列 ζ_t,利用式(8-9)可以得到考虑预报误差的非汛期来水总量系列 W_t。

(二)月径流系列生成

在随机水文学中,随机解集模型是一类用途十分广泛的模型,主要分为典型解集模型和相关解集模型。如前所述,目前黄河中下游非汛期径流总量预报精度较高,但过程误差较大,因此本次采用典型解集模型,它形象、方便、灵活,又能充分利用样本信息,解集得到的系列没有引入任何与概率有关的信息。

黄河上游刘家峡和龙羊峡水库分别于 1968 年和 1986 年投入运用,受水库调节影响,三门峡入库径流过程发生很大变化。为了使月径流分解系数反映龙、刘水库的调节影响,对 1950～1995 年的天然径流考虑三门峡以上现状用水和工程条件逐河段演算,以推求三门峡入库过程。

通过下式的计算,求出各月径流分解系数:

$$K_{y,m} = \frac{W_{y,m}}{W_y} \tag{8-14}$$

式中 $K_{y,m}$——月径流分解系数;

$W_{y,m}$——月径流量;

W_y——非汛期径流总量。

根据非汛期径流总量对月径流分解系数进行丰、平、枯分类。根据非汛期径流总量 W_i 的大小,确定其分组位置。从相应的分组中随机抽取一组分解系数,按选定的分解系数将模拟的非汛期年径流总量分解为相应的月径流过程,即:

$$W_{t,m} = K_{y,m} W_t \tag{8-15}$$

式中 $K_{y,m}$——随机选定的相应 W_t 的分解系数。

(三)用水系列生成

下游用水和降雨密切相关,由于中长期降雨精度不高,下游用水过程无法准确预估,采用不同降雨和地下水开采水平,拟定12种用水过程,假定用水为均匀分布,在12组用水过程中随机抽取一组作为用水过程,得到随机用水系列。

(四)风险统计

缺水量 X 是一个随机变量,设它的分布密度函数为 $f(x)$,则缺水量 X 大于某一 x^* 的概率 $P_f(x \geqslant x^*)$ 为

$$P_f = \int_{x^*}^{+\infty} f(x)\mathrm{d}x \quad (x \geqslant x^*) \tag{8-16}$$

风险是指出现一定缺水量的概率,为对缺水风险作出全面描述,将缺水量分级,每级0.1亿 m^3,并以 $j(j=1,2,\cdots)$ 表示缺水量从低到高的级序。缺水量下限为0、上限为20亿 m^3,计200级,即0~0.1,0.1~0.2,…,19.9~20.0,20.0~+∞,并分别以0,0.1,…,20.0代表各级缺水量。

设随机试验次数为 M 次,统计缺水量 X 落在 i 级的次数 m_i,则 m_i/M 是缺水量 X 落在 i 级的频率,计作

$$p = m_i/M \qquad (X = i) \tag{8-17}$$

当样本容量足够大、分级足够细的情况下,该频率可视为概率。

缺水量 X 大于 j 级风险 $p_f(j)$ 为

$$p_f(j) = \sum_{i \geqslant j} p(i) \tag{8-18}$$

非汛期和各月缺水风险分析方法相同。

第三节 计算实例与成果分析

本次取不同预报径流量、水库初始水位和防凌流量约束进行研究。每一组预报径流量、水库初始水位和防凌流量约束为一个决策方案,表8-2列出部分决策方案。

表8-2 **部分决策方案**

方案	小浪底初始水位(m)	预报径流量(亿 m^3)	凌前最大流量(m^3/s)	凌期最大流量(m^3/s)
1	210	130	600	500
2	210	150	600	500
3	220	130	600	500
4	220	150	600	500
5	210	130	700	600
6	210	150	700	600
7	220	130	700	600
8	220	150	700	600

根据上面介绍的方法分析各决策方案的缺水量风险。限于篇幅,这里仅列出方案 1 的计算结果,见表 8-3。

表 8-3　　方案 1 风险分析

缺水量(亿 m^3)	缺水概率										
	非汛期	10 月	11 月	12 月	1 月	2 月	3 月	4 月	5 月	6 月	7 月上旬
≥0	0.325	0.282	0.248	0	0	0.116	0.167	0.15	0.165	0.138	0.001
≥0.5	0.305	0.243	0.016	0	0	0.062	0.025	0	0.103	0	0
≥1	0.246	0.227	0.01	0	0	0	0.012	0	0.071	0	0
≥1.5	0.225	0.205	0.01	0	0	0	0.007	0	0.056	0	0
≥2	0.211	0.191	0.009	0	0	0	0.006	0	0.042	0	0
≥2.5	0.191	0.17	0.009	0	0	0	0.004	0	0.026	0	0
≥3	0.172	0.153	0.007	0	0	0	0.001	0	0.017	0	0
≥3.5	0.156	0.141	0.007	0	0	0	0.001	0	0.014	0	0
≥4	0.146	0.125	0.007	0	0	0	0.001	0	0.01	0	0
≥4.5	0.135	0.116	0.006	0	0	0	0	0	0.009	0	0
≥5	0.127	0.109	0.005	0	0	0	0	0	0.007	0	0

本次非汛期径流总量模拟系列长度达 10 000,以此进行水量调度风险分析,所求得的频率可视为概率。

根据方案 1～方案 8 风险进行分析,可以得到以下结论:非汛期预报径流总量在很大程度上影响水量调度风险,来水越大风险越小,来水越小风险越大。如方案 2 非汛期缺水风险比方案 1 小 20%,方案 4 比方案 3 小 4.3%,符合客观实际。如果小浪底水库初期蓄水少,即初始水位较低,尽管非汛期径流总量大,也避免不了前面某些时段的缺水风险,如方案 2,10 月缺水风险为 6.8%,11 月为 5.2%。这是受来水过程的影响,由于前期来水少,加上水库初始水位低,即蓄量少,水库调蓄能力有限造成缺水,当提高小浪底水库初始水位时,风险将降低,如方案 4,水位提高到 220 m,其他条件同方案 2,10 月缺水风险则降为 4.8%,11 月降为 2.8%。因此,小浪底水库主汛期末适当多蓄些水,可以降低 10 月和 11 月缺水风险。从计算结果还能发现,缺水风险还受防凌最大泄流的影响,适当提高防凌流量约束上限,可以降低风险,如方案 8 防凌流量约束上限比方案 4 提高 100 m^3/s,非汛期缺水风险则由 4.6%降到 1%。在下游凌汛期引水增加的今天,放宽最大防凌流量约束,无论对降低下游缺水风险,还是提高发电效益都是非常有利的。

第四节　小　结

水量调度无法避免风险,本章在对众多风险分析方法进行评价的基础上,采用典型解集和统计试验等方法生成来水、用水系列,采用随机模拟技术建立了水量调度风险分析模型，并通过实例对所建的水量调度风险分析模型进行了验证。本次提出的水量调度风险分析方法具有以下特点：

(1)概念清晰明确，方法简单，分析计算简便，可操作性强；

(2)将风险分析的概念引进到水量调度中，使水量调度决策更加科学、合理；

(3)所建水量调度风险分析模型具有很强的适用性，可推广到其他地区使用；

(4)由于在计算风险时采用随机方法，考虑了不同的情况组合，其计算风险具有实际意义。

由于用水预报没有开展，根据不同降雨和地下水开采水平，拟定 12 种用水过程，在生成用水系列时，假定用水为均匀分布，得到下游随机用水过程，所以计算风险值仅作为参考。

水量调度风险的影响因素众多，本次仅从来水、用水不确定性角度对其进行了分析，计算风险仅是资源短缺风险，由于调度等原因引起的风险则没有涉及。

风险分析只是风险管理的一部分，如何根据风险分析结果，采取措施降低水量调度风险，需要进一步研究。

参考文献

[1] Yen B C, Tang W H. *Risk - safety factor relation for sewer design*. J. Environ. Eng., 1976(2):509～516

[2] Fujiwara O, Li J. *Reliability analysis of water distribution networks in consideration of equity, redistribution, and pressure - dependent demand*. Water Resour. Res., 1998(7):1843～1850

[3] 朱元生. 洪泛区洪灾风险的分析和管理. 水利经济, 1990(2):55～62

[4] 朱元生. 长江南京段设计洪水位的风险分析. 水文, 1989(5):8～15

[5] 朱元生，沈福新，黄振平，等. 长江防洪决策支持系统—防洪决策风险分析. 水科学进展, 1996(4):295～304

[6] 朱元生，韩国宏，王汝慈，等. 南水北调中线工程交叉建筑物水毁风险分析. 水文, 1995(3):1～7

[7] 徐宗学，叶守泽. 洪水风险率 CSPPC 模型及其应用. 水利学报, 1988(9):1～8

[8] 束龙仓，朱元生，孙庆义，等. 地下水允许开采量确定的风险分析. 水利学报, 2000(3):77～80

[9] 黄振平，沈福新，朱元生，等. 基于雨洪预报信息的防洪决策风险分析方法研究. 水科学进展, 2001(12):499～502

[10] 赵永军，冯平. 河道防洪堤坝水流风险的估算. 河海大学学报, 1998(3):71～75

第九章　水量调配方案经济效益计算方法研究

第一节　概　述

长期以来，流域水资源利用规划的方法和手段仅限于水资源供需平衡分析和经验决策为主的层次，缺乏以经济效益分析为基础的多目标综合评价。即使一些研究模型考虑按照一定优化准则进行优化调配，但又多是以物理量表达其目标函数的，如灌溉面积最大、不蓄电能损失最小、供水保证率最高、弃水量最小、灌溉缺水量最小等，许多问题常常要用多个物理量表达并相应建立目标函数，这又不可避免地带来多目标决策问题，需要在非劣解集中引入决策偏好来选择最佳均衡解，这样使得问题的求解复杂化。而在价格资料获得的基础上，采用以经济量(货币量)表达的有总产值最大、净效益最大、成本或费用最小等，这样就使得多个物理量统一到货币量上，在优化研究中使得同一方案在不同供水部门之间、不同方案之间具有比较的基础。因此，在水资源调配基础上开展经济效益的分析与研究是水资源管理的要求和发展趋势之一。

目前水资源优化调度和分配中，研究以经济(经济效益分析)为目标的水量调配非常必要，其重要性和意义主要表现在以下几个方面：①以水资源利用方案为基础，分析水资源在各地区不同发展水平年的效益，提出区域不同水资源开发利用方案(水量调度配置方案)的经济效益(效果)指标，通过改变不同的水量调配来分析其经济效果，选择经济较优的水量调配方案；②为建立合理的水资源价格体系并正确制定水资源投资政策，运用经济杠杆来合理开发利用和保护水资源提供基础；③在各水平年不同工程布局、不同供水规模情况下，研究可供水资源的经济效益，可以从宏观上引导河道内水资源的开发利用向着优化配置的方向发展，为在建或拟建供水工程的经济评价提供"水"这一投入物的影子价格，为确定各河段引水口的水价和制定供水补贴政策提供依据，促进节约用水、经济用水措施的实施。

在广泛参考其他有关研究成果、跟踪相关学科最新发展动态的基础上，针对黄河下游非汛期水量调度配水后不同供水目标的特点，分别进行了农业灌溉供水经济效益、城市工业及生活供水经济效益、水力发电经济效益、生态环境供水经济效益等四个方面的效益分析方法的研究，并采用多种途径进行了较为系统的研究和探讨。

第二节　灌溉经济效益

一、概　述

目前，水利经济评价规范及有关研究课题通常采用的灌溉经济效益计算的基本方法有以下几种：

(1)影子水价法。该法是按灌溉供水量乘以该地区的影子水价计算。该法的困难在于影子水价测算需要大量资料，且影响影子水价的因素众多，尤其在面上大范围推广和系统应用更加困难，甚至在一些情况下不可能实现。

(2)缺水损失法。该法是按缺水造成农业减产的损失计算。在计算不同年型的灌溉经济效益时，减产系数要按各年降雨、水资源状况，分别予以测定，而这恰恰又是最为困难的基础工作。

(3)分摊系数法。该法是按有、无灌溉供水系统对比灌溉和农业技术措施可获得的总增产值乘以灌溉效益分摊系数计算。

(4)扣除农业生产费用法。该法是通过调查统计发展灌溉以后为采取相应的农业技术措施所增加的生产费用，从农业增产总值中扣除，余下的部分即可作为灌溉措施提供的增产效益。

考虑采用“扣除农业生产费用法”，概念清楚，基本资料获取相对较容易，故采用该方法分别建立灌溉经济效益计算的线性规划模型和大系统理论计算灌溉经济效益模型。为了充分考虑作物水分生产函数在计算效益中的特点，针对线性规划模型，又按完整灌水和不完整灌水方案建立了具有先后联系的两层次线性规划模型计算经济效益。

二、线性规划模型

(一)概述

一个有一定规模的灌区通常都由几个子灌区组成，每个子灌区都要种植不同作物，如小麦、玉米、水稻、棉花等。各种作物都有各自的灌水方案(如 5 水、4 水、3 水、2 水、1 水方案等)，根据试验或统计资料分析，可以建立不同灌水方案相应的增产效益函数。一种作物某种灌水方案的含义是：在该作物全生育期内的不同生长阶段相应于该灌水方案所要求的每次灌水都得到满足。灌溉经济效益计算的任务是对可能供给的灌溉水量在满足约束条件的前提下，在不同作物间及同种作物不同灌水方案间进行合理分配，使灌区总产值或净效益最大。在实际分析计算时可能会发生以下两种情况：

(1)以保持完整的不同灌水方案为基础，将灌水量在不同作物间及同种作物不同灌水方案间进行优化分配，此时的决策变量是不同作物不同灌水方案的灌溉面积，相应的生产效益函数由不同灌水方案不同时段灌溉水量相应的单位面积产量的关系来反映。为满足这一要求，某一灌水方案的灌溉面积应以该灌水方案各次灌水中所分配的灌溉水量的最小值来确定，同一灌水方案其他时段的灌溉面积和这个灌溉面积相同。当其他时段可供灌溉的水量较丰时，就有多余水量被其他灌水方案利用或被弃掉。

(2)以每种作物每次灌水的灌溉面积作为决策变量，将各时段的来水量在不同作物间进行分配。这样，每一种作物在不同时段的灌溉面积就可能互不相同，也就是说，每种作物在生育期内不能保证相应于某一固定灌水方案的相同灌溉面积，但各时段的来水量将被分配掉而水资源得到充分利用。在计算某一作物的灌溉增产效益时，应具有不同作物不同时段不同灌水次数、不同灌水量及其组合的生产效益函数，然而这一点在具体生产实践中是很难实现的。

为了妥善处理以上两种情况，并使灌溉水资源得到充分利用，可分为两个层次，用两个不同的线性规划模型解决灌溉水量的优化分配问题，这样既充分利用了灌溉水资源，又可以利用原有的作物生产函数计算其灌溉增产效益。

(二)线性规划模型Ⅰ

保持完整的不同灌水方案，进行第一层次灌溉水量在不同作物间及同种作物不同灌水方案间的优化分配。即以各种作物不同灌水方案的灌溉面积作为决策变量，并采用完整灌水方案相应的生产函数。

1.决策变量和目标函数

以不同子灌区内不同作物不同灌水方案的灌溉面积作为决策变量，用 x_{nk}^{i} 表示。此处，n 表示子灌区的序数（$n=1,2,\cdots,N$）；k 表示第 k 种作物，如 $k=1,2,\cdots$；i 表示不同灌水方案，如 $i=1,2,3,4,5$ 分别表示5水、4水、3水、2水和1水方案。

选用灌区灌溉净效益最大为优化的目标，采用扣除农业生产费用法计算灌溉经济效益，其具体表达式为

$$Z_1 = \max \sum_{n=1}^{N} \sum_{k=1}^{K_n} \sum_{i=1}^{M_{nk}} [(y_{nk}^{i} \cdot P_{nk} - C_{nk}^{i}) \cdot x_{nk}^{i}] \tag{9-1}$$

式中 N——子灌区数，且 $n=1,2,\cdots,N$；

K_n——第 n 子灌区的作物种类数，且 $k=1,2,\cdots,K_n$；

M_{nk}——第 n 子灌区第 k 种作物的灌水方案数；

y_{nk}^{i}——第 n 子灌区第 k 种作物第 i 灌水方案的单位面积增产效益系数；

P_{nk}——第 n 子灌区第 k 种作物的影子价格；

C_{nk}^{i}——第 n 子灌区第 k 种作物第 i 灌水方案的单位面积增加农业生产费用系数；

x_{nk}^{i}——第 n 子灌区第 k 种作物第 i 灌水方案的灌溉面积。

2.约束条件

约束条件主要包括灌溉面积约束、灌溉水量平衡约束、渠道的输水能力约束、政策性约束、综合利用要求和特殊情况约束等。

(三)线性规划模型Ⅱ

以不同作物每次灌水的灌溉面积作为决策变量，将第一层次分配后有多余水量的时段进行余水量的二次分配。计算灌溉增产效益时仍采用原有不同灌水方案的生产效益函数。这样有一定的近似性，但因只涉及多余水量分配的效益计算，由此引起的误差不会有太大的影响。

1.决策变量及目标函数

模型Ⅱ是在模型Ⅰ的基础上，对有多余水量时段，且在模型Ⅰ运行后尚有部分面积没

有灌到的时段进行二次优化分配。

选择各种作物每次灌水的灌溉面积 x_{nk}^{j}(表示第 n 子灌区第 k 种作物第 j 次灌水的灌溉面积)作为决策变量。

目标函数与模型Ⅰ的目标函数形式相同,即灌区的灌溉净效益最大,其表达式为

$$Z_2 = \max\sum_{n=1}^{N}\sum_{k=1}^{K_n}\sum_{j=1}^{J_{nk}}[(y_{nk}^{j}\cdot P_{nk} - C_{nk}^{j})x_{nk}^{j}] \tag{9-2}$$

式中 j——灌水的次数(第1次、第2次、…、第 J_{nk} 次);

其他符号意义同前。

2.约束条件

模型Ⅱ的约束条件应考虑模型Ⅰ优化分配后的情况。约束条件主要有灌溉面积约束、时段水量约束、干渠节点水量平衡约束、支渠的输水能力约束、其他约束等。

三、大系统分解递阶模型

区域水资源优化配置模型前面已有介绍,配水模型就是以灌溉经济净效益最大为目标函数,具体方法可参见“灌溉经济效益计算的线性规划模型”。对于水电站水库调度模型中的目标函数是将水电站以发电量为基础转换为用经济价值度量的目标函数,具体方法可参见水力发电经济效益部分。

(一)建立区域水资源分解递阶模型的必要性

全区域水资源优化分配问题规模相当庞大,若直接建立数学模型,所包含的变量和约束条件数量很大,用传统的优化方法求解是相当困难的。

若对上述水资源优化分配问题的模型结构进行分析,不难看出它们具有特殊的结构形式。首先,区域约束块是由所有子区域约束条件组成,各子区域约束之间是独立的。其次,干流约束块中各约束条件所涉及的变量最多只与相邻二子区域有关,如干流河道水量平衡约束。因此干流约束块具有阶梯形结构,对于具有这种特殊结构的优化问题,建立递阶分解模型,采用分解协调技术求解比较有效。

(二)递阶多层优化模型的研究

1.三层递阶优化模型的建立

本部分按基础层、中间层、区域层的次序,分别建立各层次的水资源优化分配模型。

(1)基础层子区优化配水模型的建立。建立基础层子区模型的目的,是在对子区给定年供水量条件下,在年内各时段对各类用户合理分配水资源,以寻求对子区总的供水经济效益最大。基础层子区模型,可求得各用水部门及年内各时段用水的优化分配方案,以及相应的子区最优效益。对模型输入不同年供水量时,就可进一步求得该子区不同供水相应最大净效益的函数关系,它们将输入中间层子系统模型,以便进行高一层次的优化。

(2)中间层子系统模型的建立。建立中间层子系统模型的目的和基本内容,是在下属各子区模型运行输出效益函数的基础上,适当考虑地区经济平衡发展的要求,在下属子区间合理分配水资源,寻求中间层子系统供水经济效益最大。中间层子系统模型应考虑与下属子区模型衔接以及向下属各子区工程供水能力的限制,可用对各下属子区供水上、下限的约束条件表示。

(3)整个区域层系统模型的建立。整个区域层除了研究对各大区的水量分配外，还要考虑河道外工农业用水与河道内用水之间的相互影响与协调。例如三门峡和小浪底两梯级水电站优化调度，以及满足生态环境用水、防凌等要求。当建立起各中间层子系统优化模型后，可按照同样的原理和方法建立起整个区域层系统模型。整个区域层水资源优化分配问题所要考虑的约束条件包括区域约束块和干流约束块。整个区域层的模型建立及解法类同于前述的二阶模型，也是采用协调算法，构造总体协调优化模型，这里是在中间层优化效益指标计算的基础上，反馈到第三级（最高层），然后再不断反馈迭代，逐步达到整体最优解。

2.求解方法

根据上述模型的特点，可采用多种方法求解。例如，可用非线性规划方法求解；也可将目标函数线性化近似处理后，用线性规划单纯形法求解；或者将此多维静态问题转化为若干一维动态优化问题，用动态规划方法求解；还可用等微增率法，或称边际指标协调法，即通过迭代使各子区供水经济效益边际值尽可能接近。

第三节　城市工业及生活供水经济效益

一、概　述

目前，在工程实践中常用的城市工业及生活供水效益计算方法有下列几种：

(1)农业缺水损失法。此法是在城市供水严重不足时，通过压缩农业用水来满足工业用水需要，因此仅可作为临时性的应急措施。且长期大量占用农业用水不但会造成农业生产损失并且将带来一系列社会问题，同时这部分损失也很难用数值来表示。因此，计算工作复杂，涉及政策范围广，可行性不强。

(2)工业缺水损失法。该法把由于工业供水不足造成部分工厂停产、减产的净损失值作为新建供水工程的供水效益，概念清楚，也符合经济理论，但该法需要大量基本资料，例如需要收集不同供水保证率的缺水量及相应工厂不同产品停产、减产量和时间等资料，但目前缺乏此类统计资料。因此，该方法在实际应用中操作性不强。

(3)最优等效替代法。该法把最优等效替代方案的年费用或总费用作为拟建方案的年效益或总效益。这种方法符合经济分析理论，并且考虑了物化劳动和活劳动的作用，避免了价格与价值不相符合的不合理现象。此法在具有可备选方案的基础上方法简便，概念清楚，易于接受。但是，往往找不到合适的等效措施，因此在应用上受到限制。

(4)效益分摊系数法。按有该项目时工矿企业等增产值乘以供水效益的分摊系数近似估算。本法适用于方案优选后的供水项目。本法以供水项目费用占供水范围内整个工矿企业生产费用的比例，作为供水效益分摊系数，分摊有该供水项目后工矿企业的增产值。本法存在供水项目投资越大供水效益越大的不合理现象，在进行供水方案比选时不宜采用。人们之所以提出以分摊系数法估算工业供水项目的经济效益，主要是因为在规划设计实践中，难以估算商品水的边际理论价格或影子价格的缘故。

(5)影子水价法。它是根据资源优化配置的原规划存在最优解时，其对偶规划也存在最优解这一数学原理，通过建立各种资源相互联系的优化配置线性规划及其对偶规划模型，来推求各种资源的影子价格。这种方法在理论上是比较严密的，但是在应用上却十分困难。

以上论及的几种计算方法都有相应的使用条件和局限，因此在计算资料等条件许可的情况下，一般应尽量多采用几种方法，以便相互比较、分析，从而选用其中比较合理的成果。同时，针对目前城市供水经济效益计算方法中存在的一些问题，也有必要探索研究工业及生活供水经济效益计算方法，本次主要采用可计算的一般均衡(CGE)模型、微观经济学模型、数量经济学模型三个模型研究工业供水经济效益。

二、可计算的一般均衡(CGE)模型及其在水价计算中的应用

宏观经济的水价计算模型，是应用市场经济的一般均衡理论，分析水资源供需达到均衡时的水价格或水资源的边际贡献，为水资源开发利用对区域社会经济发展的作用分析提供定量依据，也可为区域水资源开发利用提供指导。CGE 模型 20 世纪 60 年代末出现于宏观政策分析和数量经济领域。

(一)CGE 模型概述

CGE 模型通过对一般均衡经济系统的数值模拟分析，反映了市场经济中的要素决定资源配置和收入分配的基本机制。CGE 模型源于瓦尔拉斯的一般均衡理论，但又不同于这一理论，CGE 模型取消了完全竞争的必要性假定，把政策的干预引入了模型，使之适合当今许多国家混合经济的条件。因此，它使一般均衡理论更接近经济现实。CGE 模型作为一种建模技术，吸收了投入产出、线性规划等方法的优点，体现了部门间的联系，同时又克服了投入产出模型忽略市场作用的弊端，把要素市场、产品市场通过价格信号有机地联系在一起，既反映了市场机制的相互作用，又突出了部门间的经济联系。

(二)CGE 模型应用于水价分析的方法研究

由于 CGE 模型能有效地模拟宏观经济的运行情况，特别是在市场经济条件下，因此它能用来研究和计算部门和商品以及资源的生产、消费情况，能够计算部门和商品的价格。

CGE 模型能输出某一区域的经济在均衡条件下各部门商品的相对价格，以及在均衡条件下的各部门生产和消费情况。因此，它能有效地用于商品价格的计算。CGE 模型应用于水资源商品的研究，资料的处理工作非常巨大。目前，我国尽管把水利作为国民经济的基础产业来看待，但在实际的经济统计工作中，还没有把水利和供水作为一个单独部门来处理，因而有必要对开放经济的 CGE 模型作变动以适应实际情况，使计算方法现实可行。

基于上述考虑，应用于水价研究的 CGE 模型考虑采用以下几种方法：

(1)最理想的手段是，把水利或供水部门作为部门或商品纳入模型，直接计算水部门的相对价格，由此推断供水的价格，但此方法的最大困难是需要建立水行业的投入产出价值表，这是目前我国水资源和水利经济界所面临的最基础性工作，基础资料的收集工作和水资源投入产出表的编制及推广还有一定的困难。

(2)较为现实的是，建立宏观经济的投入占用水资源模型，通过可供水量的变化，推求

GDP的变化值；然后，确定GDP变化值中水资源量变化的贡献量，推求水的边际价格。这种方法只需在现有的CGE模型中加入水资源条件变化的方程，实际操作较方便，模型中计算反映的是水资源商品的边际价格。

(3)建立宏观经济的实物投入产出模型，推求水行业的部门相对价格。此方法与方法(1)类似，但困难是实物表较难获得，实物投入产出系数的转换较复杂。

(4)把供水部门和其他部门分割处理，设想为两个地区间CGE模型：一个地区生产和出口水量及处理污水，消耗从另一地区进口的物资；另一地区为其他生产部门，进口和消耗水量，产生污水，向供水地区出口消耗物和污水；两地区间水量供给和生产均衡，物资生产和供给均衡。

三、应用微观经济学进行城市供水经济效益计算

微观经济学是研究单个消费者、单个生产者、单个厂商、单个行业等个体单位行为的学科。应用微观经济学进行城市供水效益的计算，具体解算步骤如下所述。

(一)制定供给量

运用此法首先要通过分析计算确定城市供水工程的可靠产水量，并推求出边际费用曲线(供给曲线)，以供效益计算之用。具体方法是：首先，推求水库产水量，并建立每一水库费用与产水量关系曲线；然后，建立水库群总费用和总产水量的关系曲线，点绘总费用曲线的斜率与年供水量的关系曲线；最后，得出边际供水费用与产水量关系曲线。

(二)估算城市需求量

为城市供水获得的效益决定于提供的补充水量的价值，它从城市用户用水量与价格关系的资料中分析得出。需求曲线推求的步骤如下：

(1)若城市有用水记录，即可从记录中算出历年的水价和每人用水量。

(2)工业用水量有一个替代方法，是由工业生产函数推求需求曲线。工业会使用大量的再循环水或代之以不用水的生产方法，分析替代生产过程的用水效应和该过程可用较少水量替代的程度，可估算出某种工业用水的需求曲线。如果需要量预测表明水价为 P_b 时用水量为 Q_b，此时估算出需求的价格弹性为 E，则在假定价格弹性为常数时，可得出下式表示的需求曲线：

$$P = \frac{P_b \times Q_b^{1/E}}{Q^{1/E}}$$

(三)计算城市供水效益

提高城市供水水平的供水工程效益 B 按需求曲线以下、从工程未实现时的用水量 Q_1 到工程实现后理想的经济用水量 Q_2 所包面积来计算：

$$B = \int_{Q_1}^{Q_2} P\mathrm{d}Q = \int_{Q_1}^{Q_2} P_b Q_b^{1/E} \frac{\mathrm{d}Q}{Q^{1/E}} \tag{9-3}$$

若 $E \neq 1$ 时，积分有：

$$B = \frac{P_b Q_b^{1/E}}{1 - 1/E}\left(\frac{Q_2}{Q_2^{1/E}} - \frac{Q_1}{Q_1^{1/E}}\right) \tag{9-4}$$

若 $E = 1$ 时，积分有：

$$B = P_b Q_b \ln \frac{Q_2}{Q_1} \tag{9-5}$$

四、运用西方经济学和数量经济学计算工业供水经济效益

众所周知,水资源是国民经济可持续发展的重要基础,也是重要的生产要素。但是,目前水资源与国民经济发展关系的研究几乎偏于定性研究,不能定量说明水资源对国民经济和社会发展的贡献。这里按照西方经济学的生产函数的概念,将水纳入生产函数作为因子,建立工业用水的数量经济模型,然后根据工业行业的用水统计,建立工业行业考虑水资源的生产函数,由此估计工业用水的边际效益及产值弹性等。

(一)研究方法与思路

按照上面建立的生产函数最常用的形式——Cobb-Douglas 生产函数,列出分行业具体的生产函数形式如下:

$$X_i = A_i K_i^{\alpha_i} L_i^{\beta_i} \tag{9-6}$$

式中 X_i——行业产出;

A_i——考虑技术进步因素和生产规模的常数;

K_i、L_i——投入要素,在基本函数形式中一般为资金和劳动力;

α_i、β_i——要素间的替代弹性。

在该研究中,为了分析工业用水对行业产出的边际效益,对生产函数加以改动,用水或水资源作为生产要素,与资金和劳动力一起,纳入到生产函数,建立如下形式的生产函数:

$$X_i = A_i K_i^{\alpha_i} L_i^{\beta_i} W_i^{\gamma_i} \tag{9-7}$$

式中 W_i、γ_i——水投入、水的要素替代弹性。

若对式(9-7)作对数处理,可得如下的形式:

$$\ln X_i = \ln A_i + \alpha_i \ln K_i + \beta_i \ln L_i + \gamma_i \ln W_i \tag{9-8}$$

对式(9-8)变换,即为

$$\ln X = a \ln K + b \ln L + c \ln W + d \tag{9-9}$$

式(9-9)即为行业产出与资金、劳动力和水的双对数线性关系式,其中的 a、b、c 分别为资金、劳动力和水的产值弹性,d 为常数,可以分别从国民经济统计年鉴的数据建立模型获得。若对式(9-9)(微分)求导,可得

$$\frac{\Delta X}{X} = \frac{a\Delta K}{K} + \frac{b\Delta L}{L} + \frac{c\Delta W}{W} \tag{9-10}$$

对式(9-10)进行变换,可得水对工业行业产出的边际效益 V_w 为

$$V_w = \frac{\partial X}{\partial W} = \frac{\partial \ln X}{\partial \ln W} \times \frac{X}{W} = c\,\frac{X}{W} \tag{9-11}$$

式(9-11)的 X/W 即为工业万元产值用水量的倒数,表明水对工业行业的边际效益为水的产值弹性与万元产值用水量倒数的乘积。

(二)工业用水的经济效益分析步骤

在前述研究工作的基础上,工业供水经济效益的计算方法及步骤如下:

(1)根据工业经济和用水的数据以及所述的模型结构,建立工业行业产值与资金、劳动力和水的双对数多元线性关系式的参数和模型拟合精度的参数。

(2)求得模型拟合的多元回归系数,进行显著性检验,判断模型的拟合精度。

(3)求得水、资金、劳动力的产值弹性系数。

(4)建立工业行业考虑水投入的行业生产函数。

第四节 水力发电经济效益

一、概　述

水力发电经济效益应按照该发电项目向电网或用户提供容量和电量所获得的效益计算,通常采用的计算方法有以下三种:

(1)最优等效替代法。该法是按照最优等效替代设施所需的年费用(年折算投资和年运行费之和)计算,是设计单位常用的方法。

(2)影子电价法。该法是按发电项目提供的有效电量乘以影子电价计算,本法的关键是合理确定影子电价。

(3)两部制电力影子价格法。它是以可避免容量费用和可避免电量费用测算容量和电量价格的方法。

分析上面的三种方法的共同特点均强调采用经济学的影子电价定价方法,方法研究也针对这类方法进行研究。本节首先阐述以经济效益最大为目标的水电站优化调度准则,然后分别提出了以电能价值当量分析法、长期边际成本电力定价计算水力发电经济效益。

二、以经济效益最大为目标的水电站优化调度准则

传统方法在水电站规划或水电站水库优化调度中,一般是采用发电量的大小作为衡量水电站效益的一个主要目标,但是1 kW·h保证电量与1 kW·h季节性电能的作用和价值是不同的,相差可达数倍,而且介于保证电量与季节性电能之间的那部分由中等流量发的电量(称它为“中水电量”)的价值,亦不同于保证电量和季节性电能的价值;还有,传统的方法没有考虑水电站在特别枯水年份出力降低对电力系统造成的损失,所以用发电量大小来衡量水电站效益是不全面、不准确的。

(一)按供电质量计算电价

将水电站的年发电量分为3个区域电价进行计算:一是发电保证率为100%(或设计保证率)以下部分,称保证电量$E_{保}$区,按保证电价$\upsilon_{保}$计算;二是由重复容量提供季节性电量$E_{季}$区,按季节性电价$\upsilon_{季}$计算,或按某个保证率(例如30%～40%)以内的那部分电量,称丰水电量$E_{丰}$区,按丰水电价$\upsilon_{丰}$计算;三是介于上述保证电量与季节性电量之间区域,叫中水电量$E_{中}$区,按中水电价$\upsilon_{中}$计算。

水电站发电量的价值,原则上可认为同发电的可靠性(即保证率)成正比。例如,若保证率为100%的保证电量电价为1.0的话,则保证率为40%的电价为0.4,等等。分区计

算时,各区电价的数值可根据各区的平均保证率和各系统与水电站的具体情况分析确定,也可按连续变化的电价计算。

(二)破坏损失的计算

在特别枯水年份,当水电站出力降低到一定范围内时,电力系统的一部分事故备用容量可以用来补充这个出力的不足额。因为特别枯水年份通常相当于约10年或20年遇到1次,并且当遇到特别枯水年份需要降低出力的时间经常不是全年,而只是该年供水后期的一两个月或若干月,在这时需要动用电力系统全部事故备用容量的概率是很小的,系统内一般有一部分事故备用可用来补充水电站出力不足。

当在特别枯水年份水电站出力降低超过一定范围时,电力系统的事故备用容量已不能完全弥补水电站出力的不足。这时就需要限制供电,从而导致国民经济和人民生活的损失。限电造成的损失,将随枯水的严重程度及相应出力降低程度的加剧而增大。天然来水枯到刚刚需要限电时,由于这时可以先限制电力系统中一些不重要的负荷,它所造成的单位电量损失较轻。天然来水愈枯,出力降低愈大,限电范围愈广,除了需要限制不重要用户外,还需要限制较重要用户用电,因而限电造成的单位电量损失就愈大。总的来说,限电造成的单位电量损失是随电量的增加和限电范围的扩大而非线性增加。

(三)水力发电经济效益的计算

根据分区电价及限电损失,可求得水电站某调度方案的国民经济效益为

$$B = (E_{保} \cdot v_{保} + E_{中} \cdot v_{中} + E_{季} \cdot v_{季}) - (\Delta E_1 \cdot u_1 + \Delta E_2 \cdot u_2 + \Delta E_3 \cdot u_3) \tag{9-12}$$

式中 ΔE_1、ΔE_2、ΔE_3——不重要、较重要、重要用户限制用电数量,kW·h;

u_1、u_2、u_3——不重要、较重要、重要用户的限电后1 kW·h损失。

三、电能价值当量分析法计算水力发电经济效益

(一)电能价值当量分析方法

基于经济学的电能价值当量法步骤如下:

(1)建立电力系统的优化模型。

(2)利用优化模型,评定相应电力系统的经济学成本,通常分解为容量成本和电量成本。

(3)利用优化模型,评定相应电力系统的效益,通常分解为容量效益和电量效益,它是基于边际成本原理,应用负荷微增方法计算。

(4)为了将上述成本和效益分配到每一机组和每一小时,需要建立它们的分担准则,将它们在一个负荷曲线上,沿负荷轴和时间轴作二维展开。常用的方法是风险分担准则,即采用电力不足概率(*LOLP*)来分担与容量有关的效益,用电量不足期望值(*EUE*)来分担与电量有关的效益。

(5)构造持续形式或时序形式的电能价值电量图表。

(6)根据不同应用要求,用电量加权方法,将上述电能价值当量图表综合并简化为可操作的分时电价表。

电能价值当量分析及其分时电价计算方法,该方法又分为确定性和随机性两大类,下

面以确定性方法为例说明。

(二)确定性电能价值当量分析及其分时电价计算

1. 电能价值经济当量的组成

在经济学的定价模式中,电能价值经济当量的电价由四部分组成,即容量的成本与效益和电量的成本与效益。

经济学中的容量总成本,主要用于容量投资的还贷,以维持容量的简单再生产;经济学中的电量总成本,主要用于电量生产运行费用(主要是燃料费)的回收,以维持电量的简单再生产;经济学中的容量总效益,主要用于筹集扩大容量的资金,以保证容量扩大再生产;经济学中的电量总效益,主要用于估计电量的效益,用边际信息引导供求平衡。

2. 分担准则和价值当量

总的当量电价水平由上述四个基本部分之和决定,这四个部分要按不同的准则分配到各个时段,并重组构成分时电价。由于存在非线性的关系,在负荷轴上和在时间轴上分担的次序是不能互换的。成本的分担由于涉及机组或电源的投入,因此应先在负荷轴上分担和展开,以保证各机组间的分配是合理的,然后再在时间轴上分担和展开。而效益的分担由于涉及每一小时系统的风险($LOLP_j$ 或 EUE_j, $j=1,2,\cdots,24$),因此先在时间轴上分担和展开,以保证各时间段之间的分配是合理的,然后再在负荷轴上分担和展开。

价值当量由四部分组成:价值当量的容量成本分量 P_{cv}、价值当量的电量成本分量 P_{ev}、价值当量的容量效益分量 P_{cu}、价值当量的电量效益分量 P_{eu}、在所有分量计算后,则 i 机组 j 时段的电能的价值当量为四个分量之和,即:

$$P(i,j) = P_{cv}(i,j) + P_{ev}(i,j) + P_{cu}(i,j) + P_{eu}(i,j) \tag{9-13}$$

(三)水力发电经济效益的计算

在求得电能价值当量 $P(i,j)$之后,可以编制电能价值当量图表,它的横坐标是一天的 24 h,它的纵坐标是加载机组编号,依次将发电机组由基电源到峰电源,自下而上排列,则表中每一方格对应于某一发电机组 i 及某一小时 j,然后将相应电能价值当量$P(i,j)$填入。

根据计算的电能指标,优化安排各月、旬、日在日负荷曲线上的工作位置,将水力发电容量和电量安排在负荷图和电能价值电量图表上,然后按照下式计算水力发电经济效益:

$$BEN = \int_1^{12}\left\{\int_1^{30}\left[\int_1^{24}\sum_i DL(i,j)\cdot P(i,j)\mathrm{d}j\right]\mathrm{d}m\right\}\mathrm{d}y \tag{9-14}$$

式中 BEN ——以一年为时间周期的水力发电经济效益;

$DL(i,j)$——在电力系统中 j 小时 i 机组的发电出力;

$P(i,j)$ ——j 小时 i 机组的电能价值当量。

四、基于长期边际成本电力定价水力发电经济效益研究

针对会计学成本定价存在的一些缺点,经济学的边际成本定价是以长期边际成本为基础,根据各个用户用电的增加而引起的系统实际供电成本的增加计算而得,它能真正地反映不同供电电压、不同负荷特性的用户的实际供电成本。

（一）边际成本（电价）原理

边际成本（电价）定义为：在一定时期内，最后增加一个单位产量（kW·h）所需支付的成本。

$$M_c = \frac{\mathrm{d}T_c}{\mathrm{d}Q} \tag{9-15}$$

式中　M_c、$\mathrm{d}T_c$、$\mathrm{d}Q$——边际成本（电价）、总成本增量、产量增量。

从数学意义上讲，边际成本即表示总成本曲线各点的斜率；从经济意义上讲，边际成本即表示产量的单位增长引起成本额外增加的数值。

（二）边际成本计算

采用边际成本法制定电价主要进行三种边际成本计算，但考虑到只计算水力发电经济效益，因此只计算边际发电容量成本和边际电量成本。

边际电量成本就是电力系统为了满足用户微增电量而增加的电厂的运行成本，对火电站为主的电力系统来说，主要是电厂的燃料成本。

边际电量成本的计算公式（以全火电电力系统为例）：

$$M_{cp} = \frac{S_L C_c}{(1 - R_s)} \times 10^{-6} \tag{9-16}$$

式中　M_{cp}——边际电量成本，元/（kW·h）；

S_L——按优化调度顺序投入运行的最后一台机组的标准煤耗，g/（kW·h）；

C_c——煤炭影子价格，元/t；

R_s——厂用电率。

边际发电容量成本是在一定条件下为满足电能消费者新增单位千瓦的负荷需求而引起的发电投资。边际发电容量成本是根据边际电厂投资年金而得，同时要考虑电厂的运行维护费用以及电站建设期中每年不同的投资流。此外，还要考虑燃煤节约费用和机组的厂用电及可用率。边际发电容量成本计算公式为

$$M_{cg} = \frac{I(K \cdot C_r + Q_m)}{(I - R_s)R_0} - F_s \tag{9-17}$$

式中　M_{cg}、I——分别表示边际发电容量成本、边际电厂单位千瓦投资；

Q_m、F_s——运行维护费率、燃煤节约费；

R_s、R_0——厂用电率、机组可用率；

C_r、K——投资回收系数、调整系数，是考虑电厂建设期间的时间价值的折算系数。

（三）水力发电经济效益的计算

针对水力发电经济效益只计算其电站本身经济效益的特点，在上述长期边际成本计算中可只计算不同工作位置边际电量成本和边际容量成本，由长期边际成本和电站各时段的发电出力及其在电力系统的工作位置，分析计算所研究的水电站的水力发电经济效益，具体过程在后面案例研究中阐述。

第五节　生态环境供水经济效益

一、概　述

黄河下游生态环境需水包括河道内生态环境需水、河口湿地生态环境需水等。黄河断流除了造成工农业减产、停产等直接影响外，对生态环境的影响主要表现为以下几个方面：①影响生物多样性；②影响河口及近海区域的生态平衡，主要指改变河口生物的群落结构和河口海域赤潮出现的频次增加；③河口造陆速率减小，河道萎缩，水位抬高；④影响三角洲的生态系统；⑤水环境质量下降，主要指地面水污染加剧和加速地下水污染；⑥土地沙化，草场退化；⑦危害人体健康。

生态环境供水经济价值往往又具有相对性，它是随着条件变化而变化，特别是随着主体需求的变化而变化。针对生态环境供水经济效益的特点，计算方法主要从两个方面研究与探讨：①直接法——缺水损失法；②间接法——机会成本法。

二、缺水损失法——基于损失分析的生态环境供水经济效益

（一）生态环境经济价值评估的基本方法

用货币价值表示生态环境影响大小程度是一项艰难的工作，必须根据不同情况采用不同的方法。评估生态环境价值的方法很多，综合起来有四类，即市场价值法、替代市场法、调查评估法和费用评价法。

在估算环境质量货币价值的各种方法中，应尽可能地采用市场价值法；其次是费用评价法和替代市场法；只有在上述其他类方法无法应用时，才可采用调查评估法。

（二）缺水损失法——黄河下游断流的环境经济损失评估法

根据黄河下游水量调度和生态环境供水的特点，生态环境经济估算就是进行断流的经济损失计算：工业经济损失、农业经济损失、人体健康损失、水资源污染的各类经济损失、影响生物多样性的经济损失、河口海域赤潮频次增加的经济损失、泥沙淤积的经济损失等。

（三）生态环境供水经济计算

在前述缺水造成的生态环境损失或断流损失计算的基础上，扣除成本、原材料、能源等费用后，即为生态环境供水经济效益。

三、运用机会成本法计算生态环境供水经济效益

黄河下游断流的环境经济损失评估的方法，虽然可以直接计算生态环境供水经济效益，但是实际应用上可操作性非常差，甚至是不可能的。这就提出了采取其他间接方法分析河流生态环境供水价值的要求。具有多种用途的黄河下游有限水资源，工业、农业、生态环境用户之间存在相互挤占的条件下，采用机会成本的概念，使得分析生态环境供水经济价值成为可能。

（一）影子价格的一般概念

由于资源优化配置的线性规划有对偶规划的存在，一旦实现了资源的最优化配置，各种资源的最优价格也就如影随形地产生了，因此称影子价格。它是指当社会处于某种状态时，能更好地反映资源的价值、市场供求状况及资源稀缺程度的价格，它可使资源配置向优化方向发展。

在完善的市场条件下，市场价格取决于供求状态，在供求均衡时，价格才趋于稳定。此时，需求者愿为多购买单位货物所支付的价格——边际产品价格，恰好等于供给者多生产单位货物的生产成本——边际生产成本。此种均衡状态下的市场价格，即是线性规划所求解的影子价格。由此看来，排除市场价格不合理因素后而采用的计算价格，已不同于线性规划所描述的影子价格。从这个含义出发，机会成本、市场价格等具有影子价格的作用，可列为影子价格的范畴。

（二）影子价格计算的基本方法

影子价格的基本计算方法大致可分为两类，即总体均衡分析法和局部均衡分析法。

1.总体均衡分析法

该法是根据资源优化配置的原规划存在最优解时，其对偶规划也存在最优解这一数学原理，通过建立各种资源相互联系的优化配置线性规划及其对偶规划模型，来推求各种资源的影子价格。这种方法在理论上是比较严密的，但应用起来却十分困难。

2.局部均衡分析法

局部均衡分析法是将力学中的均衡原理运用于价值论，把供求论、边际效益论、边际成本论等融合在一起形成的价格理论。其基本方法是个别地考察分析某一产品或某一资源的价值，即不把它与其他产品或其他资源联系起来。每种产品或资源的影子价格，在不同的供需均衡环境下，计算方法和数值不尽相同，常常相差很大。因此，局部均衡分析所采用的测算方法，需要根据分析对象的特点和所处的供需环境来确定。

机会成本法属影子价格测算中的局部均衡分析方法。机会成本又称广义的影子价格，是指具有多种用途的有限资源，各用户之间存在相互挤占——局部均衡，当甲项用途改为乙项用途，甲项用途所放弃的效益，就是乙项使用的机会成本。水资源具有区域性和随机性的特点，使得水资源的机会成本常因经济环境、使用目的和被挤占对象的不同而有不同的算法和结果。因此，在运用机会成本分析影子价格时，其前提是确定经济环境、目的和被挤占的用户。对被挤占用户放弃的效益较易合理确定者，可直接采用被挤占用户放弃的边际效益（损失）计算。或者以新项目增加资源的供给量，以新增资源的边际费用作为机会成本。或者综合边际效益与边际费用后确定机会成本。

（三）黄河河川可供生态环境水资源机会成本的测算

在机会成本基本概念分析与认识的基础上，考虑了两种测算机会成本的途径：①作为黄河河口生态环境用水的影子价格应按其分别作为生态环境用水的投入物；②黄河河口生态环境用水作为黄河下游供水系统的产出物进行测算。

采用上述两种测算途径，测算可供生态环境水资源机会成本具体方法如下：

（1）首先分别进行满足、不满足生态环境用水要求两种方案的水资源优化配置，找到挤占生态环境用水最可能的用水部门，并计算其经济效益，或者分析满足、不满足两种方案的经济效益差值作为生态环境的经济效益。这里计算生态环境经济效益是将生态环境供水量作为黄河下游水量调配供水系统的产出物，其测算目的是为了正确估价供水系统供水生态环境的供水国民经济效益。

从目前黄河下游供水兴利部门的分析和认识来看，挤占生态环境用水的最可能部门是农业灌溉。

(2)在生态环境水量用在其他部门或需要由其他水源供水满足生态环境用水情况下，优化分析找到满足生态环境用水量的费用最小的替代水源方案，分析其投资费用，并将其折算为年金值。这里是将黄河下游可供水量作为生态环境用水兴利的投入物测算其机会成本，这样可以正确估算生态环境用水的投资费用，或者优化分析找到生态环境供水的最佳水源。

从目前来看，为了满足生态环境供水的替代水源可能有投资建设河口地区节水系统、南水北调东线调水工程等。

(3)一般来说，上面计算的两项可以看做影子价格的上、下限。若补充水源投资年折算费用大于生态环境水量用于其他部门所取得的经济效益，则机会成本应选择其他替代水源的投资费用。若补充水源投资年折算费用小于生态环境水量用于其他部门所取得的经济效益，则机会成本应选择按照机会兴利部门获得的经济效益。

(4)若上述边际经济效益或边际投资费用中某一项难以计算其数值时，可以简化处理，直接采用可计算的数值作为生态环境用水的机会成本。

第六节　水资源调配方案经济效益计算算例

水资源调配方案经济效益计算以“95%来水、90%降雨、地下水开采程度为中等”方案为例，计算的效益包括灌溉经济效益、城市工业及生活供水经济效益、水力发电经济效益和生态环境供水经济效益等四个方面。

一、灌溉经济效益计算

采用扣除农业生产费用法，通过建立两个线性规划模型研究下游灌溉水资源的优化配置及其灌溉经济净效益。

(一)主要计算参数

有关单位对黄河下游不同作物多年平均灌溉制度的研究(以每种作物不同的灌水方案与其相应增产量之间建立生产函数)作为研究基础。

下游沿黄地区主要种植冬小麦，研究中将灌区作物概化为小麦、玉米、棉花、水稻四种作物，河南、山东两省作物复种指数为1.70。

考虑到按2000年度价格水平测算农副产品影子价格有困难，本节参考有关市场价格并考虑副产品占主产品的比例拟定：小麦1.2元/kg、玉米0.9元/kg、棉花10.0元/kg、水稻1.1元/kg。

结合黄河下游引黄灌区目前灌水水平推算不同作物单方水增加生产费用：小麦0.75元/m^3、玉米0.70元/m^3、棉花1.27元/m^3、水稻0.41元/m^3。

根据作物灌溉制度将本次研究划分为13个时段,其中8月份分为上、下半月两个时段,其他月份各为一个时段。黄河下游水量调配系统研究是针对非汛期进行的,但是考虑到效益分析又是以年为周期的,因此本节假定汛期水量能满足相应不同灌水方案的灌水要求。

(二)灌溉经济效益

综合模型Ⅰ和模型Ⅱ,可得出该灌区经济运行的方案,相应的总目标函数值为633 886.8万元,总灌溉面积为300.14万hm^2(包括复种及模型Ⅱ灌一次水的面积),平均灌溉净效益为2 112元/hm^2。若考虑增产效益系数的调整和灌溉工程的年运行费,此值还会降低。

由上述计算结果知,模型Ⅱ相应的目标函数值为28 992.6万元,模型Ⅰ相应的目标函数值为604 894.2万元,模型Ⅱ目标函数数值不到模型Ⅰ目标函数数值的5%,模型Ⅱ单位面积的灌溉净效益只是模型Ⅰ的15%左右。这两组数值足以说明模型Ⅱ硬性地将作物生育期分成若干阶段,求灌溉增产值所带来的误差对整个水库灌区经济效益的计算结果影响较小。

二、城市工业及生活供水经济效益

根据掌握的资料,目前城市工业及生活供水经济效益采用分摊系数法。

(一)计算参数

参考国内外有关资料,确定本次经济效益计算的万元产值耗水定额为:山东省68 m^3/万元、河南省58 m^3/万元、河北省51 m^3/万元、天津市30 m^3/万元。

参考黄河流域和相邻地区城市工业及生活供水工程效益计算实例,拟定城市工业及生活供水分摊系数:河南省、河北省、山东省为2.5%,天津市为2.0%。

(二)工业及生活供水经济效益

基于上述方法及参数计算的本次水量调配方案的城市工业及生活供水经济效益为71.78亿元,综合单方水的城市工业及生活供水经济效益为4.69元/m^3。

三、水力发电经济效益

采用长期边际成本法计算三门峡、小浪底水库的发电经济效益,因只计算三门峡和小浪底水库的水力发电经济效益,不需要进行销售(用户)电价设计,不计算(入)边际输变电容量成本。

(一)长期边际成本的计算

(1)河南电力系统边际发电工程选择。在河南电力系统未来10年电力系统负荷发展预测的基础上,按照目前电力系统内能源及目前电站前期工作的开展情况,由电力系统电源优化扩展规划的结果来看,未来新建的电源主要是30万kW火电、60万kW火电和宝泉抽水蓄能电站等。河南电力系统未来峰荷电源主要由宝泉抽水蓄能电站和其他燃煤(气)电站承担,腰荷主要由30万kW燃煤火电机组和联合循环燃气轮机组承担,基荷主要由60万kW燃煤火电机组承担。

(2)三门峡和小浪底各月工作位置确定。根据电力电量平衡,分析确定非汛期两水电站各月典型日运行的工作位置。三门峡水电站:11月、1月、5月共三个月为峰荷;12月、2月、4月、6月共四个月为腰荷;3月为基荷。小浪底水电站:10月、11月、12月、1月、2月、6月共六个月为峰荷;3月、4月、7月共三个月为腰荷。

(3)边际电量成本。根据有关统计分析,峰荷、腰荷、基荷标准煤耗分别采用380 g/(kW·h)、350g/(kW·h)、320g/(kW·h),标准煤影子价格采用210元/t,电站厂用电率统一采用5%。按照这些参数分析计算,电力系统峰荷、腰荷、基荷的边际电量成本(燃料成本)为0.084 0元/(kW·h)、0.077 4元/(kW·h)、0.070 7元/(kW·h)。

(4)边际发电容量成本。根据各类型机组的有关技术经济指标,按照边际发电容量成本计算的经济含义,又考虑燃煤节约费用占边际成本的比例相对较小,因此暂不考虑这部分费用,这样计算得到不同类型边际电源工程的边际容量成本分别为:宝泉抽水蓄能电站为719元/(kW·a)、其他燃煤调峰机组为1 244元/(kW·a)、联合循环燃气轮机为1 189元/(kW·a)、30万kW火电机组为1 165元/(kW·a)、60万kW火电机组为1 044元/(kW·a)。

(5)按照河南电网实际,分析电力系统边际容量成本:①系统峰荷边际容量成本,采用其他燃煤调峰机组和抽水蓄能机组加权平均求得,二者权重分别为0.6、0.4,这样加权平均得到边际发电容量成本为1 034元/(kW·a);②系统腰荷边际容量成本,采用30万kW机组和联合循环燃气机组加权平均求得,二者权重分别为0.7、0.3,这样加权平均得到边际发电容量成本为1 172元/(kW·a);③系统基荷边际容量成本,采用30万kW机组和60万kW机组加权平均求得,二者权重分别为0.3、0.7,这样加权平均得到边际发电容量成本为1 080元/(kW·a)。按照年峰、腰、基荷的边际容量成本,可求得相应月边际容量成本分别为86元/(kW·月)、98元/(kW·月)、90元/(kW·月)。

(二)三门峡和小浪底水力发电经济效益

根据分析的长期边际成本,依据三门峡和小浪底非汛期优化的发电出力过程,两电站非汛期总发电量40.73亿kW·h,发电容量为185万kW,则总的非汛期水力发电经济效益为21.0亿元。

四、生态环境供水经济效益计算

与农业灌溉经济效益计算一致,河口生态环境用水也是假定汛期水量满足要求。生态环境供水效益的计算可按每年缺水给山东利津沿黄区域工农业生产及城乡人民生活、环境生态带来的严重影响进行分析,但生态环境供水的价值往往是潜在的,这就给损失值的统计带来了困难,所以采取间接的方法——机会成本法。

根据分析,在无黄河供水情况下,最有可能发生的情况有两种:①在采取一定节水措施节约一部分生态环境供水量的同时,其余替代(置换)水量采取由南水北调东线工程供水,但是这将需要增加水源工程和节水投资费用。②将供给河口利津断面的水量用来供应给农业发展灌溉(工业用水已满足)而带来效益。是采用由南水北调东线工程供水(节水)还是将原先供应给利津断面的水量用来发展农业灌溉,取决于其边际成本或边际效益的大小,一般取二者之间较大的作为生态环境供水经济效益计算的依据,这就是机会成本的理论与方法。

（一）生态环境供水机会成本的测算

(1)南水北调东线工程的边际费用。黄河利津断面生态环境水资源机会成本选取南水北调东线工程计算边际费用。根据《南水北调东线工程论证报告》，其第一步工程增供水量46.01亿m^3，投资为70.12亿元（不含位临段投资），其中东平湖区段增供水量21.43亿m^3，增供水量扣除水量损失并考虑供水保证率后的折算水量为14.54亿m^3，采用动态折算的方法，分析南水北调东线工程增供水边际费用为0.244 5元/m^3。

(2)水资源开发利用规划工程节水边际费用。根据《黄河河口治理规划报告》，河口地区现状引用黄河水量为14.20亿m^3。采取水资源配套工程和节水措施后，这些措施主要体现在优化引黄供水工程系统，增加引水系统的调蓄能力，采取节水措施和提高水资源的重复利用率，这样可使黄河引黄水量降低到7.8亿m^3，减少引黄用水6.4亿m^3。根据河口地区水资源规划工程的投资估算结果，工程总投资为97 992万元。据此基础数据，采用动态折算的方法，分析计算得到节水的边际费用为0.243 8元/m^3。

(3)利津断面发展灌溉所带来的经济效益。将增加利津断面这部分水量后加上原先的灌溉供水量优化配置后的灌溉经济效益，减去原灌溉经济效益，即为利津断面生态环境供水经济效益。线性规划模型同灌溉经济效益计算模型一样，在这里就不再赘述。

(4)按照建立的线性规划模型分析，分别按照河南、山东灌区生态环境供水，分析知增供河南省灌区获得的经济效益较大，得到利津断面生态环境供水的边际经济效益为95 788.8万元。

（二）利津断面生态环境供水经济效益

根据上面的分析可知，综合南水北调东线工程供水的单方水的边际费用和河口地区节水的单方水费用得其综合单方水的边际费用为0.244 2元/m^3，按照河口地区常年引水流量50 m^3/s，则供水的边际费用为38 505.4万元。而发展灌溉的边际经济效益是95 788.8万元，取二者较大者作为河口地区生态环境供水的机会成本——利津生态环境供水的经济效益为9.58亿元。

五、黄河下游非汛期水量调配系统总经济效益

根据上面的分析计算，按照供水的不同目标将供水经济效益分为农业供水经济效益、城市工业及生活供水经济效益、三门峡和小浪底水力发电经济效益、生态环境供水经济效益，它们的效益值分别为63.39亿元、71.78亿元、21.00亿元、9.58亿元，上面四项经济效益的合计值即为黄河下游非汛期调度方案——“95%来水、90%降雨、地下水开采程度为中等的方案”的经济效益为165.75亿元，其中城市工业及生活供水和水力发电经济效益为非汛期的经济效益，农业灌溉供水经济效益和生态环境供水经济效益是全年的经济效益。

本次计算的单方水灌溉净经济效益为0.738元/m^3，综合单方水的工业及生活供水经济效益为4.69元/m^3，生态环境供水经济效益是应用机会成本法计算的，采用农业灌溉效益作为其边际效益，单方水净经济效益为0.738元/m^3。

第七节 小 结

对黄河下游这样一个既复杂又庞大的水资源巨系统进行经济效益分析计算，是非常复杂和困难的一项工作，本章主要根据不同的供水目标，重点是对区域水资源利用经济效益分析方法进行了较为深入的研究，应该说是探索性的，本章提出的方法和模型既可以单独评价某一水资源开发利用方案的经济效益（果），同时又可嵌入水量优化调配模型。

在水量调配方案研究的基础上，本章按供水部门主要针对供水经济效益计算方法进行了研究，其中灌溉供水经济效益分别采用线性规划模型和大系统分解协调模型计算，工业及生活供水经济效益分别采用可计算的一般均衡（CGE）模型、微观经济学模型、数量经济学模型，水力发电经济效益分别采用电能价值当量分析法和长期边际成本电力定价法，生态环境经济效益分别采用缺水损失法和机会成本法。

从目前来看，对建设项目经济效益的研究较为成熟，但是对作为一个大区域水资源供需系统的经济效益的研究尚缺乏成功的先例，本章对该问题进行了有益的探讨，提出的研究方法可以作为经济效益分析的参考模式。目前，针对供水系统的经济效益进行了较为系统的研究，取得了初步研究成果，但这仅是代表当前认识水平的研究成果，应该说，对这些问题的研究和探讨还没有结束，尚需研究人员在今后的工作中继续努力深入研究，以使提出的研究方法能不断地得以深化，在实践中得以更为广泛的具体应用。

参 考 文 献

[1] 李子奈.计量经济学.北京：高等教育出版社，2000

[2] 詹姆斯 L D，李 R R.水资源规划经济学.北京：水利电力出版社，1984

[3] 席家治.黄河水资源.郑州：黄河水利出版社，1996

[4] 沈大军.水价理论与实践.北京：科学出版社，1999

[5] 言茂松.电能价值当量分析与分时电价预测.北京：中国电力出版社，1998

[6] 蒋水心.农村水利水电经济运行.北京：水利电力出版社，1995

[7] 马光文.长期边际成本电力定价方法研究.水力发电学报，1999（3）

[8] 沈大军.我国城镇居民家庭生活需水函数的推求及分析.水利学报，1999（8）

[9] 温鹏.对城市供水效益计算方法的初步研究.水利经济，1997（3）

[10] 沈大军.工业用水数量经济分析.水利学报，2000（8）

[11] 张光伟.基于边际成本理论制定电价的问题研究：[西安交通大学学位论文].1999

[12] 中国水科院水资源研究所.水资源大系统优化规划与优化调度经验汇编.北京：中国科学技术出版社，1995

[13] 董子敖.水库群调度与规划的优化理论和应用.济南：山东科学技术出版社，1989

第十章　三门峡以下非汛期水量调度决策支持系统开发

第一节　基于面向对象技术的系统分析

随着计算机软件技术的飞速发展,面向对象技术自20世纪90年代以来得到迅速的发展,它改变了以往软件系统分析、系统设计、系统开发的方式,大大提高开发的效率和维护的便利,因此从面向对象技术诞生以来,就在软件系统开发中得到了愈来愈多的应用。面向对象技术提出了对象、属性、方法、控制、类等软件工程概念,通过抽象的对象概念来模拟实际物理对象,由属性对对象进行描述,通过过程(方法)来改变对象的属性,完成某种操作或动作。其中的类、封装性、继承性、动态连接、多态性、模块化和实例化等概念和特性,使得对象一经创建即可被重复利用,也可以通过修改和扩充来创建相似的其他对象,因此以此为基础的软件系统开发、维护、扩展和集成变得容易和简便,尤其是利用可视化语言更是大大提高了系统开发的效率和质量。因此,利用可视化编程语言Visual FoxPro、Visual Basic和GIS技术,进行黄河三门峡以下非汛期水量调度决策支持系统的研究和开发,能够方便地实现面向对象技术,可以充分发挥面向对象技术的特点和可视化编程语言的长处,缩短开发周期,提高人机交互的友善性和系统的可扩充性。

一、系统的对象、属性和方法

在水量调度决策中,方案的提出、运算和确定是决策的关键,因此利用面向对象技术,将水量调度方案作为对象,方案的特征(来水预报、用水计划、水库特征值和约束、河道约束、上时段实测用水、水库运行策略、节点配水量等)构成方案的属性,方案的方法包括方案管理方法、方案数据管理方法、方案运算方法、方案输出方法共四大类,每类方法又由多个方法组成,方案是调度决策的核心,如图10-1所示。

二、方案的属性

方案的属性由方案的内部属性和外部属性组成。

方案内部属性包括方案的序号、建立时间、存储位置、方案类型、建立者、方案备注等在方案建立时生成的属性。

方案外部属性用于描述方案本身的特征,为便于管理将外部属性分成方案输入数据和方案结果数据两类,分别建立多个数据文件。方案的输入数据主要包括月旬调度模型和旬河段配水模型所需的所有输入数据;方案结果数据是指月旬调度模型和旬河段配水模型的运算结果数据。利用上述方案外部属性数据库,可以描述方案的全部特征。不同的方案只是其数据内容不同,其文件格式和数据类型完全一致。

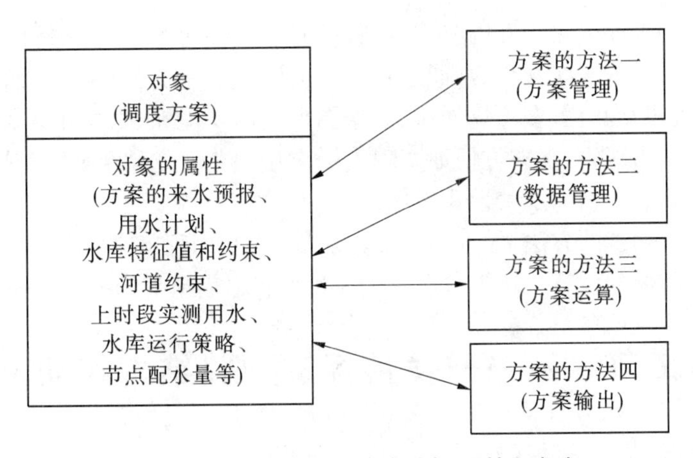

图 10-1　决策支持系统的对象、属性和方法

三、方案的方法

如图 10-1 所示,方案的方法包括方案管理、数据管理、方案运算和方案输出等四类。

方案管理方法主要用于管理方案库中各个方案,包括方案建立、方案复制、方案打开、方案删除、方案查询和方案比较共六个主要方法。

方案的数据管理方法包括方案输入数据管理和方案结果管理两种方法,分别对输入数据和方案结果进行输入、编辑、修正、可视化查询。

方案运算方法用于计算方案,包括黄河中下游非汛期径流预报模型、黄河三门峡以下用水需求分析模型、三门峡与小浪底水库月旬调度模型、下游河段旬配水模型、常规水量调度和分配方法模型、空间分析模型和调配方案经济效益计算模型等,利用以上模型能够制定年度调度方案、滚动更新月调度方案和旬调度方案,并进行初步评价。

方案输出方法用于以图形和报表的形式输出方案的输入数据和计算结果,能够根据所需数据制作单变量、二变量和多变量的时序图形以及数据报表和图形报表。

以上四类方法见表 10-1。

表 10-1　方案的方法分类

类别	包含方法					
方案管理	方案建立	方案复制	方案删除	方案比较	方案查询	方案打开
数据管理	输入数据管理	方案结果管理				
方案运算	径流预报	用水分析	水库调度、河段配水	常规方法	空间分析	方案评价
方案输出	单变量图形输出	二变量图形输出	多变量图形输出	报表输出		

四、对象方法的实现

对象方法由 Visual FoxPro 和 Visual Basic 的表单和程序来实现。

对于在执行中需要人机交互的方法，如方案管理的各个方法等，都利用表单来实现。表单特别适用于开发人机交互界面，通过在表单上设置一个或多个控件，如控制钮和控制栏，包括数据的人机交互栏、多项选择钮、数据图形输出功能钮、数据报表输出功能钮、数据浏览钮和数据编辑钮等，能够方便地实现人机交互。人机交互界面的表单实现，大大简化了编程的工作量和界面的友善性和通用性。

对于模型计算功能的方法，如方案运算方法等，均利用程序来实现，通过建立计算程序和子程序完成相应的计算。这类方法一般通过设置在表单上的控制钮来激活。

第二节　系统开发目标、原则、结构和功能

一、系统开发目标及原则

开发目标为：依据系统工程理论，开发出具备黄河三门峡以下非汛期水量调度所需的数据库和方案库，包括径流预报模型、用水需求分析模型、水库调度模型、河段配水模型、空间分析模型、调配方案经济效益计算模型在内的模型库和良好人机交互界面的面向对象的决策支持系统，辅助制订水量调度方案；系统既能反映现状实际情况，又能体现科学合理分配水资源的发展趋势；系统能够直接应用于水量调度的实际工作，易于管理人员操作；系统必须运行可靠，功能丰富先进。

系统开发需考虑以下诸因素：①未来的用户可能是非计算机专业的工程技术人员和行政管理人员；②系统开发应采用目前比较先进的计算机软件和硬件环境；③目前的径流预报和降雨预报等受技术水平的限制；④当前水量调度的行政和技术管理水平及今后的发展展望。

依据系统开发目标和以上因素，确定在系统开发过程中遵循如下主要原则：

(1)实用性原则。系统开发的最终目标是提交一个实用的决策支持系统，提供有关的信息，辅助用户进行决策。因此，首先必须开展全面和详细的需求分析，掌握用户的实际需要，作为系统结构和功能设计的基础，成功的需求分析是这次开发的关键。

(2)可靠性原则。区别于科学研究领域的模型，一个应用于实际调度的决策支持系统必须是运行极其可靠的，因此在结构和功能设计时必须充分考虑可靠性原则。

(3)先进性原则。在系统软件和硬件选型、用户界面设计、系统运行机制、业务处理方法等诸多方面都力求先进。尤其在系统软件和硬件选型时，既要考虑开发的限制条件、当前管理和应用的实际水平和经济因素，又要为未来的发展和升级留有余地。

(4)可扩充性原则。可扩充性原则主要体现在开发中要建立工具化的开发环境和预留必要的接口，以及必须进行完整齐全的文档记录。如设计必要的数据接口，以适应今后系统运行于局域网络和连接于国家及水利部的信息高速公路、进行下游旱情信息的自动采集、实现数据的自动传输和处理等的发展要求。

系统开发策略采用快速原型法，即在较短的时间内开发出系统原型，与用户接触获取反馈信息后，不断修改完善系统。

二、系统结构及组成

此次开发的水量调度决策支持系统 WRDDSS 由具有 Windows 风格的人机交互界面、方案与方案数据库、模型库、图文库、地理信息数据库、综合数据库等六部分组成。系统组成如图 10-2 所示。

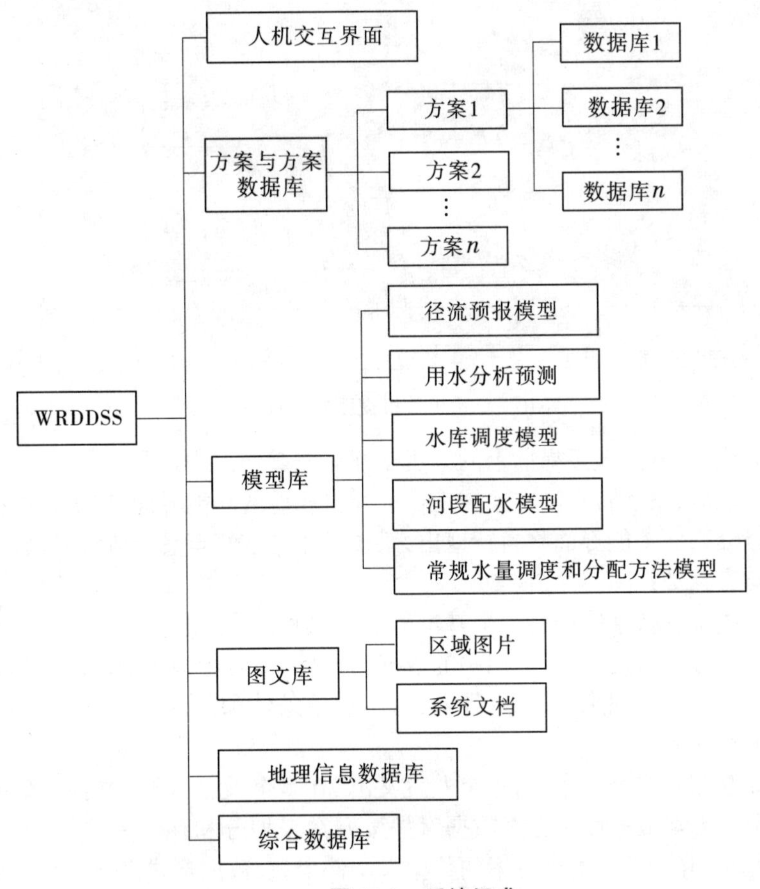

图 10-2　系统组成

(一)人机交互界面

系统界面运行于 Windows 之上,由多级下拉弹出式菜单、系统工具栏、系统信息提示区、系统工作区、系统快捷键和二十六个功能界面等部分组成。系统人机交互主界面如图 10-3 所示。

系统菜单包括七个一级菜单,分别是方案管理、数据管理、模型运行、报表制作、空间分析、系统通讯和系统管理,各个一级菜单下还有多个次级菜单;系统工具栏包括十五个快捷工具钮,用来直接调用一些重要的系统功能,使用工具栏可以简化操作过程;系统快捷键向用户提供系统主要操作的一系列热键,基本上是菜单上的全部功能;系统信息提示区主要显示系统根据目前的业务进程而产生的动态提示信息;系统工作区主要是用户进行事务处理的区域;二十六个功能界面用来完成系统的全部功能,即系统的全部功能被划分为二十六部分,每部分由一个功能界面引导实现,在该界面上或由该界面并引导其他的

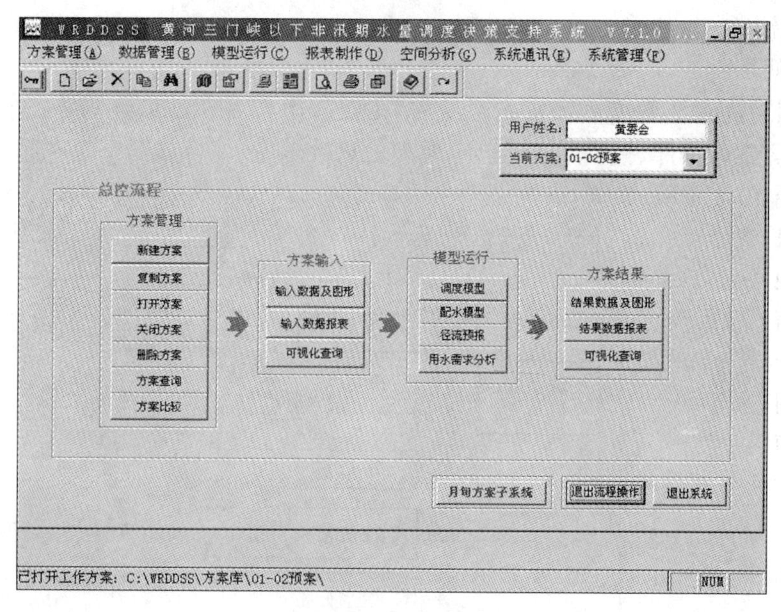

图 10-3　系统人机交互主界面

工具界面共同完成该功能，通过界面上的人机交互完成操作。用户利用菜单、工具栏或快捷键激活某些功能后，系统将自动在系统工作区弹出相应的功能界面，覆盖在总控界面之上，完成功能操作后，此功能界面将自行退出，系统工作区恢复至总控流程界面。

（二）方案与方案数据库

方案是此次决策支持系统中的一个基本概念和操作对象，通过建立、制作、管理不同的多个方案来实现方案比选，系统运用中的数据输入、模型运行和结果输出等都是针对某个方案进行的。方案是不同来水、用水计划、水库初始条件和配水信息的一种组合情况，方案库是多个方案的集合。

系统方案库存储有多个方案，而每个方案又由 50 多个关系数据库描述，全部方案的各个数据库合称为方案数据库。方案数据库是按方案来划分和存储的，同一个方案的各个数据库存储在相同的位置，每个方案的数据库文件个数、数据格式完全一致。从数据流向来看，方案数据库分为方案输入数据库和方案输出数据库。方案数据库完成对模型库的全部数据支持。

（三）模型库

模型库是决策支持系统的方案计算部分，库内包括支持决策的各类模型。单个模型的开发方法和常规程序模型一样，所不同的是库内模型可统一管理，可以按功能需要进行组装、生成、链接等，使得模型灵活、实用。模型库包含水库月旬调度模型、旬河段配水模型、黄河中下游非汛期径流预报模型、下游用水需求分析模型、常规水量调度和分配方法模型、方案评价模型、空间分析模型等，各个模型以方案类型为导向进行逻辑连接，按数据流向组织有关模型依次运行。常规水量调度和分配方法模型是对现状实际黄河水量调度和分配方法进行总结，并以此为基础开发的可视化模型。

（四）综合数据库

综合数据库存储系统所需的、方案数据之外的大量数据信息，这些数据间接地为系统所用,如径流的系列资料、用水的系列资料、农业信息、区域地理信息等。如在确定方案用水计划时,就可以从综合数据库中的13个用水计划中选取一个作为初始值。

(五)图文库

图文库包括系统文档库和区域图片库两部分。系统文档库包括系统开发报告、用户使用手册等,可供用户通过决策支持系统或直接利用Word软件进行浏览。区域图片库存储有反映下游情况的多幅图片,如下游引黄灌区、引黄渠道、平原水库等。

(六)地理信息数据库

地理信息数据库包括黄河下游引黄灌区分布图、黄河下游引黄城镇分布图、黄河下游引黄闸及干渠分布图、黄河下游及引黄灌区雨量站分布图、黄河下游及引黄灌区地下水观测站分布图、黄河下游及引黄灌区政区分布图(分省、分县、分地区)等,如图10-4所示为下游引黄灌区分布图。通过地理信息数据和水量调度方案的结合,可以进行初步的水量调度方案空间分析。

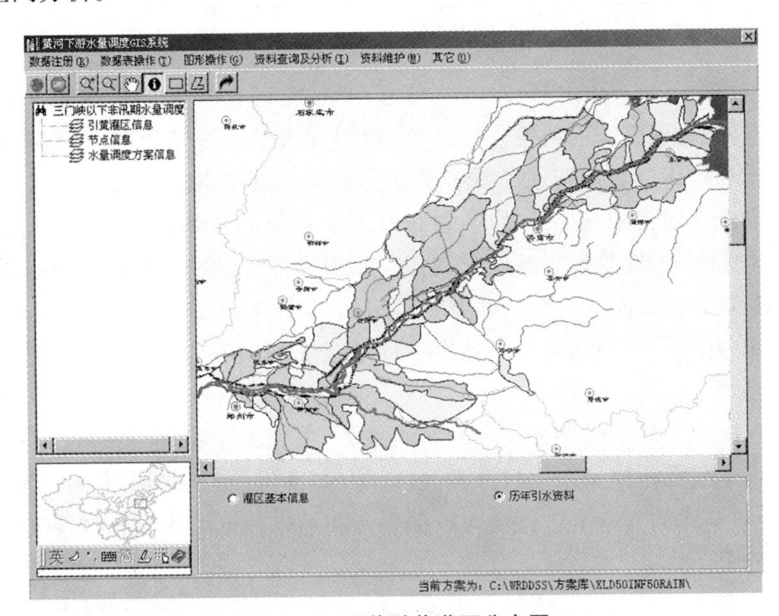

图10-4 下游引黄灌区分布图

(七)决策支持系统的子系统

1.七个一级子系统及其关系

决策支持系统由七个一级子系统组成,包括方案管理子系统、数据管理子系统、模型管理子系统、方案输出子系统、空间分析子系统、系统通讯子系统和系统管理子系统。子系统间的关系如图10-5所示。后面将结合系统的特点及功能,分别对各个子系统逐一作深入介绍。

由图10-5可见,系统从功能上由系统管理和决策支持两部分组成,分别由实线框外和实线框内部分来表示。实线框内为系统的决策支持部分,进行决策的事务处理和方案计算,由方案管理子系统、数据管理子系统、模型管理子系统、方案输出子系统、空间分析子系统等多个子系统组成。实线框外为系统管理和通讯部分,由系统管理子系统和系统

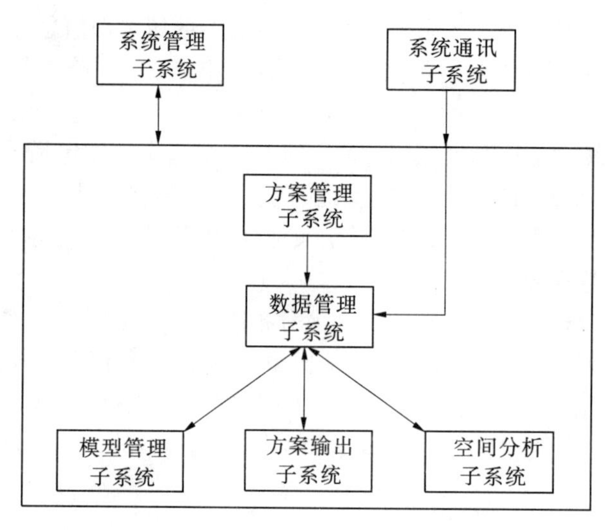

图 10-5　七个子系统及其关系简图

通讯子系统组成。

在实线框内部，即系统的决策支持部分，数据管理子系统处于中心地位，起到数据存储、处理、交换等作用。数据管理子系统接收由系统通讯子系统获取的数据，经处理后进行数据加载入库并对模型管理子系统、方案输出子系统和空间分析子系统提供具体的数据支持。相比之下，方案管理子系统起到控制和引导数据管理子系统的作用，如在进行方案计算时，模型库中的各个运算模型需要获得数据支持，用户需要通过方案管理子系统来指定方案库中的某一方案，并引导数据管理子系统利用相应的存储数据库对其进行数据支持，实现方案运行，并且指导计算结果存储到数据库中指定方案的位置。模型管理子系统通过管理库中的多个模型来实现方案的运算，根据方案管理子系统传递的方案特征来决定应由哪个或哪些模型来执行方案运行。方案输出子系统利用方案管理子系统指定方案，在相应数据库的支持下进行输入数据和方案结果数据的图形和报表输出，以及进行初步的空间分析。

因受本次开发目标、时间、深度要求等所限，此次没有进行系统通讯子系统的开发，而仅仅为其预留了系统接口，为未来系统拓展到局域网、进行数据采集和传输以及与信息高速公路的连接打下了基础。

2.子系统间的数据交互方式

系统运行所需的大量信息分别存储于方案数据库、系统图文库、综合数据库和地理信息数据库。方案数据库是系统方案运行、方案输出、空间分析等子系统所涉及信息的存储、交互和处理的惟一场所，系统通讯子系统、模型管理子系统、方案输出子系统、空间分析子系统之间不发生直接的数据联系，而是通过方案数据库进行间接的数据交换；模型库内的多个模型之间也是通过方案数据库进行间接数据传递，上游模型从方案数据库中获得输入数据，并在运行完成后将结果存储于方案数据库中供下游模型调用，以此实现数据在模型间的传递。

具体地讲，通过方案管理子系统的方案建立功能生成一个新方案；通过方案复制功能产生该方案的初始数据库;通过数据管理子系统再对方案数据库进行交互式地输入和编辑(包括运行径流预报模型获得最新预报或直接获取);在完成方案输入数据之后,方案数据库依次对用水需求分析模型、径流预报模型、水库调度模型、河段配水模型和方案评价模型提供数据支持,并最终对方案输出子系统进行数据支持,完成方案制作和初步的空间分析。数据处理和数据流程见图 10-6。

三、系统的主要功能和应用流程

(一)系统的主要功能

系统的主要功能是:通过建立和运用方案库、数据库和模型库,利用系统工程方法和常规方法制作年度调度预案和滚动制作月旬调度方案,提供简明友善的 Windows 风格人机交互界面,具有可视化的输入、输出、查询功能以及初步的空间分析功能。具体讲,系统包括以下六项主要功能,整体构成对水量调度决策的全过程支持。

(1)系统管理功能,主要包括系统登录、系统自检、系统维护、系统提示、系统帮助等功能,保障系统的安全运行,丰富决策支持功能。

(2)方案管理功能,包括方案的建立、打开、复制、删除、查询和比较等。用户能够建立方案库,建立、制作、保存、复制、比较多个方案。

(3)数据管理功能,能够进行方案数据的输入和编辑,实现对模型运算的数据支持、模型间数据的自动传递、方案结果自动装载和方案数据可视化查询等。

(4)模型管理功能,根据方案的类型,自动选择适宜的模型进行计算,完成水库调度和河段配水的运算,进行初步的方案评价,获得调度方案结果。

(5)方案输出功能,能够对方案的输入数据和结果进行图形和报表输出,包括屏幕显示、文件转换和打印三种形式。

(6)空间分析功能,利用地理信息系统,能够实现对下游灌区、系统节点的初步空间分析和信息查询,对水调方案进行初步空间分析。

(二)系统的应用流程

系统的应用流程与方案的实际制作过程一致,可概括为以下 12 个步骤:

(1) 系统启动,输入系统用户密码,确认使用系统的资格。

(2) 用户登录。

(3) 利用方案管理子系统建立方案并且同时自动获得缺省数据,包括节点表、水库特征数据、用水数据等。

(4) 利用方案管理子系统从方案库中选择工作方案并打开。

(5) 利用系统通讯子系统获取实时的径流预报数据和配水信息(待开发)或利用数据管理子系统进行相应数据的输入。

(6) 利用数据管理子系统,设置调度期的起止日期、三门峡和小浪底水库初始及终止水位,确定用水计划,修正来水数据,完成方案输入数据。

(7) 利用模型管理子系统进行模型计算。

(8) 浏览方案结果,检查配水结果与用水计划等的关系等。根据需要,返回步骤(6)调整用水计划和步骤(7)重新运行模型,直至配水结果满意为止。

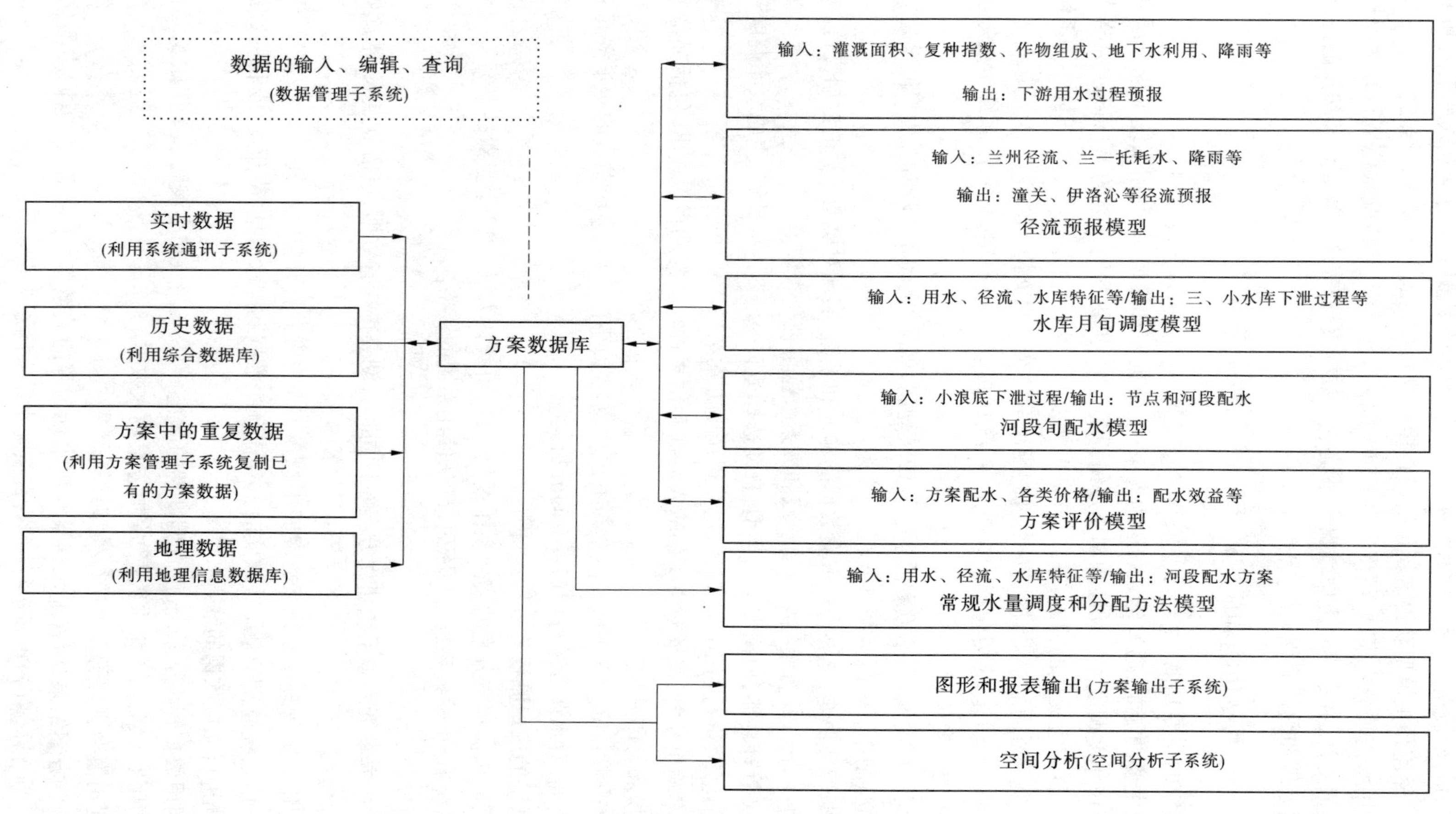

图 10-6 数据处理和数据流程简图

(9) 利用方案管理子系统比较同类方案,完成方案的筛选,至此完成方案计算。进行水量调度方案初步的空间分析,进一步分析方案的合理性。如方案需要修改,则返回步骤(6)和步骤(7)。

(10) 利用方案输出子系统进行方案的图形和数据报表输出。

(11) 完成工作方案制作。

(12) 系统退出。

第三节　系统开发

一、方案库与方案管理

黄河三门峡以下非汛期水量调度决策支持系统的一个突出特点是提出了方案的概念并开发了方案管理子系统,使得在进行水量调度方案制订时,能够存储和处理多个方案,便于进行多个方案比较,提高了决策支持水平。

(一)方案库的建立

调度方案建立时需要大量信息,其中既有相对稳定的基本信息,如水库特征值等,也有变化较大的地区配水指标、土壤墒情和不确定的来水预报等信息。对于某一调度期,在确定调度方案前,往往需要建立多个方案来反映不确定信息并通过多方案比较完成方案制作(这也正是利用决策支持系统可以反映半结构化问题的优势)。在此次决策支持系统开发中,将调度期的不同预报来水、不同用水计划、不同配水信息等条件的一种组合情况定义为一个方案,方案库则是由多个方案组成的集合。

方案是决策支持系统中的一个基本计算对象,系统操作均是针对方案进行的,方案数据库也是按方案分别进行存储的。方案概念的提出和方案库的建立是此次决策支持系统的一个特色,其优点是可以便捷地建立和管理多个对比方案,以利于用户进行方案比选,完成辅助决策。另外,通过建立方案还可以将制作方案的过程记录下来,实现对决策过程的完全记载,也便于对中间方案或冗余方案进行删除和再装载。目前,方案库中已建有丰、平、枯来水和不同水平用水的近百个方案。

(二)方案管理子系统

方案库中存储有多个方案,方案管理子系统用于管理方案库中的多个方案。方案管理子系统具有打开方案、关闭方案、新建方案、删除已建方案、复制方案、方案查询和方案比较等七大功能,能够方便简捷地对方案库中方案进行多种操作。方案管理子系统的框图见图 10-7。

1. 打开方案

方案库中存储有多个方案,在对某个方案操作以前,需利用方案管理中的方案打开功能,将此方案打开,而后的各种操作均是对于该方案进行的,直至利用方案管理中的方案关闭功能将该方案关闭或打开别的方案。方案打开界面见图 10-8,通过移动方案库的方案指针或直接选择方案名称来浏览界面左侧相应的方案属性,在选择某个方案后按“打开方案”钮将其打开,其他的方案管理功能界面类似。

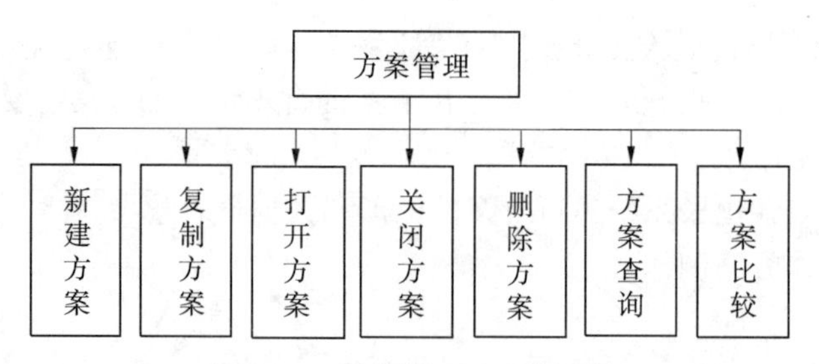

图 10-7　方案管理子系统框图

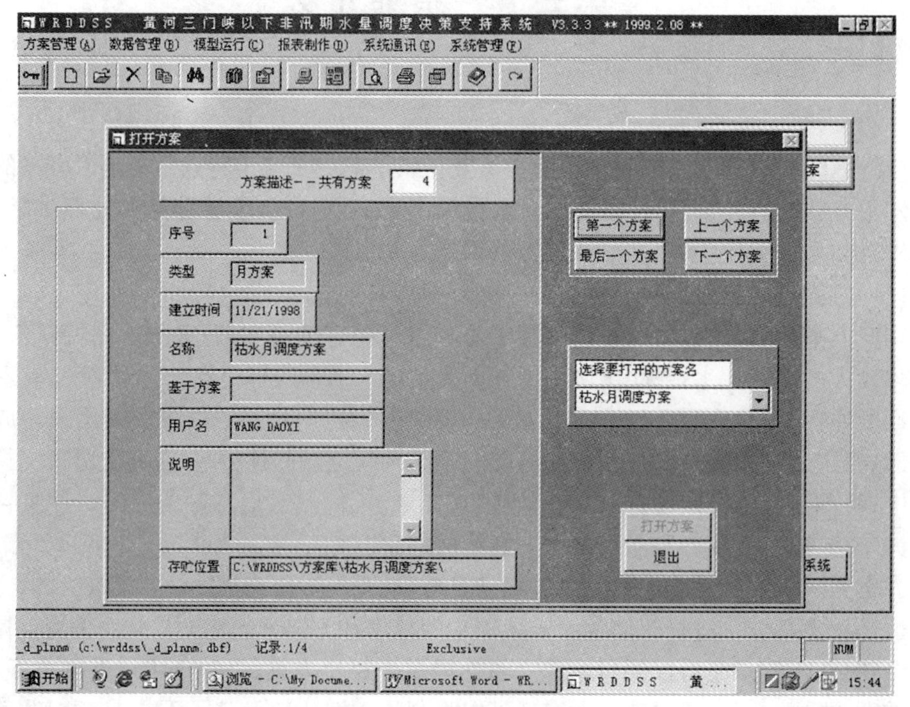

图 10-8　方案打开界面

2. 关闭方案

对于已经打开的方案,在完成该方案的制作后,可以将该方案关闭,也可重新打开其他方案继续操作。关闭方案功能主要用于保存已制作完成的方案,避免对该方案的误操作。

3. 新建方案

在建立一个新调度方案时,需利用本功能向方案库中添加新的方案。在新建方案时,系统弹出新建方案界面,用户只需输入新方案的有关属性,如方案名称、方案类型(月或旬方案)、基于方案的信息等,即可完成新建方案的过程。系统将自动生成新建方案下的全套数据库结构,包括一些相对稳定的数据库。

4. 方案删除

系统的方案库包含有大量的已建方案,为节省磁盘空间,需要对一些中间方案或冗余方案进行删除。系统提供了便捷的删除手段,只需选取预删除的方案并确认,系统便自动从计算机硬盘中彻底清除该方案。若预删除方案正在使用过程中,系统能自动预警,提醒并阻止对该方案的删除。在这种情况下，应先关闭该方案，再行删除。

5.复制方案

对任何新建方案，都需输入大量的数据信息，而方案的部分数据相对稳定，各方案间基本没有变化（如工程类数据），若能从已建方案中复制这些相对稳定的或已有的其他相同数据到新方案，将省去大量烦琐的数据输入工作。利用方案复制功能，只要选定相应的目标方案和源方案，并确定复制，系统便能迅速完成复制工作。

6.方案查询

利用方案查询功能可以浏览方案库中全部方案的信息，包括方案名称、方案类型、用户姓名、方案建立时间、方案的存储位置及方案所采用的调度方法等信息，也可以将当前方案库以文本文件形式输出。

7.方案比较

方案比较功能用于比较方案库中的比选方案，辅助用户进行方案评价和筛选，每次可以在方案库中任选四个方案，进行方案的总量和过程比较。

二、方案数据库和数据管理

方案数据库是决策支持系统的重要组成部分，用以描述方案的全部属性。利用方案数据管理子系统，可以实现对方案数据的管理，完成方案数据库实例化（Instance）过程的输入数据准备和输出结果的装载，通过与模型库的联合运用，完成方案的制作。

（一）方案数据库

系统方案库存储有多个方案，而每个方案又由50多个关系数据库描述，全部方案的各个数据库合称为方案数据库，方案数据库是指用于描述和制作方案、直接向模型提供数据支持的数据库。方案数据库是按方案来划分和存储的，同一个方案的各个数据库存储在相同的位置，每个方案的数据库文件个数、数据格式完全一致。从与模型的关系来说，方案数据库分为方案输入数据库和方案输出数据库。方案数据库完成对模型库的全部数据支持。

1.方案输入数据库

方案输入数据库主要包括月旬调度模型和旬河段配水模型所需的所有输入数据及方案信息，如方案描述数据库、调度模型的预报来水数据库、工农业及滩区用水数据库、水量损失数据库、河段约束数据库、水量演进时间数据库、水库信息数据库、配水模型配水权重数据库、实测配水数据库等，共有43个数据库，近540个字段。

2.方案结果数据库

方案结果数据库是指月旬调度模型和旬河段配水模型的运算结果数据库。主要包括方案评价指标数据库、控制指标数据库、水量平衡数据库、三门峡和小浪底水库运用情况数据库、河段配水数据库、工业配水数据库、农业配水数据库及断面流量数据库，共8个数据库，300个字段。

（二）数据管理子系统的主要功能

数据管理子系统的作用是管理方案数据库，主要功能包括数据查询、数据编辑、数据报表、数据输出、对模型库的数据支持和数据装载功能、方案间的数据交换功能等。数据管理子系统的各项功能均是基于可视化技术开发的。

1.方案数据查询功能

数据管理子系统通过输入数据管理界面和方案结果数据管理界面来分别查询各个方案的输入数据和结果数据。输入数据管理界面由七个页面组成,输入数据管理界面见图10-9;方案结果数据管理界面也由七个页面组成,每个页面上设置有相应的多个数据库。

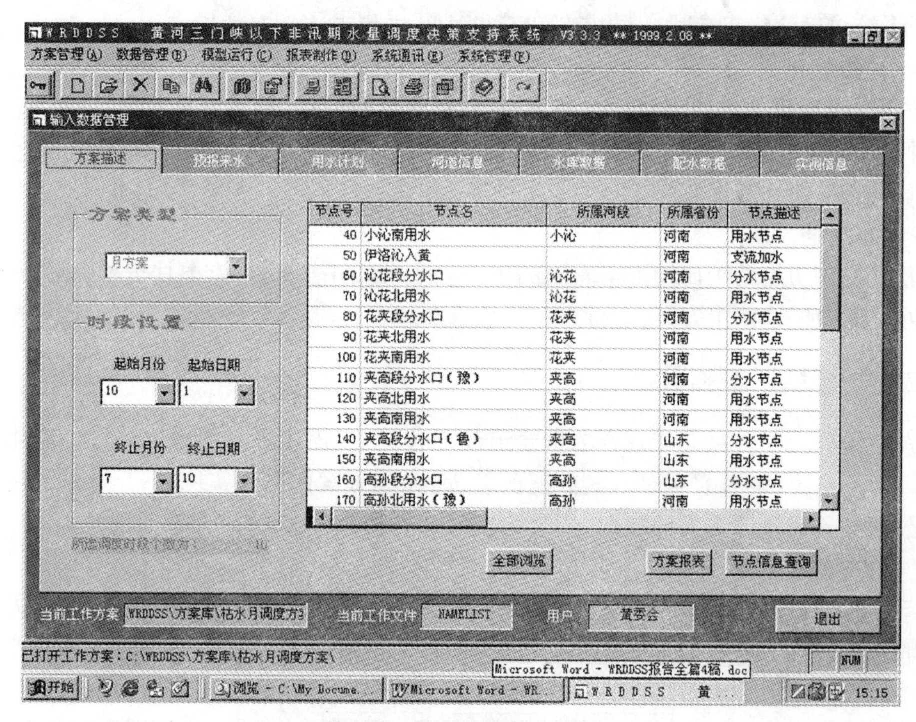

图10-9 输入数据管理界面

查询时,首先选择需查询的方案,再选择需查询数据所在的界面和页面,即可以表格的形式浏览该数据,或利用图形浏览功能浏览该数据的时间过程线,或直接利用可视化查询功能,浏览各个河段用水计划、配水量、缺水量、各主要断面的流量过程。

2.方案数据编辑功能

同查询功能一样,数据管理子系统也是通过输入数据管理界面和方案结果数据管理界面来编辑方案的输入数据。在进行输入数据编辑时,首先打开需进行数据编辑的某个方案,再选择需编辑数据所在的界面和页面,即可对该方案的各个输入数据进行输入、修改、增加或删除。

3.方案数据报表功能

数据管理子系统通过输入数据管理界面和方案结果数据管理界面上的“制作报表”功能钮来分别引导输入数据报表制作界面和结果报表制作工具界面,完成数据报表功能。数据报表功能是将方案的输入数据和结果数据自动以简洁、美观、标准的表格或图形报表形式进行打印输出或屏幕显示,完成方案的制作。

4.方案数据成图功能

数据管理子系统通过输入数据管理界面和方案结果数据管理界面上的“图形输出”功

能钮来分别引导多个图形制作工具界面,完成单变量时序过程线、二变量时序过程线、四变量时序过程线、多变量比较图,图形类型有曲线图、柱状图、饼状图等。

5. 对模型库的数据支持和数据装载功能

对于某一打开方案,数据管理系统能够将该方案的数据转换为文本(txt)格式和电子表格(Excel)格式,对模型库中的各个模型提供数据支持。而且在模型运行完成后,数据管理子系统自动将模型库中上游模型的运行结果装载于该方案数据库中,供下游模型作为输入数据调用。

6. 对空间分析子系统的数据支持功能

对空间分析子系统提供数据支持,即将方案库中某一打开方案的有关方案数据,如节点和河道的配水信息,传递给空间分析子系统,用以对该调度方案进行初步的空间分析。

7. 方案间的数据交换功能

通过"基于方案"来建立旬调度方案和月调度方案间的关系,实现月方案对旬方案的宏观控制和数据交换。

数据管理流程见图 10-10。

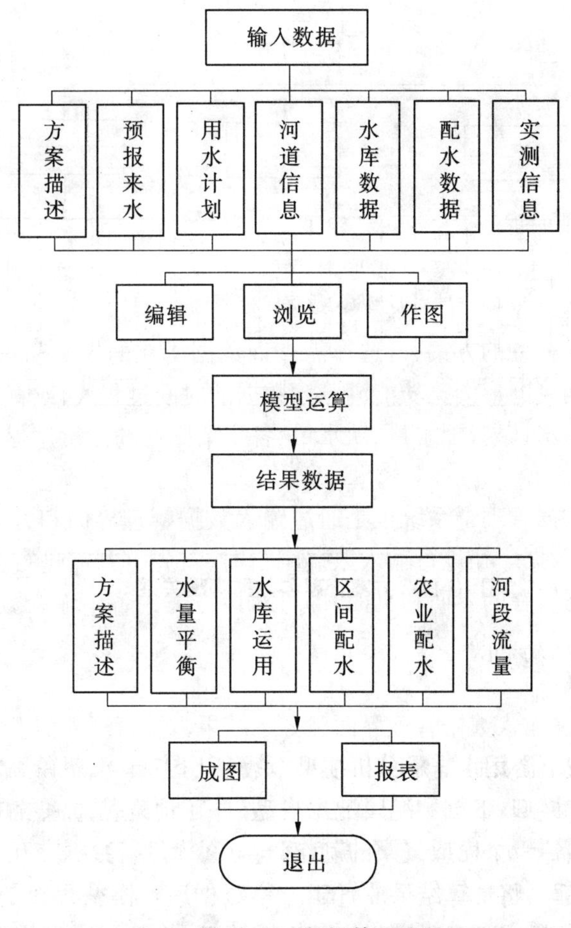

图 10-10 数据管理流程

(三)方案管理子系统和数据管理子系统的关系

水量调度决策支持系统的方案管理和数据管理的联合运用实现了对大量数据的两层次管理。第一层次,将大量的数据以方案类型划分来建立多个方案,每一方案下的数据库从结构和类型上说都是相同的;第二层次,每一方案又由多个关系数据库组成,各个数据库分别描述该方案的具体特征。方案管理子系统实现了对数据的第一层次管理,而数据管理子系统则实现了对数据的第二层次管理。数据两层次管理的优点在于数据管理较为简单,如对于预报来水数据,系统可以同时容纳多个名称、结构和类型完全相同的预报来水数据库,这样可以大大简化数据编辑、方案输出、对模型库的支持、图形输出等各项操作,也便于整体保存和装载方案。

具体运用可以概化为:首先,通过方案管理来建立、复制、删除、查询和打开方案,根据实际发生的情况建立并选取合适的方案,确定采用的方案类型、调度方法等;方案一旦建立,一套完整的方案数据库同时自动生成。其次,数据管理在选定方案的基础上,对数据库本身数据进行编辑、更新、制图并完成对模型库的支持等。方案管理和数据管理的关系如图 10-11 所示。

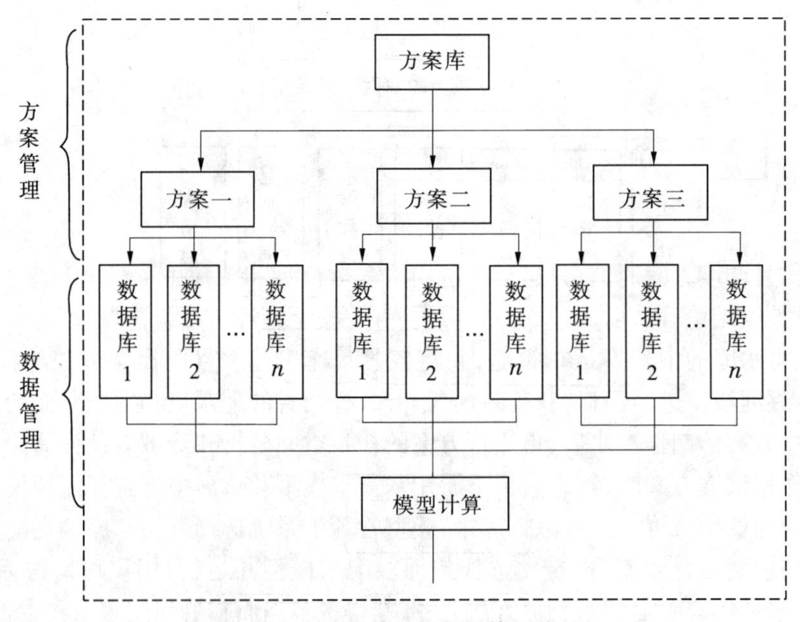

图 10-11 方案管理和数据管理关系

三、模型库及模型管理

(一)概述

模型库中已经装载下游用水需求分析模型、黄河中下游非汛期径流预报模型、三门峡和小浪底水库月旬调度模型、下游旬河段配水模型、基于地理信息系统的空间分析模型、方案经济效益计算模型等六个模型,各个模型都与方案库进行数据交互,从方案数据库获取输入数据,经过运算后再将计算结果放置于方案数据库。模型管理子系统的功能是根据方案类型自动实现模型的运行和模型间的自动连接,模型运行流程图见图 10-12。三门峡和小浪底水库月旬水库调度模型、下游旬河段配水模型、常规水量调度和分配方法模型、基于地理信息系统的空间分析模型,可以由模型管理子系统直接调用。下游用水需求分析模型、黄河中下游非汛期径流预报模型、方案经济效益计算模型均可以各自单独运行,并将运行结果根据预先设计的数据接口存放于方案数据库和综合数据库中,供其他模型选择使用。

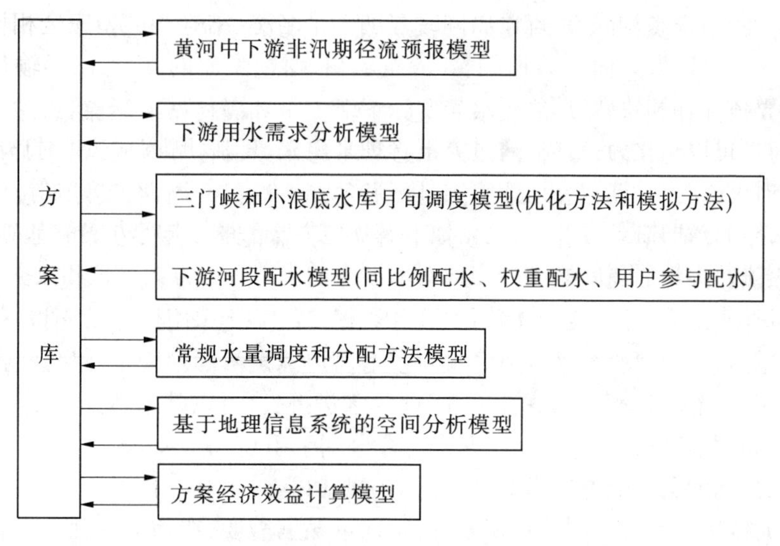

图 10-12 模型运行流程

在制作月调度方案时,首先运行下游用水需求模型和黄河中下游非汛期径流预报模型,并将其数据结论确认后放置于方案数据库中,模型管理子系统选择月旬水库调度模型并运行,获得水库的中长期运行策略,并将各月水库出库水量同比例分配至各个用水节点,将水量逐河段演进至河口,获得各河段和豫、鲁两省的配水量和主要断面的流量过程,完成月调度方案的制作。之后,再进行方案的初步空间分析和经济效益计算。

在制作旬调度方案时,首先运行下游用水需求模型和黄河中下游径流预报模型,并将其数据结论确认后放置于方案数据库中,模型管理子系统选择月旬水库调度模型并运行,获得水库的短期运行策略,再自动选择旬河段配水模型并运行,用户可以选择同比例配水、权重配水和用户参与配水三种方法之一,获得各节点面临的旬配水量和主要断面流量过程,完成旬调度方案的制作。之后。再进行方案的初步空间分析和经济效益计算。

在运行模型前,还要确定考虑水量传播时间的方法,用户可以在输入数据管理界面中选择以下三种方法中的一种:不考虑传播时间的方法、以高村为界的两段法和多河段演进法。以高村为界的两段法是将三门峡以下河段划分为两段,高村以上各河段采用相同的演进时间,高村以下各河段采用相同的演进时间。多河段演进法则分别考虑三门峡以下各个河段的不同演进时间,利用考虑槽蓄水量的水量平衡方程进行流量演进。

由于文中所涉及的其他模型均已在有关子专题中进行了详述,下文重点介绍常规水量调度和分配方法模型。

(二)常规水量调度和分配方法模型

在上述水量调度和分配的优化和模拟方法模型之外,还开发了水量调度和分配的常规方法,其目的是进行多种方法的比较,并作为提高现状调度水平和衔接系统工程方法的过渡。

常规水量调度和分配方法模型主要包括月方案、旬方案和多旬方案三个模块。月方案、旬方案是指对当前月或旬的实时水量调度,多旬方案则是指在月初对整个月各旬的综合调度。另外,结合黄河水量调度的现实情况,常规水量调度和分配方法考虑了以下因素。

(1)边界条件:前一时段小浪底水库实际下泄流量和高村站实际流量,用户根据实际情况在界面中直接交互输入。长河段输水必须考虑水量的传播时间,当下游提出用水要求时,小浪底水库必须提前泄水,才能满足下游的用水时机。因此,实际调度时只有知道了小浪底水库的前期泄水情况,才能预知下游河段究竟能够引用多少黄河水量,并进而估计下游用水能够满足的程度。

(2)水量传播时间:采用实际调度中所采用数据,高村以上采用4天,高村以下采用7天。

(3)水量损失:黄河流域水量损失主要包括河道蒸发渗漏损失及滩区未控引水、测验误差、资料统计误差等,每月考虑120 m^3/s的水量损失,可以基本达到水量平衡,根据河道特征,三门峡至高村和高村至河口两个河段分别采用60 m^3/s。

常规水量调度和分配方法模型具备以下主要功能:

(1)实时修正。针对不同的调度方案,用户可根据需要,在相应界面上单击鼠标左键或右键即可增大或减小小浪底断面的流量过程,并由此推算出以下各断面的流量过程。用户只需根据判断单击鼠标左右键增减小浪底断面流量过程,自动由各河段用水、损失量及拟定的传播时间推算出小浪底以下各断面流量过程。

(2)数据综合修正。由于考虑了水量传播时间、水量损失等不平衡因素,各旬计算结果与月方案计算结果可能会出现偏差,在这种情况下能够自动逐步修正各旬计算结果,使各旬总量与月方案吻合。

(3)方案报表。根据不同的调度方案,可以自动制作结果报表。

(4)数据转换。针对一个调度方案往往需进行多次计算,综合比较,最后优选出最佳方案。因此,有必要对计算结果进行保存或数据转换,以供分析比较时调用。

常规水量分配和调度方法模型界面如图10-13所示。

四、方案输出

方案的输出性能是评价方案制作的一项重要内容,丰富、美观、实用的方案数据输出是决策支持的一部分。方案输出子系统的作用是:对方案输入数据和方案结果数据进行图形输出、报表输出、可视化查询和文件输出,既可以屏幕显示,也可以直接打印。

方案输出子系统包括图形输出、报表输出、可视化查询、文件输出等四个功能子系统。

(一)图形输出功能子系统

图形输出是系统开发的一种通用数据输出方式。在选定方案下,图形输出功能子系统可根据需要对各类方案数据库的数据制图,可以屏幕显示、制作报表或打印输出。根据

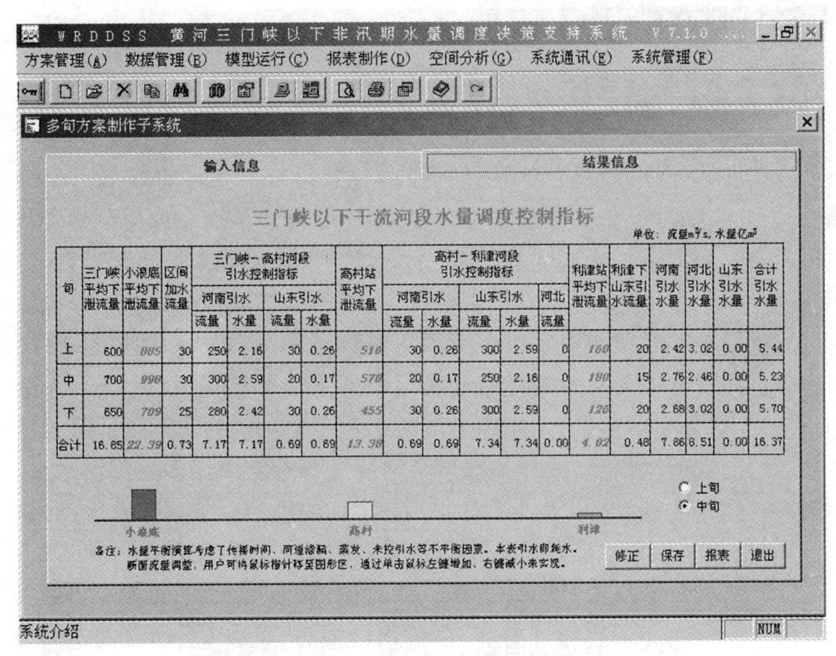

图 10-13　常规水量分配和调度方法模型界面

方案数据库的特点，图形输出功能子系统能够制作输出四种类型的图形。

一是制作单一字段数据时序过程线，以数据库的“时段序号”字段值为横坐标，以某一字段值为纵坐标制图，描述数据随时间的变化趋势，即单变量时序图形。

二是制作二字段数据时序过程线，以时段序号为横坐标，以二字段数据为纵变量制图，用以比较分析二者随时间变化的关系，即二变量时序图形。

三是制作四字段数据时序过程线，以时段序号为横坐标，以四字段数据为纵变量制图，用以比较分析四者随时间变化的关系，即四变量时序图形。

四是制作多字段数值比较图，以各字段名为横坐标，以其记录值为纵坐标制图。

图形输出功能子系统由四个独立的图形生成工具界面组成，由数据管理子系统直接调用，在其输入数据管理界面和方案结果管理界面的各个页面上均设置有图形输出按钮，自动利用相应数据制作图形并输出。

图 10-14 给出二字段时序过程线的例子。

(二)报表输出

报表输出是系统开发的一种通用数据输出方式。在选定方案下，报表输出功能子系统可根据需要对各类方案数据库的数据制作报表。报表输出功能子系统能够制作输出两类报表：一类是数据报表，一类是图形报表。无论数据报表还是图形报表，均既可在计算机上浏览，亦可直接由打印机打印输出，方便、快捷、直观。

数据报表是针对某一打开的方案，以某个(或某些)数据库为数据环境，将所需信息按要求布置在报表上，并配以表线、标题、报表提供者、报表制作者、报表制作日期、页码等信息，完成报表制作，同时可采用不同字体、不同色彩来增强显示效果，达到美观、标准、易读的目的。

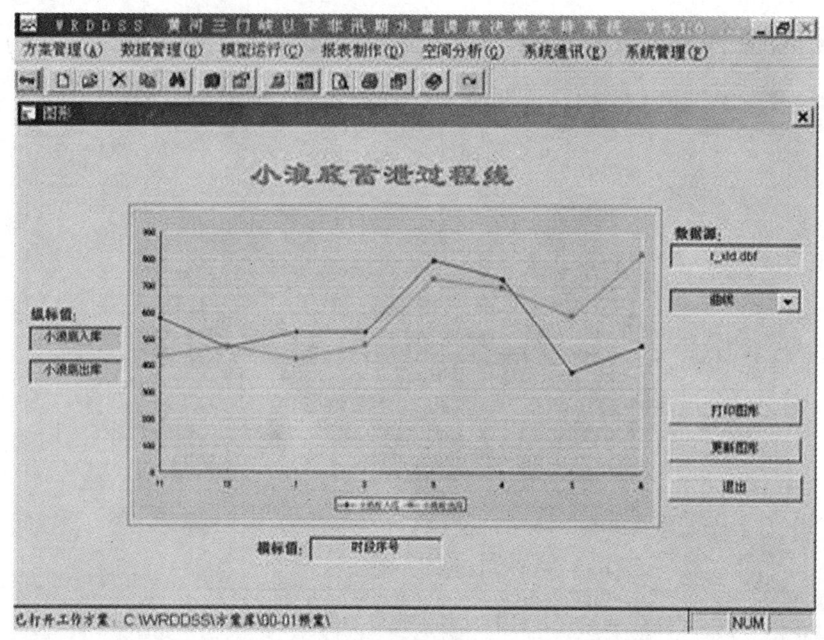

图 10-14　小浪底蓄泄过程线(二字段时序过程线)

图形报表是将上述图形输出的各类图形制作成报表形式,其制作原理与数据报表大体相同,主要区别在于图形报表的数据环境是图形库而非数据库,相应地,报表的内容也是各种图形。

方案结果报表输出界面见图 10-15,报表示例(下游用水控制指标报表)见图 10-16。

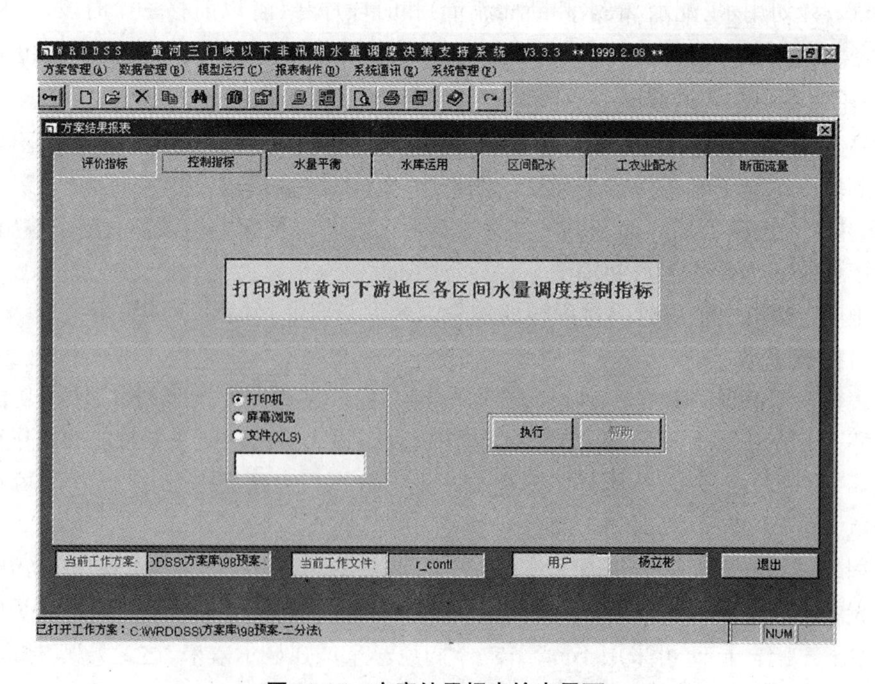

图 10-15　方案结果报表输出界面

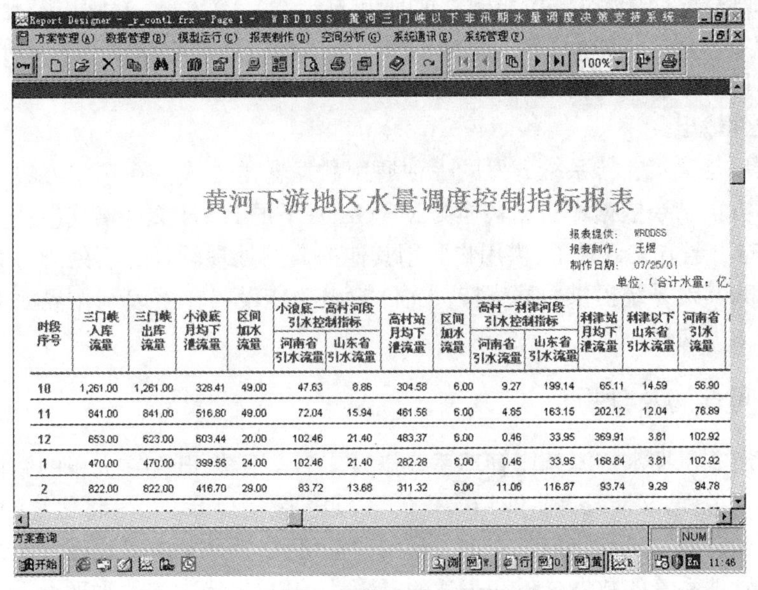

时段序号	三门峡入库流量	三门峡出库流量	小浪底月均下泄流量	区间加水流量	小浪底—高村河段引水控制指标		高村站月均下泄流量	区间加水流量	高村—利津河段引水控制指标		利津站月均下泄流量	利津以下山东省引水流量	河南省引水流量
					河南省引水流量	山东省引水流量			河南省引水流量	山东省引水流量			
10	1,261.00	1,261.00	328.41	49.00	47.63	8.86	304.58	6.00	9.27	199.14	65.11	14.59	56.90
11	841.00	841.00	516.80	49.00	72.04	15.94	461.56	6.00	4.85	163.15	202.12	12.04	76.89
12	653.00	623.00	603.44	20.00	102.46	21.40	483.37	6.00	0.46	33.95	369.91	3.81	102.92
1	470.00	470.00	399.56	24.00	102.46	21.40	282.28	6.00	0.46	33.95	168.84	3.81	102.92
2	822.00	822.00	416.70	29.00	83.72	13.68	311.32	6.00	11.06	116.87	93.74	9.29	94.78

图 10-16 报表示例

(三)可视化查询

可视化查询功能子系统用来对方案数据进行可视化查询,即对各个时段的各河段来水、用水计划、配水、缺水和出流,以及各主要断面的流量进行可视化查询。

可视化查询功能子系统由独立的可视化查询界面组成,通过数据管理子系统调用。如图 10-17 所示,在可视化查询界面的右上部分为多个选择栏,用户可以选择不同的指标(包括来水、计划用水、配水、缺水和断面流量)和时段序号(可以前移一个时段、后移一个

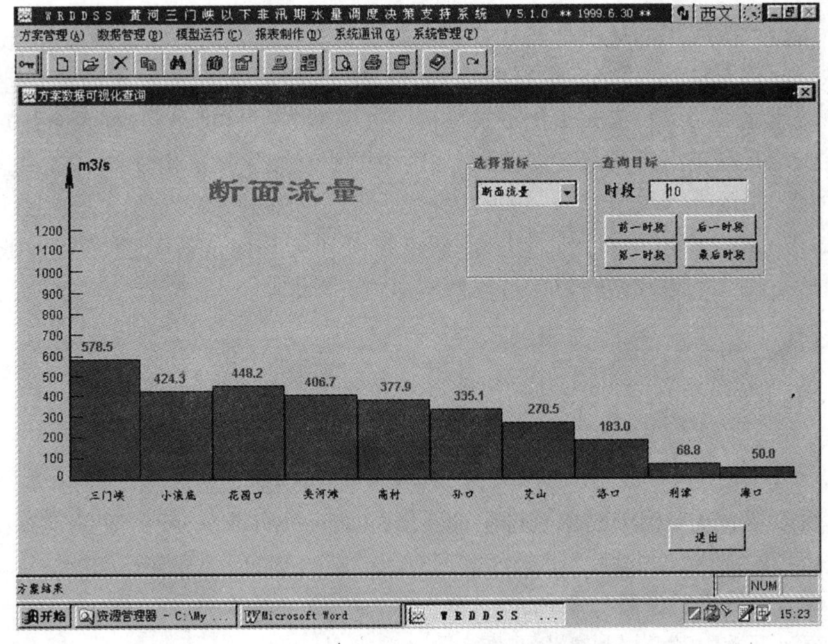

图 10-17 方案结果可视化查询界面

时段或直接选择时段序号)。界面的下面部分为一 XY 坐标系,X 轴由左至右为各个河段或断面的名称,Y 轴为所选择的指标。用户可以通过选择时段序号和指标来浏览调度期内各个河段的水量平衡情况。

(四)文件输出

文件输出是决策支持系统开发的一种通用数据输出方式。在选定方案下,将方案输入数据库和方案结果数据库自动转换为MS Office下的Excel文件格式(.xls)和文本文件格式(.txt)输出至方案目录下,供用户利用其他的数据处理软件分析处理方案数据,也用做系统接口为其他系统提供数据支持。文件输出功能设置在报表制作界面上,自动转换和输出相应数据文件。

五、空间查询及分析

黄河下游非汛期水资源调度管理系统作为一个大系统,既存在大量的结构化信息,如确定的来用水过程,又涉及许多非结构化信息,如行政法规等。GIS将传统的数据库纳入可视化空间中,帮助决策者分析、查询大量的数据信息,并基于电子地图显示结果,弥补了传统数据库管理系统的数据分析和表达的局限性,提高支持决策的水平。

(一)空间数据模型的建立

黄河下游水资源管理系统是一个具有空间分布特征的复杂的大系统,以前描述这一大系统采用的是人工制图的方式,首先用不同比例尺的地图作底图,然后用人工的方式在底图上绘制相应的专题。这种方式虽然能描述系统的空间分布特征,但由于制图是一次性的,不能满足系统动态变化的特征,如显示不同时段黄河下游灌区降雨动态分布情况。采用地理信息系统实现这些功能非常容易,在建立空间数据模型的基础上,只要改变属性数据就可以方便地实现以上功能。

地理信息系统应用的基础是建立空间数据模型。在地理信息系统中以点、线、面的形式来表示空间数据模型,一个专题层就是一个专题数据模型,在本次水资源管理中,空间数据模型的建立采用了扫描矢量化方式。首先根据1:2 000 000的黄河下游引黄灌区图,利用扫描仪将其扫描为二值灰度图;接着采用中国测绘大学矢量化软件GEOSCAN,将行政区划、河流、灌区等有关信息分层矢量化;然后将图形矢量化结果输出为ARC/INFO格式;最后通过ARC/INFO进行接点生成、断点拼接和拓扑生成等处理,建立ARC/INFO的矢量图形文件。空间数据库建立过程如图10-18所示。

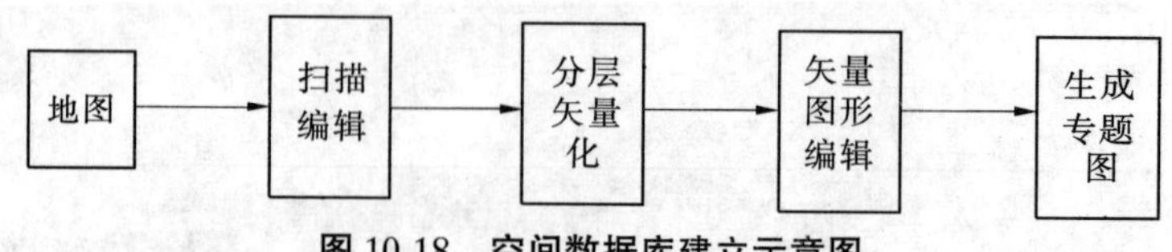

图10-18 空间数据库建立示意图

为了能直观表现黄河下游水资源管理系统的空间分布特征,同时要满足系统空间分析及结果表现的需求,据此建立了包含以下空间内容的空间数据模型:

(1) 黄河下游引黄灌区分布图;

(2) 黄河下游引黄灌区城镇分布图;

(3) 黄河下游引黄闸及干渠分布图；

(4) 黄河下游及引黄灌区政区分布图(分省、分县、分地区)。

通过以上基本底图及专题信息图形可以实现对黄河下游黄河水资源管理系统的空间描述。图 10-19 所示为黄河下游引黄灌区分布图，通过此图就可以形象地表现黄河下游灌区分布情况，下游节点分布图见图 10-20。

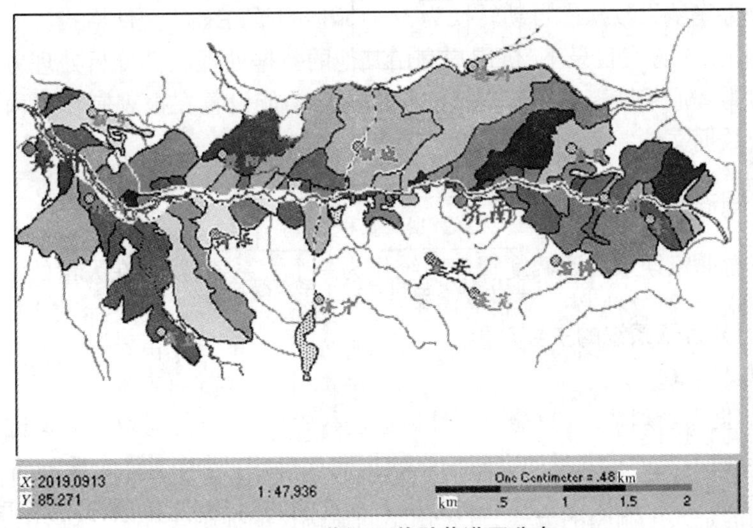

图 10-19 黄河下游引黄灌区分布

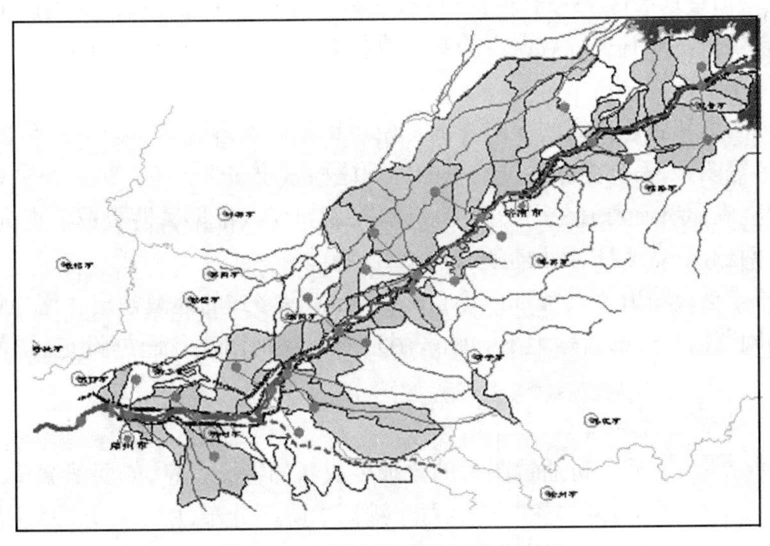

图 10-20 黄河下游引水节点分布

(二)空间分析子系统的组成

按照结构化和模块化的指导原则，将子系统设计成由相对独立、功能单一的模块组成的系统。该子系统按功能分为七个模块，分别为数据维护模块、分层显示模块、图形和属性数据双向查询和检索模块、统计计算模块、图形修改模块、制图输出模块、方案数据装载和分析模块等，如图 10-21 所示。

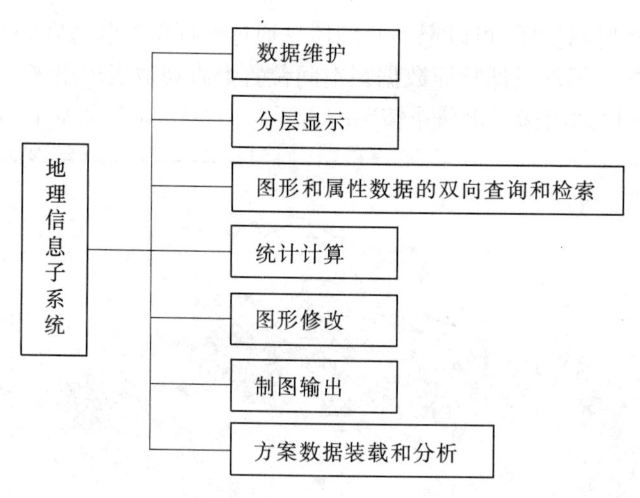

图 10-21　空间分析子系统模块

（三）空间分析子系统的主要功能

1.空间数据管理

常规的数据库管理系统，只能对属性数据进行管理，而不能对空间数据进行管理。在黄河下游水资源系统中有大量的空间信息数据需要管理，同时还有大量的属性信息需要通过空间信息来表现，此次建立的空间分析子系统能够实现对空间数据的管理，实现属性数据与空间数据的统一管理。

基于地理信息系统（GIS）的黄河下游水资源数据库管理系统可以实现以下功能：

（1）数据维护。具有一般数据库的数据维护功能，包括数据库记录增加、追加、修改、删除、更新等基本操作。

（2）实现图形和属性数据的双向查询。用户用鼠标点击地图上某一图形要素，或画一矩形、多边形等图形，系统能够通过惟一的标识码检索出属性数据，并以表格或密度图、过渡色等形式直观形象地表示在用户面前。同样，用户可以根据属性数据项查询图形信息，如检索灌区信息、节点信息、河段信息等。

（3）制图或报表输出。支持 emf、dxf、bmp 和 tif 等格式的地图输出。用户可以输出不同尺寸的不同图层组合的专题地图。允许用户对专题地图进行图框设定、图例标注和添加注记等。

2.空间分析及方案评价

（1）空间分析。空间分析通过图形的叠加生成新的特征信息，如要根据黄河下游雨量站分布图及每个雨量站的降雨资料得到每个灌区的降雨分布，用常规方法是很难完成的，而采用地理信息系统的空间分析功能，就可以很容易地实现这一功能，首先用雨量站分布图及雨量站雨量资料，利用泰森多边形或等值线生成等方法，生成时段雨量空间分布图，把雨量分布图与灌区分布图项叠加就可以得到不同灌区的雨量分布图（整个过程可以通过程序自动实现）。用同样的方法可以得到不同时段地下水可开采量分布图，而不同灌区降雨分布及地下水可开采量是进行灌区需水预测的基础，有了以上两个指标，结合不同灌区作物种植结构及不同作物的生产函数，就可以得到不同灌区的阶段需水过程。

(2)方案评价。地理信息系统可以把不同的信息通过地理位置联系在一起,同时可以用空间分布图、图表、数字等形式把特征数据在空间位置上直观地表现出来。例如采用如图 10-22 所示来描述灌区超指标引水分布情况。

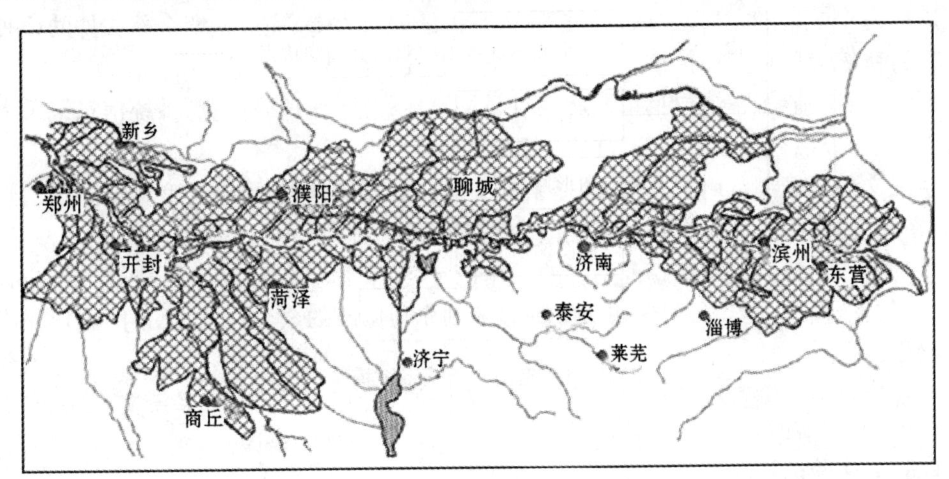

图 10-22 超指标引水灌区分布

六、系统管理

作为一个完整的决策支持系统,除了具有上述的方案管理、数据管理和模型管理功能之外,还应具有完善的系统管理,从而更加有效地辅助决策。下面对决策支持系统中的系统登录功能子系统、系统维护功能子系统、系统信息功能子系统、系统帮助功能子系统等进行简要的介绍。

(一)系统登录功能子系统

系统登录功能子系统的作用是保障系统运行的安全性。用户在进入系统之前,必须先输入用户密码,确认有效后方可进入系统。

系统启动后,首先进行用户的使用权限确认,要求用户输入用户密码。当密码正确时,用户自动进入登录功能子系统;否则,系统提示输入密码错误,阻止用户登录,用户必须重新输入用户密码,若密码再次错误,系统将自行退出。在确认用户使用权限后,系统还需确认用户名。系统已经建立了用户名表,用户可以移动滚动条,选取自己的名称并确定登录。若是新用户首次登录,就必须键入新用户名,系统将新建用户名自动添加至系统用户表。用户名在报表制作时自动加入报表信息,注明报表制作人员。

(二)系统维护功能子系统

系统维护功能子系统包括系统密码更新、用户名称修改、系统完备性检查三方面功能。

系统使用一段时间后,用户密码可能需要更新,以确保密码的有效性,系统管理人员可以通过系统密码更新界面,对用户密码进行更改。更改时,系统管理人员必须首先输入系统密码,只有系统密码正确时,才有权更改用户密码。系统密码仅限于系统管理人员使用。

用户名称修改用于编辑、修改已建的用户名表,删除冗余的用户名,增加新的用户名,系统管理人员通过用户名称修改界面完成。

系统完备性检查用于保障系统文件的完备性，保障系统的安全运行，避免因系统文件的丢失或损坏引起的系统故障。首先检查系统目录下的各类文件，如数据库文件、文本文件、报表文件、图标文件、图形文件等，再检查方案库下各个方案的方案数据库的完整性、模型库内各个模型的完整性、综合数据库内数据的完整性等，完成系统全部文件的检查。

(三)系统信息功能子系统

系统信息功能子系统包括系统文件目录浏览、系统操作记录浏览、系统信息记录浏览三方面功能，分别有三个单独的界面来完成。

系统文件目录浏览用于查询、浏览系统文件及其存储位置、数据类型、文件意义、建立时间，在系统文件丢失时，用户可以查询丢失文件的名称。

系统操作记录浏览用于查询系统的操作记录，主要信息包括操作序号、操作时间、用户、操作方案、操作内容等，可使用户查询方案制作与修改的全过程，以及不同用户完成的方案操作。

系统信息记录浏览用于查询系统操作中系统的各种提示信息，如系统文件缺少、文件打开错误、方案数据有误等，帮助用户处理系统运行中出现的错误。

(四)系统帮助功能子系统

系统帮助功能包括系统介绍、区域图片、节点信息查询等部分功能。

系统介绍向用户简要介绍系统设计和功能、系统工作流程两部分内容。系统设计和功能部分主要描述了系统的开发目标和开发原则、系统的总体结构和主要功能等。系统工作流程主要描述了系统工作的操作步骤及注意事项等。

为使用户对系统涉及的流域范围有更直观的认识，对范围内节点信息有更清楚的了解，开发了节点信息可视化查询功能。在运行信息可视化查询时，系统首先弹出节点信息可视化查询界面，显示系统节点图，图中各节点位置一目了然，并且当光标移至节点位置时，光标图形由“箭头”变为“手形”，同时显示该节点的节点号。单击鼠标左键，节点图上便自动弹出所选节点的各种信息，节点信息可视化查询界面如图 10-23 所示。

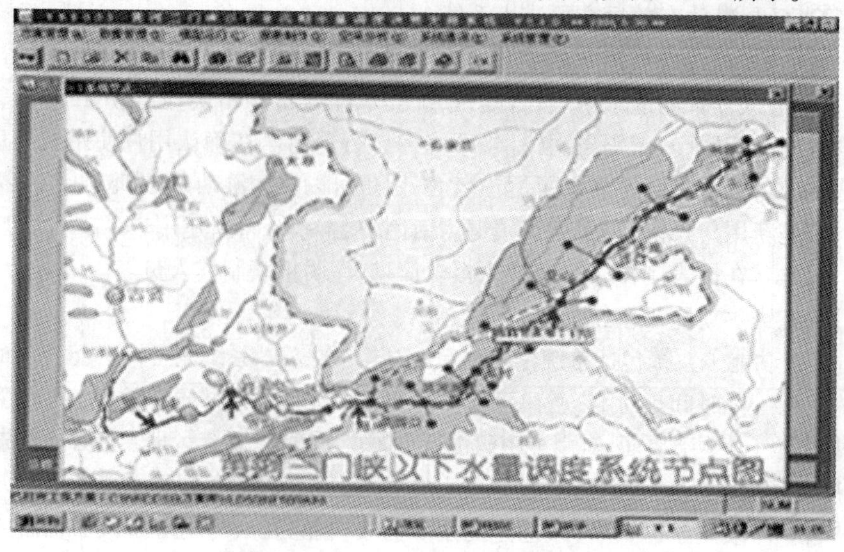

图 10-23　节点信息可视化查询界面

第四节　系统验证

利用黄河三门峡以下非汛期水量调度决策支持系统(WRDDSS),可以实现三门峡、小浪底两水库的联合调度,进行河段配水,制订调度方案和提出河段配水意见。下面首先通过模拟1998~1999年度调度预案,通过对比分析来验证系统运行结果的合理性。在此基础上,再根据不同的来水和用水情况,拟定若干算例(方案),进行系统的初步运用及算例分析。

通过模拟已经编制完成的调度预案,对系统的输出结果进行分析,验证系统运行的可靠性。

此次月调度方案验证采用国家计委、水利部颁布的《黄河可供水量年度分配及干流水量调度方案》"三门峡水库至利津干流河段1998年11月至1999年6月水量调度控制指标"(以下简称98-99调度预案)的基本数据作为系统的输入数据,包括三门峡入库过程、区间加水过程、河道损失和滩区用水、引黄用水计划等,同时按高村两段法考虑流达时间(即以高村为界,高村以上河段不考虑流达时间,高村以下各河段均按10天考虑)。

系统运行结果见表10-2。从表中可见,系统运行结果与调度预案的配水量均为61亿m^3,其中河南省18.24亿m^3、山东省38.33亿m^3、河北省及天津4.43亿m^3,均无缺水。

表10-2　1998年11月至1999年6月三门峡以下河段配水及断面流量计算结果　(单位:m^3/s)

月份	三门峡入库	三门峡出库	区间加水流量	小浪底—高村		高村站月均下泄流量	高村—利津		利津站月均下泄流量	引水量			
				河南引水流量	山东引水流量		河南引水流量	山东引水流量		河南引水流量	山东引水流量	河北及天津引水流量	合计
11	550	450	55	28	5	415	1	52	247	29	57	42	128
12	480	574	26	18	9	516	3	133	292	21	142	43	206
1	550	480	30	20	10	423	1	23	283	21	33	43	97
2	610	475	35	78	15	360	11	120	144	89	135	43	267
3	920	920	0	113	29	771	19	309	280	132	338	0	470
4	900	931	46	104	26	790	11	352	395	115	378	0	493
5	440	564	64	116	20	435	21	243	240	137	263	0	400
6	450	523	61	139	10	378	16	106	188	155	116	0	271
平均流量	612.3	616.1	46.0	76.8	15.5	512.6	10.4	167.8	2 510.8	87.2	183.3	21.2	291.7
合计水量(亿m^3)	128.02	128.81	9.59	16.06	3.25	107.18	2.17	35.09	54.32	18.23	38.33	4.43	61.00

系统计算结果和调度预案的三门峡站、高村站和利津站调度期内下泄总水量十分接近。系统计算结果为:三门峡出库水量为128.8亿m^3、高村站水量为107.2亿m^3、利津站水量为54.3亿m^3;预案中相应数值分别为128.6亿m^3、105.5亿m^3、50.7亿m^3。其流量过程也十分相似,见图10-24~图10-26。

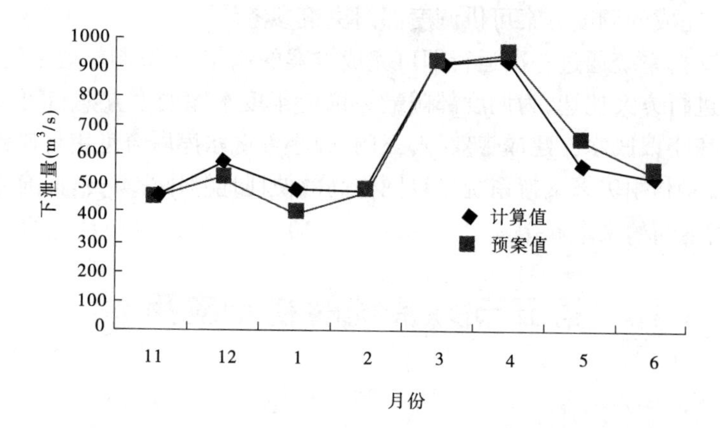

图 10-24　三门峡水库下泄流量过程线(计算值与预案值)

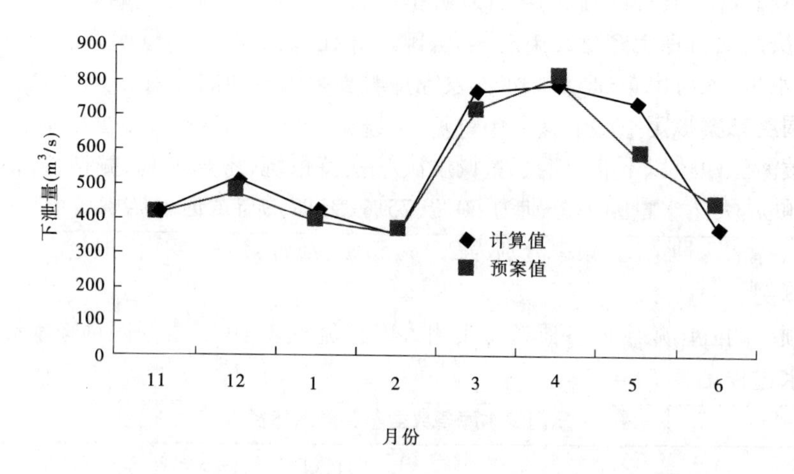

图 10-25　高村站下泄流量过程线(计算值与预案值)

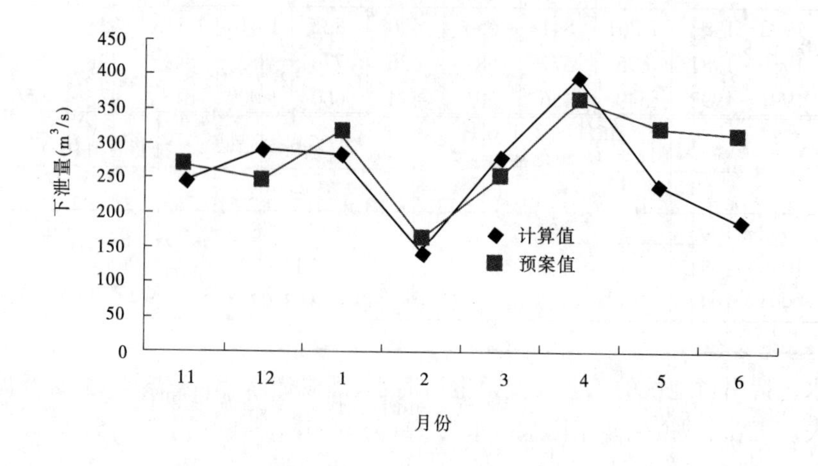

图 10-26　利津站下泄流量过程线(计算值与预案值)

通过以上对比分析，说明系统能够较好地模拟和制订方案(年度预案、月调度方案)，结果正确合理，完成的调度方案可供调度部门决策参考。

利用决策支持系统通过一次运行即可完成方案的制作，方案制作效率较高，还可制作多个相关方案进行方案比选，为调度部门最终确定年度水库调度方案和河段配水意见提供有力支持。在小浪底水库建成生效后，三门峡、小浪底水库联合运用将使预案制订工作变得更加复杂，而利用决策支持系统可以同样高效便捷地制作方案，从而充分发挥决策支持系统的优势。

第五节 系统的初步应用

一、月调度应用算例分析

考虑不同来水和下游降雨的多种组合情况，制订多个月调度方案算例和旬调度方案算例，利用决策支持系统进行方案的建立、计算和比较，分析三门峡来水、下游用水计划、供水量、缺水量、入海水量、小浪底水库发电量等多个因素间的关系。

(一)调度方案拟定

利用黄河三门峡以下非汛期水量调度决策支持系统，考虑平水、偏枯、特枯三种来水条件(三门峡站天然水量频率分别为50%、75%、95%)，与黄河下游引黄灌区降水偏丰、平水、偏枯、特枯四种情况(频率分别为25%、50%、75%、90%)组合，拟定12个年度非汛期月调度算例。

三种频率的三门峡水库各典型年实测入库径流见表10-3，根据四种降水频率计算的下游总需水过程见表10-4。

表10-3 三门峡水库各典型年实测入库径流

来水频率(%)	年份	月入库流量(m^3/s)									
		10月	11月	12月	1月	2月	3月	4月	5月	6月	7月
50	1992～1993	1 261	841	653	470	822	1 410	1 113	623	726	1 296
75	1980～1981	875	577	587	636	776	885	841	491	584	1 976
95	1991～1992	549	456	601	444	660	1 009	818	427	666	699

来水频率(%)	年份	10月～翌年6月实测径流量(亿m^3)	年实测径流量(亿m^3)	对应年天然径流量(亿m^3)
50	1992～1993	207.6	332.08	527.4
75	1980～1981	163.8	247.07	428.7
95	1991～1992	147.6	198.93	324.4

总需水包括引黄地区的工业及城镇生活需水、灌溉需水、滩区需水、远距离调水和河道水量损失。工业、城镇生活年用水需求为11.43亿m^3，其中河南省4.83亿m^3，山东省6.60亿m^3。下游河道年损失量为13.0亿m^3。远距离调水包括引黄济青5亿m^3、引黄济卫6.2亿m^3。灌溉需水考虑不同频率的降水情况，地下水开采按中等水平控制。

表 10-4 不同降水频率下游总需水过程 （单位：亿 m^3）

降水频率（%）	需水量									
	10月	11月	12月	1月	2月	3月	4月	5月	6月	7月
25	6.54	7.33	5.16	5.16	7.58	11.45	13.80	10.71	6.19	5.13
50	7.13	8.33	5.56	5.56	7.47	13.67	17.06	13.32	8.33	6.34
75	8.11	10.10	6.48	6.48	9.09	17.49	20.25	17.09	11.66	9.29
90	9.96	10.90	7.28	7.28	11.51	21.81	24.20	21.40	13.59	11.69

降水频率（%）	10月～翌年6月小计	7～9月小计	年合计
25	73.91	15.64	89.56
50	86.42	21.46	107.88
75	106.77	29.81	136.58
90	127.95	39.97	167.92

注：总需水为工业和城镇生活、灌溉和河道水量损失的合计值。25%～95%各个方案计算的各个农业需水过程线均采用地下水中等利用水平。

（二）调度方案计算条件

（1）小浪底水库采用运用初期的运用条件，此次调度期为2001年10月1日至2002年7月10日，小浪底水库最高蓄水位250 m，最低蓄水位210 m，10月1日水位215 m，7月10日降至210 m。由于防凌运用期较短，允许蓄水位超过250 m，因此防凌任务由小浪底水库单独承担。根据2000年4月底审查意见，小浪底运用最低水位为205 m；2001年10月1日至2002年7月10日，水库最高蓄水位可以为260 m，但今年尚未蓄至250 m，故可以采用250 m。

（2）三门峡水库10月份按305 m控制运用，月末蓄至310 m；11～12月份按310 m控制运用，1～5月按310～315 m控制运用，6月末水位降低至305 m。

（3）采用三门峡和小浪底水库优化调度方法。

（4）河口地区生态基流不少于50 m^3/s。

（5）不考虑水量流达时间。

（三）结果分析

1.水库调度运用情况

1）径流调节

小浪底水库蓄水调节期运用特点是：10月～翌年2月份下游用水较少，水库以蓄水为主，凌汛期承担下游防凌任务；3～6月份是下游用水高峰期，水库加大泄量供水；6月末视来水及下游需水情况，余留一定水量为7月上旬补水。三门峡水库调蓄能力不大，基本按径流式电站运用。

来水频率为50%的年份，小浪底水库蓄水调节期来水218.9亿 m^3。下游不同降水频率时水库均可满足用水需求，因此水库的调节情况基本相同。10月份水库从215 m开始蓄水,10 月～翌年 2 月份出库流量变化范围为 306～606 m^3/s,水库蓄水均为 46 亿 m^3 左右。3～6 月份出库流量为 1 113～1 524 m^3/s,其中 3 月、6 月均为 1 524 m^3/s,水库补水 46 亿 m^3 左右,6 月末水库水位降到 214 m 左右,7 月 10 日水库泄水至 210 m。三门峡水库 10 月～翌年 2 月份出库流量变化为 470～1 261 m^3/s,3～6 月份出库为 623～1 410 m^3/s,6 月末水位降至 305 m。

来水频率为 75%的年份,小浪底水库蓄水调节期来水约 180.8 亿 m^3。随着下游年降水保证率增加(25%～90%),水库蓄水量逐步减小,10 月～翌年 2 月份水库蓄水 32 亿～41 亿 m^3,水库下泄流量 306～507 m^3/s,3～6 月份出库流量在 754～1 524 m^3/s,水库补水 44 亿 m^3 左右,6 月末水库泄水到 210 m。三门峡水库,10 月～翌年 2 月份下泄流量 557～875 m^3/s,3～6 月份下泄流量 491～885 m^3/s,六月末水位降至 305 m。

来水频率为 95%的年份,小浪底水库蓄水调节期来水量约 153.5 亿 m^3。相应于下游不同的降水频率($P=25\%\sim90\%$),10 月～翌年 2 月份水库蓄水为 13 亿～22 亿 m^3,出库流量为 299～507 m^3/s,3～6 月份补水 18 亿～9 亿 m^3,出库流量为 524～1 524 m^3/s,6 月末水库泄水至 219～221 m,7 月上旬补水 6.2 亿～7.3 亿 m^3,旬末水库水位降至 210 m。三门峡水库,10 月～翌年 2 月份下泄流量 444～660 m^3/s,3～6 月份下泄流量 427～1 009 m^3/s,6 月末水位降至 305 m。

2)水位变化

小浪底水库 10 月份从 215 m 开始蓄水,至防凌运用结束蓄至最高,此后随下游用水加大,库水位逐步下降。50%来水频率年份,2 月末水库最高蓄水位达 251.6 m,3～4 月份维持在 205 m,5 月份以后水库水位逐步下降,6 月末降至 214 m 左右,至 7 月上旬降至 210 m。75%来水年份,遇下游降水频率为 25%、50%时,水库水位变化与来水频率为 50%的来水情况基本相同,4 月份以前库水位逐步上升至 250 m,而后泄水,在 6 月末泄水至 210 m;遇下游降水频率为 75%、95%时,水库最高蓄水位出现在 3 月、2 月,分别为 248.1 m、243.4 m,6 月末泄水至 210 m。95%来水年份,遇下游不同降水频率,水库最高蓄水位出现在 3、4 月份为 232.7～248.7 m,水库在 6 月末降至 219～220 m,在 7 月上旬降至 210 m。不同来水和需水条件的小浪底水库水位变化过程见图 10-27。

三门峡水库由于调蓄能力不大,又要维持较高水头发电,因此水位变化也相对较小,各种频率来水年份,水位变化不大。水库水位 10 月末蓄至 310 m,6 月末再降至 305 m。

3)电站发电情况

小浪底电站的发电量与水库来水和下游引黄灌区降水有关,主要受水库来水影响。相同来水年份,随着降水频率增大,因蓄水调节期前期供水量大,发电量呈逐步减少趋势。对于 50%来水年份发电量变化不大,遇下游不同降水频率时发电量为 52.86 亿～52.65 亿 kW·h;75%来水年份遇下游降水频率为 25%～90%时,发电量为 41.40 亿～39.69 亿 kW·h;95%来水年份,遇下游降水频率为 25%～90%时,发电量为 34.99 亿～30.63 亿 kW·h。

三门峡水库由于基本按径流电站运用,当来水增大时,发电量也随之增大,95%、75%、50%三种频率来水情况下发电量分别为 9.1 亿 kW·h、9.6 亿 kW·h 和 10.8 亿 kW·h。当下游地区降雨变化时,三门峡发电流量基本保持不变。

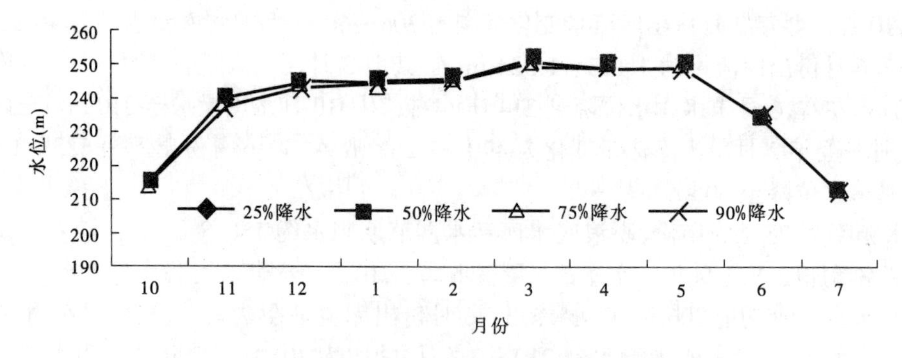

(a)50%来水年份下游不同降水频率水库运用水位过程

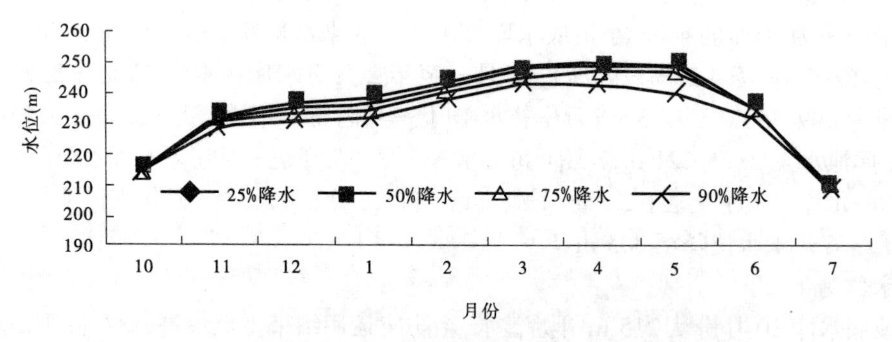

(b)75%来水年份下游不同降水频率水库运用水位过程

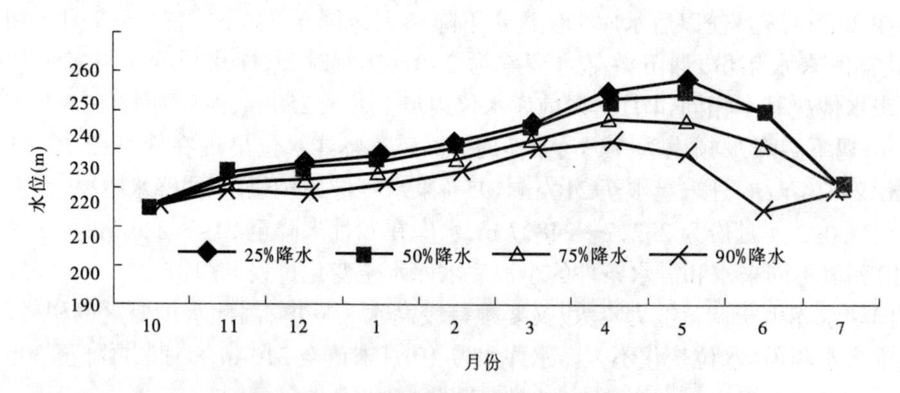

(c)95%来水年份下游不同降水频率水库运用水位过程

图 10-27　不同算例小浪底水库水位变化过程

2.下游河段的水量平衡情况

不同组合方案的调度配水结果见表 10-5。

下游河段的水量平衡情况以 75%来水和 90%降水算例(见表 10-6)为例,说明如下:调度期小浪底水库来水为 180.79 亿 m^3,三门峡以下需水 133.88 亿 m^3,配水量 130.92 亿 m^3,缺水量 2.96 亿 m^3,入海水量 49.7 亿 m^3。其中,河南需水 33.97 亿 m^3,配水量为 33.02 亿 m^3,缺水量为 0.95 亿 m^3;山东需水为 93.71 亿 m^3,配水量为 91.71 亿 m^3,缺水量为 2.00 亿 m^3;向河北调水 6.20 亿 m^3。

表 10-5 不同来水、降水情况下的调度方案

来水典型年	灌区降水频率(%)	需水量(亿 m^3)				供水量(亿 m^3)				缺水量(亿 m^3)				发电量(亿 kW·h)	
		河南	山东	河北	合计	河南	山东	河北	合计	河南	山东	河北	合计	三门峡	小浪底
1992～1993(50%)	25	18.94	52.61	6.20	77.75	18.93	52.57	6.20	77.70	0	0	0	0	10.81	52.86
	50	22.63	61.83	6.20	90.67	22.62	61.79	6.20	90.62	0	0	0	0	10.81	52.84
	75	28.56	77.22	6.20	111.98	28.32	76.82	6.20	111.33	0.24	0.40	0	0.64	10.81	52.80
	90	33.97	93.71	6.20	133.88	33.03	91.77	6.20	131.00	0.94	1.94	0	2.88	10.81	52.65
1981～1982(75%)	25	18.94	52.61	6.20	77.75	18.93	52.55	6.20	77.67	0	0	0	0	9.57	41.40
	50	22.63	61.83	6.20	90.67	22.62	61.77	6.20	90.59	0	0	0	0	9.57	41.24
	75	28.56	77.22	6.20	111.98	28.30	76.76	6.20	111.26	0.26	0.46	0	0.72	9.57	40.69
	90	33.97	93.71	6.20	133.88	33.02	91.71	6.20	130.92	0.95	2.01	0	2.96	9.57	39.69
1991～1992(95%)	25	18.94	52.61	6.20	77.75	18.92	52.51	6.20	77.62	0	0	0	0	9.07	34.99
	50	22.63	61.83	6.20	90.67	22.61	61.73	6.20	90.54	0	0	0	0	9.07	34.54
	75	28.56	77.22	6.20	111.98	28.29	76.74	6.20	111.23	0.27	0.48	0	0.75	9.07	33.26
	90	33.97	93.71	6.20	133.88	32.59	89.66	6.20	128.45	1.38	4.05	0	5.43	9.07	31.53

注:各方案相应的地下水开采均采用中方案。计划水量和配水量不包括河道损失量,河道损失优先给予满足。

表 10-6　　三门峡以下河段水量平衡算例(来水频率 75%,降水频率 90%)

(单位:m^3/s)

月份	三门峡入库	三门峡出库	小浪底出库	小高间加水	小高间豫配水	小高间鲁配水	高村站流量	高村下加水	高利间河南配水	高利间山东配水	利津站流量	利津以下	河南配水小计	山东配水小计	河北引水	合计水量
10	875.00	875.00	436.62	49.00	68.28	12.85	388.17	6.00	13.81	273.99	69.33	18.81	82.09	305.65	0	387.74
11	577.00	577.00	473.69	49.00	101.06	22.97	382.40	6.00	8.16	217.97	64.84	14.84	109.22	255.78	59.80	424.80
12	587.00	557.00	507.28	20.00	144.76	31.63	334.68	6.00	2.10	45.19	208.34	3.81	146.86	80.63	57.87	285.36
1	636.00	636.00	348.95	24.00	144.11	31.46	179.97	6.00	2.09	45.03	53.81	3.81	146.20	80.30	57.87	284.37
2	776.00	776.00	420.17	29.00	88.18	15.13	308.88	6.00	10.25	147.98	60.99	10.99	98.43	174.10	64.07	336.60
3	885.00	885.00	918.38	44.00	107.16	30.87	792.34	6.00	26.70	633.91	90.92	39.82	133.86	704.60	0	838.46
4	841.00	841.00	999.86	40.00	121.26	34.09	857.21	6.00	31.55	698.30	94.31	43.57	152.81	775.96	0	928.77
5	491.00	491.00	889.43	58.00	136.38	28.40	742.15	6.00	35.91	584.66	87.35	36.94	172.29	650.00	0	822.29
6	584.00	615.00	1358.61	55.00	134.18	15.17	1 244.95	6.00	35.24	320.20	860.41	21.50	169.42	356.87	0	526.29
7	1 976.00	2 069.00	1 976.00	60.00	111.50	13.27	1 891.35	6.00	27.95	282.30	1 561.85	19.29	139.45	314.86	0	454.31
平均流量	739.37	739.37	751.27	41.61	116.26	24.43	627.77	6.00	18.78	329.07	225.14	21.54	135.03	375.05	25.36	535.44
合计水量(亿 m^3)	180.79	180.79	183.69	10.18	28.43	5.97	153.50	1.47	4.59	80.46	55.05	5.27	33.02	91.70	6.20	130.92

经分析,调度期内的缺水是因为防凌要求限制了小浪底水库的下泄流量,造成2月份河南和山东均出现了轻微缺水。

小浪底发电量与三门峡来水量、下游配水量的关系,见图10-28。小浪底发电量随三门峡来水流量的减少和下游配水量的增加而略有减少。

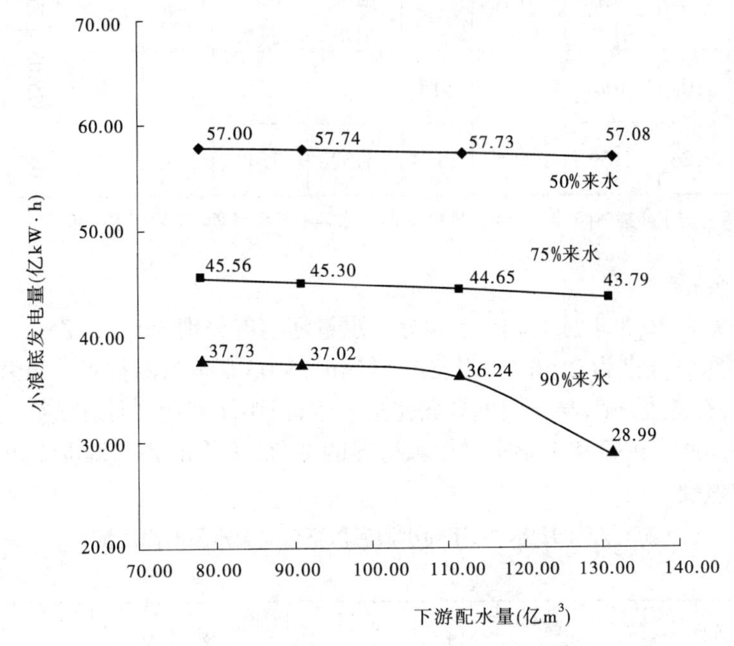

图10-28 小浪底发电量与三门峡来水量、下游配水量的关系

二、旬调度应用算例分析

与月调度不同的是,旬调度时段较短,一般是在逐月下达的月调度方案的基础上制订旬调度方案。旬调度主要是对面临时段的水量进行调度及分配,关键是要考虑实时信息和预报信息,诸如实时引水情况、当地的降水、墒情、作物生长状况等。此次只进行2002年4月上、中、下旬水量调度方案的分析计算。

(一)计算条件

(1)以黄水调[2002]5号文《关于下达2002年4月份黄河干流水量调度实施意见的通知》附件(见表10-7)中小浪底水库的下泄量作为来水量。并以该月调度方案为基础,制订各旬的调度方案,各旬的月分配总量应以月总量为控制。

(2)非汛期生态基流。非汛期生态基流总需水量50亿m³,相当于平均入海流量240 m³/s,入海最小流量控制在50 m³/s以上。

(3)水量传播时间。三门峡以下河段的水量传播时间按三门峡—高村、高村—河口两段考虑,三门峡—高村河段采用4天,高村—河口河段采用7天。

(4)水量损失。水量损失按三门峡—高村、高村—河口两河段分别计算,4月份采用70 m³/s,另外还考虑25 m³/s的施工用水。

(5)前期实际用水的影响。考虑上月末的实际引水情况,并分析实际用水对水量调度分配的影响。

表 10-7　　　　2002 年 4 月小浪底以下河段配水及断面流量

项目	小浪底月均下泄量	区间加水	小浪底—高村引水控制指标		高村站月平均	高村 — 利津引水控制指标		利津站月平均	利津以下引水	合计引水		
			河南引水	山东引水		河南引水	山东引水			河南引水	山东引水	合计
流量（m^3/s）	750	10	100	25	515	20	270	110	18	120	313	433
水量（亿 m^3）	19.4	0.26	2.59	0.65	13.3	0.52	7.00	2.85	0.47	3.11	8.12	11.23

注：水量平衡演算考虑了传播时间、河道渗漏、蒸发、未控引水等不平衡因素。本表引水即耗水。

（二）结果分析

计算结果见表 10-8，4 月上、中、下旬分配水量河南省分别为 0.85 亿 m^3、1.09 亿 m^3、1.17 亿 m^3，山东省分别为 2.50 亿 m^3、2.59 亿 m^3、3.03 亿 m^3；两省 4 月的引水总量分别为 3.11 亿 m^3、8.12 亿 m^3，与月调度方案完全一致，说明能够达到月总量控制的目的。但随着滚动调度的逐步进行和下游实时用水情况的变化，最终的各旬调度结果与月方案控制会有少量的差别。

表 10-8　　　　2002 年 4 月上、中、下旬小浪底以下河段配水及断面流量

（单位：流量，m^3/s；水量，亿 m^3）

旬	小浪底旬均下泄流量	区间加水流量	小浪底 — 高村引水控制指标		高村站旬均下泄流量	高村 — 利津引水控制指标		利津站旬均下泄流量	利津以下山东引水	合计引水		
			河南引水流量	山东引水流量		河南引水流量	山东引水流量			河南引水水量	山东引水水量	合计引水量
上	650	10	64	42	450	35	230	100	0.15	0.85	2.50	3.35
中	700	10	90	42	470	36	240	110	0.16	1.09	2.59	3.68
下	900	10	95	42	610	40	290	120	0.16	1.17	3.03	4.20
合计水量	19.4	0.26	2.15	1.08	13.3	0.96	6.57	2.85	0.47	3.11	8.12	11.23

注：水量平衡演算考虑了传播时间、河道渗漏、蒸发、未控引水等不平衡因素。本表引水即耗水。

第六节　小　结

依据系统工程理论和计算机软件工程，本章研究开发了黄河三门峡以下非汛期水量调度可视化决策支持系统，并对决策支持系统进行了全面的测试、验证和初步应用。

三门峡以下非汛期水量调度可视化决策支持系统由人机交互界面、方案与方案数据库、模型库、图文库、综合数据库、地理信息数据库等六部分组成，包括方案管理子系统、数据管理子系统、模型管理子系统、方案输出子系统、空间分析子系统、系统通讯子系统和系统管理子系统等七个一级子系统，具有系统管理、数据管理、方案管理、模型管理、方案输

出和空间分析等主要功能,整体构成对水量调度决策的全过程支持。

黄河三门峡以下非汛期水量调度可视化决策支持系统具有以下特色:①应用了面向对象技术;②建立了方案库;③具有丰富、先进的模型库;④具有初步的空间分析能力;⑤能够进行经济效益计算;⑥具有可视化的人机交互;⑦具有可操作性。

参考文献

[1] 王本德.水电系统规划、管理决策方法论.北京:中国电力出版社,1997

[2] 谢建仓,等.水资源调度管理决策支持系统的理论与实践.西安:陕西科学技术出版社,1997

[3] 冯尚友.水资源持续利用与管理导论.北京:科学出版社,2000

[4] 冯玉琳,等.对象技术导论.北京:科学出版社,1998

[5] 王道席,等.黄河下游配水管理研究.见:刘昌明,陈效国主编.流域水资源演化规律与可再生性维持机理研究与进展.郑州:黄河水利出版社,2001

[6] 李子奈.计量经济学.北京:高等教育出版社,2000

[7] 詹姆斯 L D,李 R R.水资源规划经济学.北京:水利电力出版社,1984

[8] 席家治.黄河水资源.郑州:黄河水利出版社,1996

[9] 沈大军.水价理论与实践.北京:科学出版社,1999

[10] 言茂松.电能价值当量分析与分时电价预测.北京:中国电力出版社,1998

[11] 蒋水心.农村水利水电经济运行.北京:水利电力出版社,1995

[12] 马光文.长期边际成本电力定价方法研究.水力发电学报,1999(3)

[13] 沈大军.我国城镇居民家庭生活需水函数的推求及分析.水利学报,1999(8)

[14] 温鹏.对城市供水效益计算方法的初步研究.水利经济,1997(3)

[15] 沈大军.工业用水数量经济分析.水利学报,2000(8)

[16] 张光伟.基于边际成本理论制定电价的问题研究:[西安交通大学学位论文].1999

[17] 中国水科院水资源研究所.水资源大系统优化规划与优化调度经验汇编.北京:中国科学技术出版社,1995

[18] 董子敖.水库群调度与规划的优化理论和应用.济南:山东科学技术出版社,1989

[19] 黄杏元,汤勤.地理信息系统概论.南京:南京大学出版社,1992

[20] 刘学,王兴奎,王光谦.基于 GIS 的空间过程模拟建模方法研究.中国图像图形学报,1999(6)

[21] Olivera F, Maidment D. *Geographic information systems (GIS)-based spatially distributed model for runoff routing*, Water Resour. Res., 1999(4)

[22] 梁天刚,张胜雷,戴若兰,等.基于 GIS 栅格系统的集水农业地表产流模拟分析.水利学报,1998(7)

[23] 李纪人.遥感和地理信息系统在分布式流域水文模型研制中的应用.水文,1997(6)

第十一章　水资源调度管理实施意见和建议

黄河下游非汛期水资源调度管理应在保证防凌安全的前提下，尽可能地满足河南、山东引黄灌区的用水需求。目前，黄河流域及下游引黄灌区引水能力远远超过黄河可能的供水能力。由于缺乏全河水资源统一、有效的调度管理，造成枯水季节上、中、下游争水、抢水，增加了下游河道断流的概率。为了充分、合理地利用有限的黄河水资源，使黄河下游水资源调度管理走上规范化、科学化轨道，主要应解决黄河水资源管理体制和运行机制不健全的问题。

第一节　实施意见

一、积极开发信息源，在应用中完善水量调度决策支持系统

将大量的、高质量的信息展现在分析和决策人员面前辅助其决策，是水量调度决策支持系统(WRDDSS)开发的首要目标，数据的图形显示和解释更有利于分析和决策人员理解。合理、科学的水资源调度和分配方案的制订和实施，均取决于准确、可靠、及时的决策信息。

包括供水信息在内的水资源调度和分配的实时数据，是改进水库调度、合理配置水资源和征收水费的重要依据。此外，黄河下游的其他基础数据，如三门峡水库入库水量、区间来水、各河段需水量、河道蒸发渗漏损失等也是水资源调度管理所必需的。

黄委会水量调度管理局应当成为流域水资源调度和管理的信息中心，要结合黄河流域信息网络的建设，积极进行水资源调度信息源的开发。当前，要尽快建立黄河下游引黄灌区逐日降雨量和土壤墒情数据库，及时获取河南、山东两省气象部门、水利部门发布的降雨量和土壤墒情等实时信息和预报信息。今后，有关信息的自动采集、传输和处理技术将会有进一步的发展，如降雨量、土壤墒情、取水口引水可能性、取水自动测量、灌区作物组成、灌溉面积等信息，可通过系统连接，进行信息的传输和处理。卫星遥感技术(RS)和地理信息系统(GIS)的综合应用将是一个有效的处理手段。

采用先进的实时信息采集、传输和处理技术，及时发布降雨、径流、冰情、用水等各类预报信息，建立和完善实时信息和预报信息的逐日、逐旬、逐月上报制度，改善目前预报能力偏低、信息处理时间过长、信息采集和传输手段落后的局面。这是提高水资源调度决策速度和质量的重要因素，也是建立和完善水资源监测监控系统的必要条件。

本次开发的 WRDDSS 仅是一个系统原形。在以后的长期应用中需要不断地维护和进行必要的技术更新。WRDDSS 涉及河南和山东两省多个地区的众多引水工程和灌区、黄委会和两省的多个管理部门，数据来源分散且范围广，更需要加强数据库的管理和对数

据质量的控制。

随着“九五”期间黄河流域信息网络和相应的信息标准化体系的形成以及计算机技术、通讯技术、卫星遥测和数据处理技术的日益发展,需要建立一个基于局域网和广域网的水资源调度管理系统。WRDDSS要与信息网络中已开发的数据库和系统相连接,充分利用流域信息网络中的各类信息数据库等资源,以提高数据的丰富性,改善对模型的支持。同时,WRDDSS本身要进一步完善,并且在适当的时机扩展为全河的水资源调度管理决策支持系统。

二、设立专门机构,强化调度管理职能

根据国家发展计划委员会和水利部颁布实施的《黄河水量调度管理办法》,由黄委会行使水行政管理职能,对黄河水量实施统一调度管理,实施年度水量分配和干流水量调度预案制度,并对干流主要水文断面的过流量和沿河两岸大的引水口进行监督控制。

水利部和黄委会对不适应当前黄河流域社会经济发展的水管理组织机构进行了必要的改革和调整,明确了水管理部门的权限、职责范围,制定了相应的政策法规,并在黄委会成立了水量调度与管理局(简称水调局),负责实施黄河水量的统一调度和管理。具体到三门峡以下的调度范围,主要是控制小浪底水库(在小浪底水库投入运用以前是控制三门峡水库)的下泄流量以及花园口断面、高村断面的水量。按照统一调配、分级管理、分级负责的原则,河南省和山东省的黄河干流河道水量分别由黄委会河南黄河河务局和山东黄河河务局依据下达的月用水指标负责水量调度工作。河南省和山东省的黄河支流河道水量分别由两省水利厅依据下达的月用水指标负责水量调度工作。

黄委会水调局每年10月下旬根据汛期来水、水库蓄水和汛后来水预报,以及各省区的用水需求计划,进行总量平衡,制订下一年度供水计划和干流水量调度预案,报水利部批准后执行,作为水量调度的依据。在制订水量调度预案和供水计划时,用水量分配到月。其中,三门峡以下非汛期水量分配和干流水量调度预案是根据预报的三门峡水库入库径流和下游支流来水以及河南、山东两省的年度用水需求计划,结合三门峡和小浪底水库蓄水情况和下游凌汛情况编制的。

在实际调度时还将根据前期来水、用水、水库蓄水和干旱情况,以及下月的来水预报和用水需求计划,预估下月供水形势,逐月下达各月水量调度方案和实施意见。各月的旬水量调度方案将在月水量调度实施方案的基础上制订,在每月召开的黄河干流三门峡水库至利津河段水量调度工作会议上讨论通过,并以会议纪要的形式发布,以此指导旬水量的调度。

黄河水调局成立后,下游供水有序,抢水现象少有发生,断流情况发生根本性好转。今后要继续加强黄河水调局的职能,完善机构建设,树立其水量调度权威。

三、以黄河可供水量分配方案为依据

1987年,国务院批准的黄河可供水量分配方案只涉及到正常年份分配给省区的总水量。用水需求分析制定的与该方案相应的干支流可供水量的分配比例、不同行业之间的配水比例以及省区内部各地市、各灌区的分配比例,国务院分水方案中并没有涉及,因此

不能作为黄河可供水量分配方案的内容，只可作为正常年份水量分配时的参考。至于省区正常年份年内各月分配指标（含汛期、非汛期的分配比例）虽然也不是黄河可供水量分配方案的内容，但是已经由国家发展计划委员会和水利部于1998年12月14日发布的计地区[1998]2520号文《国家计委、水利部关于颁布实施〈黄河可供水量年度分配及干流水量调度方案〉和〈黄河水量调度管理办法〉的通知》批准使用。一般情况下，黄河可供水量分配方案所采用的各月来水和需水，与实施调度时面临时段黄河的实际情况相比可能相距甚远，因此正常年份黄河可供水量年内各月分配指标对黄河水量调度和分配的指导作用是有限的。

特别枯水年的水量分配主要取决于黄河的来水情况，同时也与流域内多年调节水库和地下含水层的调节补给水量有关，黄河供水地区降雨的时空分布也会影响到灌溉需水。因此，在缺少上述必要信息条件下，很难制订合理的可操作性强的特别枯水年水量分配方案。

在缺少特别枯水年可供水量分配方案的情况下，1987年国务院批准的各省区分配水量的相对关系，对特别枯水年黄河水量分配具有一定的指导意义。

黄河下游河南、山东两省年度分配水量应以黄河可供水量分配方案为依据，当来水量偏枯不能满足用水需求时，需重新考虑可供水量的分配。此时两省按同比例压缩配水，坚持总量控制、以供定需、实行限量供水的原则。这就要求建立相应的约束机制，使上游用户在用水时不能严重影响下游用户的用水，特别是下游早期就已存在的重要用户的用水。增加新用水户或者原用水户增加用水量要进行充分的论证，避免盲目扩大灌溉面积，造成新的水资源供需紧张局面。

四、提高降雨、径流预报和水库调度水平

提高水文气象预报精度是科学调度黄河水量、提高水资源调度管理水平的重要前提之一。目前，开展的黄河流域降水、径流预报及冰凌预报，其精度和预见期均有待提高，引黄灌区灌溉需水预报更需积极开展。

降雨量不仅影响河道径流量，其有效降雨还直接关系到作物的灌溉需水量。因此，水库调度和河段配水时，必须考虑前期降雨量和未来降雨预报。

在当前的降雨和径流预报工作中，应提高黄河流域中长期降雨、径流预报水平，积极开展中长期降水的定量预报，特别是10月和4月～7月上旬降雨预报，提高该时期径流预报精度。

根据近几年的实际预报经验，水利工程运用对径流预报的精度影响较大，了解和掌握水利工程的运用规律是提高径流预报精度的有效途径。

在解决黄河下游来水过程适应需水要求问题时，水库的调度运用将发挥重要作用。为了减少水库联合调度的复杂程度，水库联合调度只考虑干流上的三门峡和小浪底水库，支流水库的调度运用在支流入黄水量预报中考虑，下游平原水库调度运用按照分级管理的原则放在省一级实施。下游平原水库可作为三门峡、小浪底水库联合调度的辅助措施，在弥补来水和用水预报误差所造成的影响方面发挥一定的作用：当断面实际来水大于预报来水，或者实际用水需求小于计划用水时，平原水库可拦蓄部分水量；当断面实际来水

小于预报来水,或者实际用水超过计划用水时,平原水库可泄放部分水量,缓解河口等局部地区用水高峰季节的供需矛盾。

五、分阶段建立供水监测监控系统

对引黄供水的监测监控是实施黄河水资源调度管理工作的重要内容,应强化流域水资源调度管理机构的职能,建立黄河流域供水监测监控系统。首先要根据黄委会农水处和引黄灌溉局联合完成的“黄河下游引黄灌区水沙监测管理体系及站网合理布局研究”报告,尽快建立下游引黄涵闸供水监测监控系统。

供水监测监控系统旨在实现供水信息的采集、传输、处理、加工、存储、反馈的一体化和自动化。应开发数据采集、传输、编辑整理软件,这个软件应能适应不同的数据源,能够直接产生有用的数据文件。供水监测监控系统的建立要采用先进的技术和设备,制定严格的技术规范和操作规程,培养一批思想和业务素质较高的监督执法人员。

在供水监测监控系统投入运行之前,应充分利用现有的技术和设备来实现当前的供水监测监控目标。例如,可利用三门峡以下黄河干流各水文站断面的过流量对河段配水计划的执行情况进行宏观监控,如果某断面某月的实测流量与计划值相差较大,则提示某断面以上河段的配水计划在执行中可能出现偏差,此时应进一步核实该河段各引水口门的引水量。对于没有按计划引水的用户,可按有关规定采取相应措施。

建立供水监测监控系统对三门峡以下黄河干流各水文站断面过流量的监控管理具有重要的现实意义。它可以对河南、山东两省用水量分配比例进行监督管理,使两省在个别时段或者整个调度期的用水量符合总量控制原则;它包含对黄河下游河道断流实施的监控管理,因为黄河下游断流问题一直是近年来人们关注的焦点之一,断流的影响已不再局限于水资源问题,而与流域内的水土资源及其他相关资源的开发、利用和保护有关;同时,也包含对入海水量的监控管理,因为一定的入海水量是防御海水入侵和维持三角洲地区及临近海域生态环境所必需的。

六、完善监督管理办法

流域机构和省(区)水行政部门要按职责分工,分级完善相关的监督措施和制度,进行有效的监督管理。要像报汛那样,由各省(区)水利主管部门,根据水调局的具体要求,定期上报引黄水量,只有这样水调局才能做到情况清楚并及时进行调控,这在供水监测监控系统尚不完善的情况下尤为必要。

为了保证水调局指令的严格执行,应建立一套严格的惩罚制度。对于超指标引水应及时出示黄牌警告,并在下一时段加倍扣除超引水量,情节严重时追究行政主管领导的责任。

第二节　建　议

为提高黄河水资源的调度管理水平,对水资源调度管理中涉及到的技术性问题和政策性问题都要进行深入研究。

一、水资源管理的侧重点应放在需水管理方面

黄河水资源利用正在向着需水大大超过供水能力的方向发展,水资源管理的侧重点应放在需水管理方面。特别枯水年要保证重点,压缩各部门的需水量。要加强取水许可监督管理,实施和完善取水许可证年度审验、计划用水审批、取水统计上报等制度。特别要加强宁夏、内蒙古、河南、山东引黄灌区的需用水管理。

发展和推广农田节水灌溉是解决干旱地区水资源紧缺的主要措施之一。黄河下游引黄水量绝大部分用于农田灌溉,灌溉节水潜力较大。发展节水灌溉可减少水量需求,缓解黄河下游引黄灌区的供水紧张局面。

二、由小浪底水库在作物生长季节适时适量供水

近年来,山东省政府一直鼓励各地市根据天气情况和蓄水条件,在灌溉季节到来之前多引、多蓄部分水量。在小浪底水库投入运用以前,由于三门峡水库运用水位的限制,不能充分调节黄河水量。贯彻执行"早引、早蓄、早灌"的引水原则,可以提高黄河水资源的利用量。小浪底水库投入运用以后,黄河水量调节能力显著增强,水库供水可充分考虑下游引黄灌区的用水需要。因此,除结合发电进行必要的补源灌溉之外,还应强调由小浪底水库在作物生长季节适时适量供水。"早引、早蓄、早灌"原则在实施过程中应根据实际情况进行调整,以减少水资源的浪费。

三、在下游沿黄地区发展井渠双灌,进一步开发利用地下水

黄河下游沿黄地区地下水基本属于浅层淡水,地下水资源丰富,开采便利。地下水和地表水联合运用,不仅可以有效地控制地下水位,避免次生盐碱化的发生,而且可以提高黄河水资源的有效利用率。因此,建议在下游沿黄地区发展井渠双灌,进一步开发利用地下水。

四、通过立法对水资源实施有效管理

水资源的开发、利用、管理、保护及防治水害等问题均要有相关的法律可依。水资源管理机构的设置和职权的授予,也应以立法的形式确立。依法治水、依法管水是水管理体制改革的方向。

五、积极开展供水的经济分析

促进黄河下游引黄地区经济的协调发展是黄河下游水资源调度和分配的原则之一,通过供水的经济分析可以帮助分析人员和决策人员深入了解下游引黄地区各区域、各部门之间的经济关系,判断供水是否达到了预期的经济目标,便于政府和水行政管理部门使用经济手段进行宏观调控,也有助于引导用水向优化配置的方向发展。

六、引黄水价应按供需关系进行调整

为切实搞好节约用水,唤起人们的节水意识,引黄水价应按供需关系进行调整。

要建立黄河水资源的有偿使用制度，依法征收水资源费，合理确定黄河水价，实行浮动水价，对现行黄河下游引黄渠首水价和流域各省区引黄水价重新进行核定。对超计划用水的单位，除严格限制其用水外，对超过部分实行累进加价收费。

取水计量设施的安装及使用是推行计划用水和节约用水、对用户进行有效监督管理和征收水费的重要手段。应逐步完善按方收费的计量体系，在现阶段应尽早实现在乡镇一级全部做到计量供水和按方收费的目标。

七、加快“数字水调”建设，提高黄河水量调度与管理水平

“数字水调”是“数字黄河”的重要组成部分，其建设必将推进黄河水量调度与管理向现代化、信息化和科学化方向迈进。与“数字防汛”相比，“数字水调”工作基础薄弱。当前应加强水量调度与管理基础资料数据库建设，建立引黄涵闸自动监控系统和引黄灌区土壤墒情监测系统，在本次研究开发的WRDDSS基础上，开发全河水量调度决策支持系统。

第三节　小　结

本章就运行体制、监督管理、信息源等方面，提出水资源调度实施意见和建议。

实施意见包括：积极开发信息源，在应用中完善水量调度决策支持系统；设立专门机构，强化调度管理职能；以黄河可供水量分配方案为依据；提高降雨、径流预报和水库调度水平；分阶段建立供水监测监控系统；完善监督管理办法。

建议包括：水资源管理的侧重点应放在需水管理方面；应强调由小浪底水库在作物生长季节适时适量供水；在下游沿黄地区发展井渠双灌，进一步开发利用地下水；通过立法对水资源实施有效管理；积极开展供水的经济分析；引黄水价应按供需关系进行调整；加快“数字水调”建设，提高黄河水量调度与管理水平。

为了充分、合理地利用有限的黄河水资源，使黄河下游水资源调度管理走上规范化、科学化轨道，主要应解决黄河水资源管理体制和运行机制不健全的问题。

第十二章　结　语

黄河下游水资源供需矛盾突出，河道断流形势严峻，严重制约当地社会经济的可持续发展和威胁生态环境系统安全。进行三门峡以下非汛期水量调度系统关键技术研究具有重要的理论和应用价值，它不仅可以减缓下游断流的紧张局势，落实国务院分水方案，同时为开展全河水资源调度和我国北方其他缺水河流水资源统一调配提供经验。

第一节　主要成果

在上级主管部门正确领导和专家组的悉心指导下，通过参加本专题的生产、科研和大专院校等单位的联合攻关，实现了预期目标，取得了丰硕的研究成果。

一、基本情况调研

对研究区引黄概况、水库工程、社会经济和气候条件、水资源条件和利用现状进行了广泛的调研，掌握了丰富的第一手资料，为项目研究打下了坚实的基础。此外，还在对基本资料进行分析的基础上，明晰了下游引黄灌区水资源利用存在的主要问题。

二、用水需求分析

分析了引黄用水规律和主要影响因素，并基于土壤水分平衡和区域水资源平衡原理建立了下游引黄灌区用水需求分析模型。根据现状灌溉面积和气候条件，利用下游引黄灌区用水需求分析模型分节点计算了作物需水量。考虑到一般年份用水高峰季节和枯水年份供水量严重不足，专门进行了农作物供关键水分析。考虑不同降水频率和地下水开采水平的组合以及国务院分水方案，分析拟定了 12 种方案的总用水过程，为水量调度提供了用水需求信息。

三、径流预报模型

在分析非汛期径流变化特点和影响因素的基础上，采用多元回归分析和门限回归分析方法，建立了黄河中下游非汛期径流总量预报模型、旬月预报模型和桃汛洪水预报模型。经检验，所建预报模型合格率高。在近两年的实际作业预报中，预报效果较好，可为黄河水量调度提供科学的来水预报。

四、水库调度模型

在对三门峡和小浪底水库运用方式和水流传播时间分析的基础上，考虑黄河下游水资源短缺现状和小浪底水库兴利目标等级次序，利用多目标决策简化方法——分层序列法建立了三门峡、小浪底水库等级优化调度模型，同时为满足对比分析需要，开发了三门峡、小浪底水库模拟调度模型，并建立了能够有效考虑水流传播时间影响的模型求解方法。

五、河段配水模型

根据黄河下游实际情况，结合水资源分配通用准则，拟定出下游河段配水基本准则，对下游水资源分配起到宏观指导作用。在归纳现有水资源分配方法基础上，结合黄河下游实际情况，提出同倍比配水、按权重配水和用户参与配水方法，并根据这些方法建立了相应的月、旬河段配水模型。

六、风险分析模型

在对众多风险分析方法进行评价的基础上，选用典型解集和统计试验等方法进行水量调度风险分析。在假定来水总量预报误差正态分布基础上，采用随机模拟技术，生成非汛期来水总量系列，对来水总量采用典型解集方法，生成随机来水系列。根据不同降雨和地下水开采水平，拟定12种用水过程，假定用水为均匀分布，得到下游用水随机过程。对每一组来水、用水系列，利用水量调度模型计算其缺水量，对缺水量系列进行统计分析，求得水资源调度风险。

七、经济效益分析模型

根据不同的供水目标，重点对区域水资源利用经济效益分析方法进行了较为深入的研究。根据黄河下游实际，采用扣除农业生产费用法，通过建立两个线性规划模型研究下游灌溉水资源的优化配置及其灌溉经济净效益；根据掌握的资料，采用分摊系数法计算工业及生活供水经济效益；采用长期边际成本法，计算三门峡和小浪底的发电经济效益；采用机会成本法计算河口生态环境效益。

八、最小生态环境需水量研究

通过收集有关资料和现场查勘，对河流水环境和水生态现状调查与评价。根据黄河下游实际，采用非现场法计算生态环境需水量，通过建立河流水质模型，计算污染物稀释自净需水量。通过建立湿地水文及水平衡模型，计算河口地区自然保护区湿地需水量，并对河口海域鱼类洄游需水量、河口景观需水量进行了估算。经综合分析，最后确定了河道内最小流量与最小入海水量。

九、决策支持系统

从基于面向对象技术的系统分析着手，依据系统工程理论和计算机软件工程，基于地理信息系统(GIS)开发出黄河三门峡以下非汛期水量调度决策支持系统。该系统不仅具备水量调度必需的数据库和方案库，而且还拥有包括径流预报模型、用水需求分析模型、水库调度模型、河段配水模型、风险分析、经济效益计算、空间分析在内的模型库，可以有效地辅助制订水量调度方案。

最后还提出水资源调度管理实施意见和建议。

第二节　主要创新点

本次攻关研究紧紧抓住黄河目前存在的水资源短缺、迫切需要进行统一调度的生产难题，理论联系实际，注重研究成果的实用性和可操作性，缩小了理论与实际的距离，实现了理论的实用价值。在理论、方法和手段上都有所创新。

一、理论上创新

传统水量调度主要以水库调节为核心，在一定程度上忽视了具有同等水量调节作用的水资源区域配置，即空间调节。本次研究将水库调度和河段配水相分离，既突出了水量调度空间配置的作用，又体现了水量调度在时程上的调节效能，同时也能够解决水量调度中总量难以控制这一难题。这种水库调度和河段配水相分离的水量调度结构体系，在水量调度理论中是一种创新，这也为执行国务院批准的水量分配方案提供了科学的定量化手段。

根据黄河实际，建立了一套黄河水量调度管理理论。该理论科学严谨，包括径流预报、用水需求分析、水库调度、河段配水、水质分析、效益计算、风险分析、水量调度决策支持、配套管理措施等，在我国北方缺水地区水量调度中具有普遍的指导意义。

二、方法上创新

利用模型群解决黄河水量调度问题也是本次研究的一个创新。模型群包括来水预报、用水计划编制、水库调度、河段配水、水质分析、风险分析、效益计算等，通过模型组合、嵌套等手段，发挥模型群的合力。

在水量调度中，通过增加最小生态环境流量约束，实现水量和水质的统一调度。

在考虑径流预报误差的基础上，利用典型解集和统计试验等方法生成来水、用水系列，基于风险分析理论进行水资源调度风险分析，为水资源调度管理提供风险信息支持。

以前期大气环流特征量为因子建立兰州以上区域月径流预报模型，研究实用的花园口站年天然径流量预报方法，这在黄河水文史上都是第一次。

此外，对三门峡以下地区最小生态环境需水量进行研究，并根据纳污能力计算和污染物削减量计算制订污染物总量控制方案，并提出水环境保护科学对策。这些工作在黄河上均属首次。

三、手段上创新

基于数据库管理系统(DBMS)技术和地理信息系统(GIS)开发了水量调度决策支持系统，为决策者提供先进、智能和全面的技术支持，使决策不再是一个枯燥、呆板的过程，这在手段上是一个很大创新，体现了水量调度的发展方向。

基于面向对象(OOP)技术，提出决策方案的方法、属性和事件等概念，使水量调度决策方案的管理更为方便快捷，这是计算机新技术和思想在水资源调度管理中的高层次的应用。

在水库调度中，采用优化和模拟两种方法；在河段配水中采用同比例、按权重和用户参与三种方法。这种综合运用多种方法进行分析对比，对保证成果质量具有非常重要的意义。

第三节　成果初步应用

科研成果能否有效指导生产实践，即形成生产力，是检验攻关研究成败的重要标准。本次攻关研究作为应用基础研究，旨在通过对三门峡以下非汛期水量调度系统关键技术的研究，建立水量调度决策支持系统，给水量调度生产部门提供一个有效的辅助决策工具，因此从系统的整体规划、框架构建、研制开发、调试运行到初步应用的各个阶段，始终将实际应用作为重要的追求目标。

在研究过程中，部分成果如水库调度模型和河段配水模型，先后应用于《黄河河口治理规划》、《小浪底水库运用方式研究》等项目中。为使所建的三门峡以下非汛期水量调度决策支持系统尽快应用于生产中，2001 年初项目组和黄委会水调局联合开展了“三门峡以下非汛期水量调度系统应用研究”，经过双方的共同努力，该系统已成功地应用于 2001～2002 年度下游非汛期水量调度预案制订。

第四节　今后工作意见

黄河是一条复杂的河流，黄河水资源的合理调度涉及众多技术因素、体制因素和行政因素，许多问题仍然需要进一步的探讨和研究。

(1)本次研究考虑不同降雨和地下水开采水平，得到多个用水需求过程，这与实时用水预报还有一定距离。将来应进行中长期和短期用水预报研究，以获取实时的用水需求。

(2)径流预报精度直接影响水资源调度效益的发挥，目前非汛期径流总量预报精度较高，但其过程由于受降雨等因素影响，精度较低，将来应加强径流预报研究，提高径流预报过程的精度，降低水资源调度风险，提高调度效益。

(3)本次建立了水库优化调度和模拟调度模型，可以满足对比分析要求，但从结构上看，它们还是相对独立，如何将二者有机结合起来，充分发挥各自的长处，提高调度水平，需要作进一步研究。

(4)在 WRDDSS 中，运用了 GIS 技术，可以提高 DSS 的功能，但 GIS 的空间分析功能还远没有发挥出来，应继续研究 GIS 和 DSS 的有机结合，同时还应研究人工智能和多媒体等技术在 WRDDSS 中的应用。

(5)虽然 WRDDSS 中具有多方案比较功能，但还不能完成方案的综合评价，需要研究建立水资源调度方案多目标评价模型。

(6)本次研究的水资源调度风险还仅是供需意义上的风险，由于工程人员的调度失误等原因，使得水资源调度过程中还存在其他的风险因素，因此还应研究水资源调度运用风险、工程风险等，以全面反映水资源调度风险。另外，还应研究水资源调度风险管理等问题。

(7)评价水资源调度效益是一个十分复杂的问题，本次研究虽然做了一些探索性工作，将来还应进行深入研究，为调度方案的比选提供效益方面的指标。